D0317763

Au jeu du plaisir

Au jeu de la volupté

CARA SUMMERS

Au jeu du plaisir

Passions extrêmes

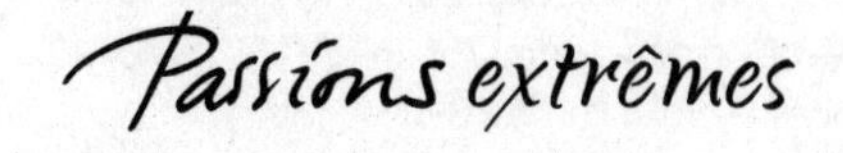

éditions HARLEQUIN

Collection : PASSIONS

Titre original : TWIN TEMPTATION

Traduction française de EMMA PAULE

Ce roman a déjà été publié en juin 2010

HARLEQUIN®
est une marque déposée par le Groupe Harlequin
PASSIONS®
est une marque déposée par Harlequin S.A.

Réalisation graphique couverture : C. ESCARBELT (Harlequin SA)

83-85, boulevard Vincent-Auriol, 75646 PARIS CEDEX 13.
Service Lectrices — Tél. : 01 45 82 47 47
www.harlequin.fr
ISBN 978-2-2803-1274-5 — ISSN 1950-2761

Prologue

Ce manoir sortait tout droit des livres qu'elle avait lus plus jeune — *Jane Eyre, Rebecca, Les Hauts de Hurlevent.*

Telle avait été la première pensée de Maddie en descendant de la limousine devant la structure de pierre. Massive et solitaire, Ware House projetait sur elle l'ombre de ses deux étages et de ses trois tourelles agrémentées de frises de pierre sur fond de ciel plombé. *A en avoir froid dans le dos,* songea-t-elle encore, un peu abasourdie.

Cependant, il ne s'agissait nullement de la résidence campagnarde d'un quelconque gentleman anglais, mais bien de la demeure familiale des Ware, sur Long Island. Et elle, elle allait les rencontrer pour la première fois.

Un homme élancé, avec un vague air de Michael Caine, ouvrit la porte. Un majordome, sans doute, à en juger par son costume et son visage totalement inexpressif. Maddie eut toutefois le temps de noter un éclair surpris dans ses yeux avant qu'il ne s'efface devant elle.

— Entrez, miss Farrell. Permettez que je prenne votre bagage, dit-il, comme si elle était une visiteuse ordinaire.

Encore hésitante sur le seuil, Maddie mit résolument un frein à son imagination fertile, qui s'en était donné à cœur joie depuis l'instant où elle avait reçu l'appel de cet homme de loi, cet Edward Fitzwalter III. Elle resserra la main sur la bride de son sac et pénétra dans le vestibule lambrissé. Comme elle n'était pas certaine d'être bien accueillie, elle avait demandé au chauffeur de la limousine de l'attendre, au cas où elle voudrait repartir sans demander son reste.

— Par ici, dit l'homme en descendant un vaste couloir. La famille est rassemblée dans la bibliothèque.

La famille.

L'anxiété qui nouait l'estomac de Maddie s'intensifia. Elle était sur le point de rencontrer une famille dont elle n'avait appris l'existence que deux jours auparavant. Jusque-là, elle s'était toujours crue la fille unique de Mike Farrell, éleveur prospère dont le ranch se situait à environ une heure de Santa Fe. Son père Mike étant lui-même le dernier descendant d'une longue lignée de ranchers, elle était supposée continuer la chaîne. Toute sa vie, elle avait cru sa mère morte quand elle était tout bébé. Du moins, c'était ce que lui avait raconté son père… et, comme il était mort l'an dernier, elle n'avait aucun moyen de lui demander pourquoi il lui avait menti.

Or, si elle devait croire l'avocat à la voix bourrue qui l'avait appelée deux jours plus tôt, il lui avait bel et bien menti. Et le mensonge avait été énorme. Toutes ces années, elle avait eu une mère qu'elle n'avait jamais connue — une mère qui avait grandi dans cette demeure. Une mère qui se trouvait être Eva Ware, la fameuse créatrice de bijoux de Madison Avenue.

La personnalité professionnelle d'Eva Ware était loin d'être inconnue à Maddie. Elle avait étudié ses créations depuis l'adolescence, depuis qu'elle avait commencé à rêver de créer sa propre ligne de bijoux. Même en sachant son admiration pour Eva Ware, son père ne lui avait jamais dit que celle qu'elle estimait tant était en réalité sa mère.

Elle luttait toujours contre le tumulte de ses pensées quand l'avocat lui avait appris qu'Eva Ware avait été écrasée par un chauffard cinq jours plus tôt.

Non !

La nouvelle aussi choquante qu'inattendue lui avait fait

tourner la tête, et elle s'était lourdement laissée choir sur une chaise pour tenter de rassembler ses idées pendant que la voix grave poursuivait son discours. Elle n'en avait plus perçu que des bribes — à la requête de sa mère… prendre l'avion pour New York… lecture du testament… réclamer son héritage…

Un *héritage ?* Elle se débattait encore avec le mot quand l'avocat en avait proféré un autre. Un autre mot, qui lui avait fait l'effet d'une bombe. *Sœur.* Non seulement elle avait une mère dont elle n'avait jamais entendu parler, mais elle avait aussi un oncle, un cousin et une sœur… une jumelle, une vraie jumelle, Jordan Ware.

Alors, pendant quelques instants, la voix de l'homme de loi n'était plus devenue qu'un vrombissement sourd dans son oreille. Elle avait une sœur ? Une sœur *jumelle* dont elle était séparée depuis la naissance ?

Non. Impossible ! Tout cela sortait du scénario d'un film de Disney. Deux scénarios, en fait. *La Fiancée de Papa* faisait partie de ses films préférés quand elle était petite, et elle avait vu plus récemment son remake, *A nous 4*. Le souvenir d'avoir regardé l'ancienne version, avec Maureen O'Hara et Hayley Mills, avec son père alors qu'elle avait neuf ou dix ans s'était soudain imposé à elle. *Et il n'en aurait jamais soufflé mot ?*

Non. C'était inacceptable. Son père ne pouvait pas lui avoir menti des années durant. Elle avait agrippé son téléphone à deux mains, s'était levée et avait interrompu net son correspondant. « Vous mentez, lui avait-elle assené d'une voix résolue. Vous tentez de m'abuser ou de m'escroquer, mais ça ne marche pas avec moi. »

Impassible, comme s'il s'était attendu à pareille réaction, l'homme lui avait alors suggéré de contacter les renseignements, d'obtenir le numéro de la firme Fitzwalter & Carnegie à New York, de l'appeler et de demander à parler à Edward Fitzwalter III. Elle avait ensuite passé un bon quart d'heure à arpenter de long en large le salon du ranch en se demandant si elle devait le faire.

Elle ne pouvait pas croire, elle *refusait* de croire que son père lui ait menti. Cet homme qui venait de lui téléphoner devait être un escroc particulièrement imaginatif. Immobile face à la baie vitrée, elle avait contemplé la terre qui était dans la famille Farrell depuis cinq générations.

Alors, elle avait songé à Daniel Pearson, l'agent immobilier local qui la pressait de mettre la propriété en vente depuis plus de six mois. Tout le monde ou presque savait que depuis la mort de son père, elle avait du mal à concilier la bonne marche du ranch avec le développement de son entreprise de création de bijoux. Se pouvait-il que l'appel de ce M. Fitzwalter ait eu un rapport avec cela ? Mais comment ? Elle avait beau retourner le problème en tous sens dans sa tête, ça ne collait pas. Car si elle avait véritablement hérité quelque chose de sa mère, ça ne pourrait que l'aider à conserver le ranch.

La curiosité avait fini par l'emporter, ainsi qu'un vague pressentiment lui disant que c'était bien Edward Fitzwalter troisième du nom qui l'avait contactée. En effet, avait-elle vite appris. Mieux, il avait eu la patience et la gentillesse de lui répéter toutes les informations qu'il lui avait données précédemment. Il lui avait même annoncé qu'il lui avait réservé un billet d'avion pour le lendemain. Une limousine l'attendrait à l'aéroport J.F.K. et la conduirait dans la propriété des Ware sur Long Island.

Pour la lecture officielle du testament.

Maddie fut soudain ramenée au présent quand l'homme qui la précédait s'arrêta devant une double porte. Les nerfs à vif, elle le regarda actionner la poignée.

Plantée sur le seuil, elle parcourut la pièce du regard. Trois des quatre murs étaient tapissés de livres, et une odeur mélangée de cuir, de cire d'abeille et de fleurs provenant de vases disséminés un peu partout lui vint aux narines.

Face à elle, quatre vitraux hauts et étroits dispensaient une lumière presque lugubre.

Et elle, elle atermoyait. Prenant son courage à deux mains, elle fit un pas dans la pièce et rencontra le regard des cinq personnes qui s'étaient tournées pour la dévisager. Elle commença par le plus facile à reconnaître, le moustachu quasiment chauve assis derrière le bureau. Edward Fitzwalter III. Ensuite, elle porta les yeux sur les trois personnes assises à gauche du bureau.

Au téléphone, Fitzwalter lui avait rapidement décrit chacun des membres de la famille. Le bel homme grisonnant installé dans le fauteuil de cuir rouge devait être son oncle, Carlton Ware. Frère d'Eva, il dirigeait la Ware Bank, établissement fondé par un de leurs aïeux et dont les filiales avaient essaimé sur tout Long Island. Carlton, sa femme et son fils vivaient ici, à Ware House. Si Eva avait hérité de la moitié de la maison, elle avait toujours préféré vivre à New York même. Le regard noisette de Carlton, calme et évaluateur, croisa le sien. Le jeune homme assis à sa droite devait être son cousin Adam. Il avait les cheveux châtains mi-longs et les portait repoussés derrière les oreilles. Ses yeux bruns étaient nettement hostiles.

Toujours selon M. Fitzwalter, Adam était très impliqué dans Eva Ware Creations, contrairement à son père. Il y était entré dès sa sortie de l'université, mais Eva avait commencé à le former bien plus tôt déjà. Fitzwalter lui avait décrit la mère d'Adam, Dorothy, comme une femme très impliquée et influente dans la société, aussi bien à Long Island qu'à New York même. Elle siégeait au conseil d'administration de plusieurs organisations caritatives et était le fer de lance des campagnes de collecte de fonds pour des institutions telles que le Musée d'art moderne. Grande et mince, elle avait l'allure d'un mannequin. Son regard était mille fois plus glacial que celui de son mari, et un sentiment de supériorité irradiait d'elle par vagues.

Sa coiffure impeccable et son tailleur noir de créateur donnèrent à Maddie l'impression d'être en haillons.

Grandir dans un ranch ne lui avait guère laissé de temps pour se préoccuper de mode, et son pantalon kaki, sa veste en jean brodé et ses bottines étaient parfaitement dans le ton pour travailler à Santa Fe. Elle tourna son attention sur le petit Chinois assis au fond de la pièce. Ce devait être l'assistant de toujours d'Eva, Cho Li. Il travaillait avec elle avant même qu'elle n'ouvre son magasin sur Madison Avenue. Quand il lui adressa un signe de tête et un sourire, elle trouva enfin le courage de se tourner vers le seul visage familier de la pièce… Jordan Ware.

Au cours du long vol depuis Santa Fe, elle avait imaginé cet instant de toutes les manières possible. Ce qu'en revanche elle n'avait pas imaginé, c'était ce coup de poing dans le ventre, ni cette perception instantanée de connexion. L'espace d'une seconde, elle fut incapable de respirer. C'était comme se regarder dans un miroir. Enfin, non, pas vraiment. Dans son chemisier turquoise et son tailleur gris colombe, Jordan paraissait sortir tout droit d'une revue de mode. Et elle ne fit qu'accentuer sa sensation d'avoir tout du rat des champs égaré en ville.

Toutefois, la femme qui se leva et lui fit face avait les mêmes yeux bleu-violet et les mêmes traits qu'elle. Et, même si Jordan Ware avait une coupe de cheveux très mode, tandis qu'elle-même portait les siens en une longue tresse, leurs cheveux étaient de la même teinte miel doré.

Tout ce que lui avait dit Fitzwalter au téléphone était exact. Pour la première fois, elle perçut la réalité de tout ceci. Elle avait vraiment une jumelle. Une sœur.

Elle ne sut pas combien de temps elles restèrent toutes deux plantées l'une en face de l'autre, ni combien de fois Fitzwalter s'éclaircit la gorge avant que le son ne lui parvienne aux oreilles.

Ce fut Jordan qui bougea la première, se précipitant vers

elle et lui prenant les mains. Les yeux dans ceux de sa sœur jumelle, Maddie y vit le reflet de ses propres sentiments : curiosité, excitation et peur. Auraient-elles la moindre chose en commun ? S'apprécieraient-elles seulement ?

— Bienvenue, murmura Jordan.

Pour la première fois depuis son entrée dans la bibliothèque, la tension de Maddie s'atténua un peu.

Alors, Jordan se tourna vers les autres.

— Oncle Carlton, tante Dorothy, Adam, Cho Li, je vous présente ma sœur, Maddie Farrell.

Le silence dura un long moment dans la pièce.

Cho Li fut le premier à prendre la parole :

— C'est un grand plaisir pour moi de rencontrer l'autre fille d'Eva, dit-il en s'inclinant vers elle.

Maddie se surprit à s'incliner en retour.

Puis Carlton se leva.

— Tu vas devoir nous excuser, Madison. Le choc provoqué par le décès brutal de ma sœur, ajouté à la nouvelle qu'elle avait une deuxième fille dissimulée toutes ces années à Santa Fe… eh bien, nous essayons toujours de digérer tout cela. Jusqu'à ce que tu pénètres dans cette bibliothèque il y a quelques instants, je ne suis pas certain qu'aucun d'entre nous n'ait vraiment cru à ce que nous avait dit Edward. Enfin, Dorothy, Adam et moi-même tenons à te souhaiter la bienvenue à Ware House.

Adam et Dorothy, le regard toujours aussi glacé, demeurèrent silencieux.

Ravie de ne pas avoir à se déplacer seule dans la pièce, Maddie laissa sa sœur l'entraîner vers un siège.

Alors qu'elles s'installaient, Jordan lui décocha un sourire et un clin d'œil de conspiratrice.

— Quand cette histoire de testament sera finie, il va falloir qu'on parle.

- 1 -

Jordan tenait toujours la main de Maddie quand Fitzwalter ouvrit le dossier posé devant lui. Du coin de l'œil, Maddie observa sa sœur, l'air de rien. Jordan serrait les lèvres et concentrait toute son attention sur l'avocat.

Elle était nerveuse, nota Maddie. Et ce n'était pas seulement parce qu'elles venaient à peine de faire connaissance. D'un regard de biais, elle étudia les autres membres de la famille.

Avec un bras passé négligemment sur le dossier de la chaise de sa femme, Carlton paraissait tout à fait détendu. Mais une certaine rigidité dans son maintien démentait cette apparence. Si Dorothy s'ennuyait ostensiblement, elle serrait les mains si fort sur ses genoux qu'on aurait cru qu'elle allait les briser. Quant à Adam, raide comme un *i* dans son fauteuil, il agrippait les accoudoirs à pleines mains.

S'il était une chose que lui avait apprise son père, c'était l'importance de savoir lire les expressions et le langage corporel. Selon Mike Farrell, c'était une qualité essentielle dans toutes sortes d'activités, du poker à la négociation commerciale. Et ici deux choses lui sautaient aux yeux. D'abord, les nerfs des autres Ware étaient aussi tendus que ceux de Jordan ; ensuite, la famille ne semblait pas particulièrement soudée.

C'était un sentiment étrange. Etait-il envisageable qu'aucun d'entre eux n'ait apporté un peu de soutien à Jordan alors qu'elle avait dû affronter la terrible nouvelle de la mort de sa mère ? Le cœur soudain serré, Maddie se rappela la douleur atroce et l'engourdissement qui avaient suivi le décès de son père, l'année précédente. Surtout que ça avait été si brutal… Elle s'en voulait encore d'avoir été occupée par une exposition à Albuquerque alors que Mike avait eu une crise cardiaque en vérifiant les clôtures. Seul. Son voisin et ami d'enfance, Cash Landry, avait retrouvé son corps le lendemain matin.

Comme elle n'avait jamais connu Eva Ware, elle ne pouvait qu'imaginer ce que sa sœur avait dû ressentir, et ce qu'elle devait encore ressentir, à cet instant. Avait-elle quelqu'un vers qui se tourner, comme elle-même avait pu se tourner vers Cash ?

Quand Fitzwalter prit une liasse de papiers et regarda par-dessus ses lunettes, d'abord les Ware et ensuite elle et Jordan, Maddie entremêla ses doigts à ceux de sa sœur.

— Je serai bref, dit-il. Si l'un d'entre vous désire une lecture complète du document ainsi que les attendus et autres annexes, je me ferai un plaisir de lui en procurer une copie. Cependant, et si personne n'y voit d'inconvénient, je vais passer directement aux legs.

Le silence régna dans la bibliothèque. Quand l'homme de loi reporta les yeux sur sa feuille, Jordan agrippa plus fort les doigts de Maddie. Sa sœur était-elle inquiète quant au contenu du testament ?

Bien sûr qu'elle l'était, songea Maddie. Tout le monde l'était, ici. Car une seule raison pouvait justifier qu'on ait exigé qu'elle soit présente aujourd'hui : Eva Ware avait dû laisser quelque chose à la fille dont elle s'était désintéressée. Et ce quelque chose serait forcément prélevé sur la part d'héritage de quelqu'un.

— A mon assistant personnel, Cho Li, je laisse la somme de cinq cent mille dollars afin que, si tel est son choix, il puisse prendre sa retraite. Cependant, je garde l'espoir qu'il conserve son poste jusqu'à ce que les nouveaux propriétaires d'Eva Ware Creations soient opérationnels.

Dorothy Ware chuchota quelques mots à l'oreille d'Adam, et il se pencha brusquement en avant.

— Les nouveaux propriétaires ? Qui sont ces nouveaux propriétaires ?

— J'y arriverai plus vite sans interruptions, affirma posément Fitzwalter après lui avoir jeté un coup d'œil.

Adam sembla sur le point de parler, mais il ravala ses paroles.

— A mon frère Carlton, je laisse toutes mes parts de la Ware Bank. J'espère qu'il aura enfin la fortune dont, selon ses croyances, je l'aurais privé.

Maddie remarqua que les nouvelles ne paraissaient pas rendre Carlton très heureux.

Edward Fitzwalter s'éclaircit bruyamment la gorge.

— Le reste de mes biens, autrement dit mes actions, mes titres, l'argent liquide, Eva Ware Creations, ma moitié à cinquante pour cent de Ware House sur Long Island et mon appartement de New York, je le laisse à mes deux filles, Jordan et Maddie, afin d'être partagés équitablement. Toutefois, j'y mets une condition. Elles doivent échanger leurs places et vivre la vie l'une de l'autre pendant trois semaines consécutives — *et ininterrompues* — dont le premier jour commencera dans les soixante-douze heures suivant l'ouverture de ce testament. Si elles refusent de remplir la condition énoncée précédemment, ou si elles ne respectent pas le délai des trois semaines, mes cinquante pour cent de Ware House reviendront à mon frère Carlton. Tout le reste, y compris mon entreprise et mon appartement, devront être vendus et le profit réparti équitablement entre tous mes parents survivants.

Jordan semblait sous le choc et, cette fois-ci, Maddie crut savoir exactement ce qu'éprouvait sa sœur.

Dorothy toucha le bras d'Adam, et celui-ci se leva d'un

bond et planta les mains sur le bureau, de chaque côté des documents que venait de reposer l'avocat. Une telle fureur irradiait de lui que Maddie eut un mouvement instinctif de recul.

— Cela ne peut pas être vrai ! tonna son cousin. Je suis le designer en chef, maintenant qu'Eva n'est plus là. Elle aurait dû me nommer responsable. Elle m'a toujours laissé entendre qu'un jour je la remplacerais !

— Il a raison.

C'était venu de Dorothy, qui prenait la parole pour la première fois. Au contraire de son fils, il n'y avait aucune trace d'émotion dans sa voix.

Imperturbable, l'homme de loi les regarda chacun leur tour.

— Je vous assure que le testament de Mme Ware est parfaitement en règle.

— Non ! protesta Adam. Elle a forcément dû changer d'avis depuis qu'elle avait écrit ça. Elle était… débordée. C'est juste qu'elle n'aura pas eu le temps de venir vous voir pour le corriger.

Fitzwalter glissa ses feuillets dans le dossier.

— Elle est passée à mon cabinet il y a quinze jours pour en revoir tous les termes en détail.

Le visage d'Adam vira au rouge brique et, l'espace d'un instant, Maddie craignit qu'il ne retourne le bureau sur l'avocat. Jusqu'à ce que résonne la voix de Carlton :

— Adam.

Le jeune homme inspira profondément et recula de quelques pas. Dès qu'il fut à distance raisonnable, Maddie se tourna vers Jordan pour lui murmurer :

— Je ne comprends pas. Pourquoi ne t'a-t-elle pas laissé l'affaire, et surtout pourquoi veut-elle qu'on échange nos vies alors qu'elle nous a séparées toutes ces années ?

— J'ai une théorie là-dessus, lui répondit Jordan sur le même ton avant de se retourner vers les autres.

Ils s'étaient penchés les uns vers les autres et chuchotaient à l'écart. Maddie ne pouvait rien entendre, mais à voir l'expression d'Adam il n'appréciait pas ce que disait sa mère.

— Filons d'ici, chuchota Jordan. J'ai réservé une chambre à Linchworth. Je te voulais toute à moi et je me suis dit que rester serait mieux que supporter les embouteillages pour rentrer en ville.

Elles étaient presque arrivées à la porte quand Adam les rattrapa, et, saisissant Jordan par le bras, il l'obligea à lui faire face.

— Tu ne vas pas t'en tirer comme ça, gronda-t-il.

Sa hargne suffit à faire entrer Maddie en action. Ça suffisait comme ça ! Elle empoigna le bras qui retenait Jordan.

— Lâche ma sœur.

— Quoi ? fit Adam en lui jetant un regard incrédule.

Maddie lui donna une violente bourrade qui le fit reculer contre le mur de l'entrée.

— Ce n'est pas parce que les termes du testament de ta tante t'ont mis à cran que tu peux te permettre de malmener ma sœur. Compris ?

— Je n'ai pas rêvé, tu m'as poussé ? fit-il en la fixant.

— Et alors ?

— Adam.

La voix sèche de Dorothy Ware résonna dans le couloir.

— Ça ne va pas se passer comme ça ! gronda Adam en repartant vers sa mère.

Sans un regard pour lui, Maddie suivit Jordan sur le perron, et, alors qu'elles venaient à peine de dévaler l'escalier vers la limousine qui les attendait, Jordan se tourna vers elle et la serra dans ses bras avec un petit cri de victoire.

— Ça fait des siècles que j'ai envie de frapper Adam. Je crois bien que j'attendais que ma super-héroïne de sœur le fasse pour moi !

Jordan guida Maddie vers la suite qu'elle avait réservée au Linchworth Inn. Maddie n'avait pas desserré les lèvres durant le court trajet en limousine et, même si l'altercation avec Adam l'avait en quelque sorte amusée, Jordan savait que le contenu du testament de sa mère tourbillonnait dans la tête de sa sœur. Dans la sienne aussi, du reste. Elle avait bien essayé de réfléchir, d'établir une stratégie, mais dans les affaires la clé du succès résidait toujours dans la connaissance de son interlocuteur.

Or, elle ne connaissait absolument pas sa sœur. D'accord, elle avait fait toutes les recherches possible, qui s'étaient malheureusement limitées au site Web de Maddie. Un site un peu brouillon qui aurait bien eu besoin d'une petite refonte. Tout le contraire de ses créations, car, avait-elle découvert, sa sœur avait du talent. Maddie s'était surtout spécialisée en boucles de ceintures, épingles de cravates et broches dans le style du Nouveau-Mexique. Elle avait imaginé des formes spectaculaires, admirablement exécutées autour de turquoises et d'incrustations complexes. Jordan y avait également vu quelques autres bijoux, des boucles d'oreilles et des bracelets. Peut-être pourrait-elle s'appuyer sur l'intérêt de sa sœur pour la création de bijoux comme d'un argument de négociation ?

Mais il lui fallait d'abord en apprendre plus. Et elle n'avait pas beaucoup de temps. L'horloge égrenait déjà les soixante-douze heures fatidiques.

Elle se pencha vers le petit réfrigérateur et jeta un coup d'œil à Maddie, qui observait la suite.

C'était une petite suite, avec deux chambres. Le salon était meublé à l'ancienne et des rideaux de dentelle pendaient devant la baie. Deux fauteuils recouverts de chintz se faisaient face de part et d'autre d'une table basse.

— Je peux te proposer du vin. Maman et moi buvions toujours du vin blanc, mais je peux commander une bouteille de rouge ou autre chose, si tu veux.

— Le blanc m'ira très bien, répondit Maddie.

Le silence s'appesantit tandis qu'elle ouvrait la bouteille et servait deux verres de vin. Elle gagnait du temps, pourquoi le nier ? Mais que lui prenait-il donc, à elle qui n'était jamais à court de mots ?

— Elle est belle, cette suite, dit Maddie.

La gorge de Jordan se serra un peu.

— Maman l'aimait bien. Nous avions l'habitude de séjourner ici chaque fois que nous devions rendre visite à l'oncle Carlton.

Elle n'y séjournerait plus jamais avec sa mère. Mais elle ne pouvait se permettre d'y penser maintenant. Pas encore.

— Vous ne dormiez pas à Ware House ?

Jordan lui tendit son verre et lui fit signe de s'asseoir.

— Là-bas, l'ambiance était toujours un peu glaciale. Et ça n'a fait qu'empirer quand j'ai obtenu mon M.B.A. et que j'ai commencé à travailler pour Eva Ware Creations. Mais ça remonte à bien plus loin. Je ne pense pas que maman et oncle Carlton aient jamais été d'accord sur rien, même quand ils étaient petits. Les frictions ont pris de l'ampleur à la mort de mon grand-père. Oncle Carlton fait partie de ces vieux traditionnalistes persuadés que le fils aîné doit hériter de tout sans contestation possible. Dieu merci, mon grand-père n'était pas de ce bois-là. Il a tout divisé en deux parts égales entre maman et oncle Carlton, même la maison. Alors, Maman a pris tout ce qui lui revenait, actions, titres et liquide, et a tout investi dans sa joaillerie. C'est comme ça qu'elle a pu ouvrir la boutique de Madison Avenue.

— Sage décision, opina Maddie.

— Entièrement d'accord, seulement les autres Ware n'étaient pas de cet avis.

Maddie afficha aussitôt un immense sourire.

— J'ai dit quelque chose de drôle ?

— C'est ta façon de les appeler… les *autres* Ware. J'avais déjà commencé à penser à eux comme ça.

Sa jumelle était futée, songea Jordan. Ce qui pourrait jouer en sa faveur. Elle replia les jambes sous elle et poursuivit :

— En guise de calumet de la paix, maman avait accepté qu'oncle Carlton, Dorothy et Adam habitent Ware House. Elle, elle n'utilisait la maison que pour des réceptions professionnelles, et elle avait accepté d'assister à toutes les manifestations en relation avec la Ware Bank.

— Et que s'est-il passé quand tu as commencé à travailler pour Eva Ware Creations ? demanda Maddie en buvant une gorgée de son verre. Tu disais que tout a empiré à partir de là.

— Avant cela, Adam était persuadé qu'il pourrait reprendre l'affaire, un jour. Il y travaillait depuis trois ans quand je suis arrivée dans l'équipe. C'est un brillant designer, et maman en avait parfaitement conscience. Il avait déçu ses parents en refusant de devenir banquier, donc je pense qu'il veut absolument réussir. En tout cas, c'est ce que veut Dorothy. Et puis il a un caractère de chien.

— J'avais remarqué ! Il est peut-être excellent designer, mais il n'a pas tes références en matière commerciale.

Jordan la dévisagea un instant.

— Comment le sais-tu ?

— Je t'ai cherchée sur internet. Une licence à la Wharton School, un M.B.A. à Harvard. Très impressionnant.

— Touché, dit Jordan en souriant. J'ai aussi visité ton site Web. A propos, il aurait besoin d'être retravaillé, mais pas tes bijoux. Ceux que j'y ai vus sont splendides.

Elle se pencha en avant et toucha les boucles d'oreilles que portait Maddie. Un fil d'argent y avait été entrelacé en dentelle fragile autour d'une turquoise.

— Elles sont magnifiques. Maman cherchait toujours des turquoises de cette qualité.

— Elle aurait dû venir au Nouveau-Mexique.

Jordan chercha le regard de sa sœur et y déchiffra un chagrin qu'elle ne comprenait que trop.

— Mais elle y est allée. C'est au Nouveau-Mexique qu'elle nous a donné le jour. J'ai harcelé Fitzwalter jusqu'à ce qu'il me montre notre certificat de naissance. Nous sommes toutes les deux nées à Santa Fe.

— Elle était au ranch ? s'ébahit Maddie.

— Ça, je n'en sais rien, mais ce qui est sûr, c'est qu'elle a accouché à Santa Fe.

— Elle aurait dû revenir.

— Oui, elle l'aurait dû. Et notre père aurait dû venir ici. J'ignore si nous découvrirons un jour pourquoi ils ne l'ont pas fait. Ou pourquoi ils nous ont séparées.

— Pourquoi veut-elle qu'on échange nos places ? Tu m'as dit que tu avais une théorie là-dessus ? s'enquit Maddie.

— J'en ai une, qui me vient de ce que j'ai appris sur toi en te cherchant sur Google. Je pense qu'elle veut que tu t'immerges à fond dans Eva Ware Creations parce qu'elle veut que tu y travailles.

— Non. C'est impossible !

— Je la connais. C'était une femme très concentrée sur ses objectifs. Je suis persuadée qu'elle suivait ta carrière à la loupe et que, dans le cas où il lui arriverait quelque chose, elle voulait que tu voies ce qu'elle avait créé — que tu saches ce que vous pouviez partager.

— Mais pourquoi ne m'a-t-elle pas contactée directement ? Pourquoi le mettre dans son testament ?

Jordan se leva et fit quelques pas.

— Ces questions, je n'arrête pas de me les poser. Il est possible qu'elle ait eu peur de le faire après toutes ces années. Un autre de ses aspects, c'est que la création de bijoux était une véritable passion pour elle. Elle se perd… se perdait généralement dans le travail. Tout le reste pouvait attendre.

Maddie la regardait d'un air un peu égaré.

— Mais pourquoi trois semaines ?

— Elle pensait probablement que vingt et un jours suffiraient, répondit Jordan avec un sourire ironique. Quand elle a commencé à faire de la gym, son entraîneur lui a dit que faire quelque chose chaque jour pendant trois semaines était ce qu'il fallait pour en prendre l'habitude.

— Mais c'est… dingue. Et injuste pour toi.

— Tu ne dirais pas ça si tu avais connu Maman. Eva Ware Creations signifiait *tout* pour elle, la corrigea Jordan en allant à la fenêtre avant de se retourner. C'est pour cela qu'il faut qu'on parle du testament.

— Oui, répondit Maddie en se levant aussi. Je tiens à ce que tu saches que…

— Pas un mot, l'interrompit Jordan en levant une main. Puisque je suis l'aînée, je parle en premier.

Maddie plissa les yeux.

— Ah oui ? Et comment sais-tu que tu es l'aînée ?

En plus d'être futée, sa sœur avait du caractère ! songea Jordan. Mais ça lui plaisait.

— J'ai vu l'acte de naissance, rappelle-toi. Je t'ai battue de presque quatre minutes, répondit-elle en se précipitant sur Maddie pour lui prendre les mains. S'il te plaît, je veux que tu m'écoutes avant de dire le moindre mot.

Maddie hocha la tête.

Jordan la lâcha et reprit ses allées et venues.

— J'ai essayé de trouver comment te le dire d'une façon qui parvienne à te convaincre…

— Tu n'as pas à le faire.

— Tu as promis ! lui rappela Jordan.

— D'accord, d'accord.

Maddie se rassit. Sa sœur lui faisait penser à son père. Ce regard noir qu'elle venait de lui jeter était du Mike Farrell pur sucre, et lui aussi faisait les cent pas quand il essayait de la persuader de faire quelque chose. Cependant, elle avait juste voulu faciliter les choses à Jordan. L'argent, la maison, Eva Ware Creations… rien de tout cela ne lui appartenait. Tout devrait revenir à Jordan. Comment sa sœur pouvait-elle vouloir qu'elle l'accepte ?

— Je sais que c'est dingue, reprit Jordan en s'asseyant à son tour. Mais voilà : on va devoir accepter les termes du testament.

Maddie se contenta de la fixer.

— Comment peux-tu le vouloir ? finit-elle par dire. Ce n'est pas juste.

— Je sais que ça ne l'est pas, répondit Jordan en se passant les mains dans les cheveux. Que c'est totalement injuste. Echanger nos places va être très compliqué, mais je ne vois pas ce qu'on pourrait faire d'autre. J'ai vu sur ton site que tu as une exposition de bijoux dans quatre jours à Santa Fe.

C'était exact, et seul le tumulte de ces derniers jours avait pu le lui faire oublier.

— Je ne peux pas la manquer. Ça fait des mois que je travaille sur ces créations, et il est essentiel que j'y sois si je veux rencontrer de nouveaux acheteurs.

— Je devrais pouvoir y arriver. J'ai fait plusieurs expos avec maman, et la partie marketing relève de mon domaine de compétences.

— Mais il y a d'autres choses… des problèmes au ranch.

— Quel genre de problèmes ?

Maddie se tordit les mains.

— C'est juste que… je ne suis pas la meilleure pour tenir un ranch, et j'ai dû me battre pour reprendre la suite de mon père, sans cesser de développer mon entreprise de bijoux. Cash Landry, mon voisin, m'a bien aidée, mais je ne peux le mettre éternellement à contribution. Et puis il y a cet agent immobilier, Daniel Pearson, qui me presse pour que je mette le ranch en vente.

— Tu ne penses pas sérieusement à vendre ?

— Non.

En disant cela, Maddie éprouva une pointe de culpabilité. N'était-ce pas justement ce qu'elle envisageait de faire ? Elle n'avait encore pas opposé une fin de non-recevoir définitive à Daniel Pearson. Et voilà que sa sœur se battait bec et ongles pour qu'elles fassent perdurer l'entreprise de sa mère. Comment pourrait-elle faire moins pour celle de son père ?

Une lueur d'intérêt pétilla dans l'œil de sa sœur.

— Peut-être que je pourrais t'aider.

— Comment ça ?

— Trois semaines ne donneront l'occasion de mesurer les problèmes. Non pas que je sois rancher, mais je m'y connais en gestion, tu as vu mes diplômes. Je pourrais apporter une nouvelle perspective. A combien de gens as-tu dit que tu venais ici pour l'ouverture du testament ?

— A personne. Mon contremaître et Cash étaient tous les deux absents, ils emmenaient mon bétail au marché et, ensuite, ils devaient rencontrer de nouveaux acheteurs à Albuquerque. Ils ne devraient pas rentrer avant plusieurs jours. C'est le contremaître de Cash qui vient s'occuper des chevaux et vérifier que tout va bien quand il n'est pas là. Même à lui, je n'ai pas eu l'occasion de dire que je partais.

Jordan but une gorgée de vin, pensive.

— Je parie que je pourrai me faire passer pour toi à l'exposition sans que personne ne s'en rende compte.

— Te faire passer pour moi ? Tu es sérieuse ?

— Très sérieuse, dit Jordan en recommençant à aller et venir dans la pièce. Je sais que les acheteurs préfèrent parler au créateur, et j'en ai appris assez à Eva Ware Creations pour le faire. Si le ranch est désert en ce moment, j'aurai juste à faire comme si j'étais toi en arrivant à Santa Fe. Toi, en revanche, tu ne pourras pas te faire passer pour moi. Les autres Ware, et Cho Li, savent déjà qui tu es. Je vais le dire à tous les autres employés de Madison Avenue. Il faudra juste que tu fasses mon travail pendant trois semaines.

— Mais je n'ai aucune idée de ce que tu fais !

— J'ai mon planning sur mon ordinateur portable, et Cho Li te mettra au courant du reste. Je l'ai toujours vu travailler avec maman. Y a-t-il quelqu'un qui puisse me mettre au courant au ranch ?

— Attends. Tu vas trop vite, la coupa Maddie. Je ne t'ai encore pas parlé des problèmes au ranch. Il ne serait peut-être pas très sûr pour toi d'y être.

— Et pourquoi cela ?

— Il y a eu plusieurs incidents dernièrement, du vandalisme. Des clôtures arrachées, des graffitis sur le bâtiment des ouvriers. Cash était presque sûr que c'était l'aîné des jumeaux Trainer, qui avait une espèce de béguin pour moi. Mais les incidents sont devenus plus sérieux ces derniers temps. A cause d'une autre clôture sectionnée, une partie de mon bétail s'est égayé dans la nature et on n'a pas pu rassembler toutes les bêtes à temps pour partir au marché. Et, il y a environ deux semaines, quelqu'un a trafiqué la nourriture de mes écuries, et j'ai failli perdre mon cheval.

— Tu as appelé la police ?

— Ils n'ont pas pu faire grand-chose, à part un rapport.

Jordan lui sourit.

— Je serai prudente, ne t'inquiète pas. Et puis, ce sera aussi sûr pour moi là-bas que ça le serait pour toi.

— Je peux gérer.

— Mais moi aussi, je peux ! N'oublie pas que j'ai été élevée à New York ! Toutefois, il y a une chose que tu dois savoir concernant le magasin. Il y a un mois, Eva Ware Creations a été cambriolé. Quelqu'un a piraté les codes de sécurité et a volé environ cent mille dollars en bijoux dans le salon d'exposition principal. La police enquête toujours. Mais rassure-toi : depuis, on a modifié tous les codes, et puis, comme ça s'est passé après les heures d'ouverture, tu devrais être en sécurité, toi aussi.

Maddie s'inquiétait plus pour sa sœur que pour elle.

Mais Cash serait très bientôt de retour, songea-t-elle. Elle pourrait lui passer un coup de fil pour lui demander de veiller sur Jordan.

Soudain, son ventre se serra. Envisageait-elle vraiment d'échanger sa place avec sa sœur ?

— Y a-t-il quelqu'un au ranch qui puisse me dire ce que je dois faire ? répéta Jordan.

— Cash et mon contremaître, quand ils seront de retour.

— Ce Cash…, fit Jordan en plissant les yeux. Est-ce que lui et toi… vous sortez ensemble ?

— Non. On a grandi ensemble. Il dirige le ranch voisin du mien. Mon père et le sien avaient l'espoir qu'un jour on tombe amoureux l'un de l'autre et qu'on fusionne les ranchs, mais ça n'est pas arrivé. On est juste amis.

— Bien. Est-ce que tu crois que je pourrais le tromper au point qu'il me prenne pour toi quand il reviendra ?

— Tu songes vraiment à te faire passer pour moi, n'est-ce pas ?

— C'est plus pratique, non ? Je n'aurai rien à expliquer à personne, ni le testament ni l'échange. Crois-tu que ton voisin cow-boy marchera ?

Maddie réfléchit un instant, puis secoua la tête.

— Il est très fin.

— Vraiment ? fit Jordan en souriant. Alors c'est encore mieux : j'adore les défis ! Il va falloir qu'on se mette tout par écrit, et puis on se tiendra informées par téléphone. C'est ce qu'ont fait les filles dans *La Fiancée de Papa,* et elles avaient la moitié de notre âge.

— Tu as vu ce film ?

— Oh, seulement une quinzaine de fois. Je me souviens qu'on le regardait quand j'étais petite, maman et moi.

— Cependant, il y a une énorme différence entre les filles de *La Fiancée de Papa* et nous. Elles avaient échangé leurs places afin de pouvoir connaître le parent dont elles étaient séparées. On ne va pas pouvoir faire ça.

— Non, acquiesça Jordan en se rasseyant près de Maddie pour lui prendre les mains. J'aurais tellement aimé que tu puisses rencontrer maman.

— Et toi papa.

La compréhension qu'elle lut dans les yeux de sa sœur l'aida à faire passer les mots dans sa gorge serrée.

— Peut-être que cet échange est le seul moyen qui nous reste pour le faire, réfléchit Jordan à voix haute. On peut le faire.

— Je ne comprends pas, dit Maddie en l'étudiant. Pourquoi voudrais-tu le faire ? Et pourquoi voudrais-tu partager ton héritage avec moi ?

— Parce que tu es ma sœur, répondit Jordan en la fixant. Et parce que notre mère l'a voulu ainsi. Même si c'est un peu tard, elle a dû avoir des regrets de nous avoir séparées, et c'est sa façon de s'assurer qu'on apprenne à se connaître l'une l'autre.

— Il y a d'autres moyens de le faire.

— Maddie, tu as entendu les termes du testament. Si nous n'échangeons pas nos places pendant trois semaines, Eva Ware Creations sera vendu. Je ne peux pas laisser faire ça sans bouger. Maman a travaillé toute sa vie pour créer son entreprise, et je ne peux la laisser détruire. Je veux que son héritage perdure. Quoi que cela exige de nous, nous devons accepter les conditions de son testament.

Elle l'implora du regard.

— Je t'en prie, dis-moi que tu vas le faire.

Maddie n'était pas du genre impulsif — du moins, elle ne s'était jamais vue ainsi. Mais elle pouvait comprendre ce qu'essayait de faire Jordan. La même chose la poussait à vouloir conserver le ranch afin que l'héritage de son père perdure.

Et Jordan avait raison. Si elle prenait sa place et travaillait chez Eva Ware Creations, ça lui donnerait une occasion unique d'en apprendre davantage sur la femme qu'elle avait toujours admirée. La femme qu'elle n'avait jamais rencontrée. Et il était peut-être possible qu'elle découvre pourquoi leurs parents avaient décidé de se séparer et de *les* séparer. Ces deux questions n'étaient-elles pas celles qui lui tournaient incessamment dans la tête depuis qu'elle avait appris la vérité de la bouche d'Edward Fitzwalter III ?

— O.K. Je vais le faire.

— Vraiment ?

— Vraiment.

— Merci ! s'écria Jordan en la serrant dans ses bras. Maintenant, fit-elle d'une voix pleine d'excitation, passons aux détails pratiques. Tu habiteras bien évidemment dans mon appartement. J'ai un colocataire, Jase Campbell. On avait déjà partagé un appartement à l'université, même s'il a quelques années de plus que moi, et il a donc posé ses bagages chez moi quand il est venu monter son entreprise de sécurité ici, à New York. Et puis… le provisoire est devenu permanent.

— Vous êtes ensemble, tous les deux ?

— Non, on est amis, c'est tout. Il est un peu mon grand frère. En ce moment, il est absent, quelque part en Amérique du Sud pour une mission dont j'ignore tout. Je ne peux même pas le joindre sur son portable. Je n'ai même pas pu lui dire que…

Quand elle s'interrompit brusquement, Maddie lui prit les mains.

— Je ne crois pas avoir vraiment assimilé qu'elle est morte, fit Jordan.

— C'est normal, après tout ce que tu as vécu, fit Maddie en lui tendant son verre. Il a fallu que tu ailles reconnaître son corps, d'après ce que m'a dit Fitzwalter. Et puis il y a eu toutes les démarches pour l'enterrement, et, pour couronner le tout, tu te retrouves avec une sœur que tu ne connais pas.

— Quand tu as perdu ton père, fit Jordan en la regardant, combien de temps t'a-t-il fallu pour l'accepter ?

— Je crois que ce n'est pas encore fait, soupira-t-elle. Mais je pense que voir le ranch t'aidera. Il y règne comme de la sérénité.

Jordan la dévisagea avec un sourire sur les lèvres, qui illuminait tout son visage.

— Tu n'imagines pas à quel point je suis heureuse de t'avoir, Maddie Farrell.

— Oh que si, Jordan Ware, je l'imagine parfaitement !

Elles tombèrent dans les bras l'une de l'autre, et Maddie ressentit une sensation de bien-être comme elle n'en avait pas ressenti depuis très, très longtemps. Ce n'était pas un rêve. Elle avait bel et bien retrouvé sa sœur, et à partir de maintenant rien ne les séparerait plus.

— Bon, dit Jordan en relâchant son étreinte. Il nous reste des tonnes de choses à apprendre l'une de l'autre avant l'échange. On ferait mieux de s'y mettre !

- 2 -

Il n'était pas loin de minuit lorsque Jase Campbell descendit l'escalier d'un petit jet privé sur le tarmac de l'aéroport de La Guardia. Après presque un mois passé dans les entrailles de la jungle amazonienne, il accueillit avec bonheur la rafale de vent brusque qui lui balaya le visage, ces mêmes rafales qui avaient rendu l'atterrissage un peu mouvementé. Le taux d'humidité de New York n'était rien comparé à ce qu'il venait de vivre.

Le Cessna était le troisième appareil à bord duquel il était monté dans les dernières vingt-quatre heures, et le seul à offrir un peu de confort. Grâce aux bons soins de la Ferderman Corporation — la firme qui l'avait embauché en tant que consultant afin de parvenir à libérer trois otages — il avait pu se doucher, se raser et même se changer à l'aéroport, avant que le Cessna ne décolle. Un luxe qui lui avait amèrement manqué ces derniers temps.

Cependant, il n'avait pas réussi à trouver le sommeil dans l'avion. Les derniers jours de sa mission étaient encore trop frais dans sa tête. Une mission seulement en partie réussie, dans la mesure où un des otages n'avait pas survécu. Chaque fois qu'il fermait les yeux, il ne pouvait empêcher son esprit de revenir sur les autres options qui s'étaient présentées à lui, ou sur les autres tactiques qu'il aurait pu adopter vis-à-vis des ravisseurs.

Il avait besoin de sommeil, se dit-il alors qu'il gravissait les marches menant au terminal. Dieu merci, son appartement n'était qu'à une demi-heure de taxi. Et, à cette heure tardive, Jordan serait profondément endormie. Ce qui lui épargnerait d'être bombardé de questions sur la façon dont il avait passé ces trois dernières semaines.

Jordan et lui étaient amis depuis leurs études à Wharton. Il sourit au souvenir de la façon exacte dont ils s'étaient connus. Il était en licence et elle en première année. Les propositions de logement en dehors du campus étant limitées, ils étaient arrivés au même moment pour visiter un appartement. Comme ils voulaient tous les deux signer le bail sur-le-champ, le propriétaire leur avait suggéré de tirer à pile ou face. Jordan avait refusé net en clamant que la chance n'avait jamais été de son côté. Et elle avait suggéré qu'ils partagent l'appartement ainsi que les frais.

Comme il était boursier, il avait trouvé l'idée séduisante. Jordan avait très vite établi une série de règles à suivre afin de ne pas se gêner l'un l'autre, et la liste qu'elle lui avait donnée avait été sa première introduction dans le monde extrêmement organisé de la jeune femme.

Et, même si elle était très séduisante, leur relation n'avait jamais évolué vers un plan plus intime. Elle était plutôt devenue sa petite sœur, rivalisant avec lui dans les études, le titillant quand il se laissait trop prendre par ses projets au point d'en oublier de donner des nouvelles à sa famille, et critiquant même son choix de petites amies. Selon Jordan, Jase avait une fâcheuse tendance à attirer ce qu'elle appelait « des poupées à problèmes ».

Cet autre souvenir le fit de nouveau sourire. La première chose qu'il avait faite après avoir décidé d'implanter son entreprise de sécurité à New York avait été d'appeler Jordan. Il comptait lui demander son aide afin de trouver un appartement, mais elle lui avait suggéré d'emménager chez elle, en lui disant que, si ça ne marchait pas, il serait toujours temps pour lui de trouver un logement. C'était il y avait plus d'un an et, depuis, tout se déroulait comme sur des roulettes. Jordan, qui travaillait dans l'entreprise de sa mère depuis qu'elle avait obtenu son diplôme, l'avait mis en relation avec quelques-uns de leurs clients, et il avait même travaillé une fois ou deux pour Eva Ware Creations. En fait, il y avait même laissé une affaire en suspens le temps qu'il s'occupe de cette négociation en Amérique du Sud.

Une fois dans le terminal, il jeta un coup d'œil autour de lui, repéra un coin tranquille et s'y dirigea. Avant de monter dans un taxi, il avait besoin d'un peu de calme pour appeler son bureau. Il était resté injoignable bien trop longtemps et, même à cette heure de la nuit, quelqu'un décrocherait chez Campbell & Angelis Sécurité. Avec un peu de chance, il tomberait sur Dino Angelis, son partenaire depuis six mois maintenant.

Effectivement, quelqu'un décrocha.

— Campbell & Angelis Sécurité, bonsoir.

Cette voix, il la connaissait, mais c'était impossible. Pourquoi son frère D.C. aurait-il répondu, alors qu'il était reparti en mission à Bagdad avec son unité de police militaire ?

— D.C. ? demanda-t-il quand même.

— A ton service. Où es-tu ? On commençait à se faire du mauvais sang, Dino et moi.

— Je suis à La Guardia. Qu'est-ce que tu fiches dans mon bureau ?

— Comme je suis là depuis deux jours, je donne un coup de main à Dino. J'ai été blessé à la jambe et l'armée m'a donné une permission, le temps que je me remette.

— C'est grave, ta jambe ?

— Rien d'irréparable.

— Maman est au courant ?

— Je viens de passer une semaine à Baltimore et je l'ai laissée me bichonner. J'ai pris au moins trois kilos pendant que je me renseignais sur le dernier petit ami de Darcy.

Jase se détendit. Si son frère avait eu le temps et l'énergie pour tourmenter leur petite sœur, alors son état avait dû grandement s'améliorer. Mais ça ne lui disait pas plus pourquoi D.C. répondait au téléphone dans son bureau.

— Qu'est-ce que tu fais exactement dans mon bureau ? Et où est Dino ?

— J'étais venu te faire une visite surprise, et Dino m'a proposé un job temporaire. En ce moment, je pense qu'il est chez Cat.

C'était grâce à sa fiancée, Cat McGuire, qu'il avait réussi à persuader Dino, l'un de ses plus vieux amis qu'il avait rencontré dans la Marine, de devenir son associé.

— Et tu habites où ?

— Dino m'a déniché une location temporaire dans leur immeuble. Mais j'y suis rarement.

— Dois-je en déduire que les affaires marchent bien ?

— Si bien que tu nous as rudement manqué, grand frère.

A ces mots, Jase acheva de se détendre. Si Campbell & Angelis avaient dû faire appel à un extra, Dino n'aurait pu trouver mieux que D.C. Son frère avait l'esprit vif, inventif, et il avait le style d'intuition nécessaire à un bon flic. Incapable de se retenir, il bâilla bruyamment. Ce dont il avait encore plus besoin que d'une bonne nuit de sommeil, c'était de travail. Il l'avait appris très tôt, quand il travaillait pour les forces spéciales. La meilleure solution pour effacer les images de l'opération précédente, c'était de s'immerger à fond dans la suivante.

— Au fait, reprit D.C. Ta colocataire, Jordan Ware, a essayé plusieurs fois de te joindre. M'man m'a dit que vous étiez de nouveau colocataires ?

— Quand ? Que voulait-elle ?

— Il y a une semaine, je crois. Elle a parlé à Dino et lui a demandé de te faire passer le message de l'appeler dès que tu le pourrais.

Une fois encore, Jase se renfrogna. Jordan ne l'appelait jamais au travail. Mais il repoussa ses interrogations. Elle avait dû appeler le bureau en ne parvenant pas à le joindre sur son portable. De toute façon, il la verrait le lendemain.

— Pour l'instant, reprit-il, je vais aller dormir, et j'ai bien l'intention de faire le tour du cadran. Je peux compter sur toi à l'agence, en attendant ?

— T'inquiète, j'ai ça dans le sang.

Un peu abrutie par le manque de sommeil lié au décalage horaire, Maddie pénétra dans l'appartement que possédait Jordan à Soho. Ces derniers jours, elle avait complètement perdu la notion du temps, et elle ne savait qu'il était minuit passé que parce qu'elle avait demandé l'heure au taxi qui l'avait conduite ici depuis J.F.K.

Elle avait passé plus de dix-huit des quarante-huit dernières heures en avion. De violents orages avaient retardé son vol vers Santa Fe, et sitôt arrivée, elle avait déjà dû repartir, si bien qu'elle n'avait pu rester au ranch que le temps de jeter dans un sac des affaires pour trois semaines à New York. Cette veinarde de Jordan n'aurait qu'un seul avion à prendre, elle.

Durant le très bref laps de temps qu'elles avaient passé ensemble avant que Jordan n'insiste pour qu'elle reparte tout de suite au ranch et mette tout en ordre pour l'échange, elle avait appris que sa sœur était une femme impitoyablement organisée. Jordan rassemblait des données, faisait des listes, classait les dossiers et avait plutôt l'habitude qu'on « suive » ses suggestions. Eva Ware avait-elle été comme cela ? s'était demandé Maddie. Le saurait-elle jamais ? Pour l'instant, elle ne pouvait espérer qu'une chose : que Jordan ait eu raison, et qu'en échangeant leurs vies chacune en viendrait à connaître un peu son autre parent. Cependant, elle regretterait toujours de ne pouvoir discuter de ses créations avec Eva.

Et Jordan n'entendrait jamais le rire de Mike Farrell.

Toutefois, elle était certaine que sa sœur en apprendrait autant qu'elle le pourrait sur le ranch et leur père. Jordan était méticuleuse, et Maddie ne voyait pas une seule chose qui ait pu lui échapper. Jordan avait même pensé à un aspect de l'échange qui lui avait échappé, à elle, celui de leur garde-robe. Elle-même n'avait pas grand-chose de convenable pour la ville et sa sœur pas grand-chose pour la vie rurale. Elles échangeraient donc leurs vêtements respectifs, ce qui allégerait grandement leurs bagages. Mais Maddie avait dans l'idée que ça avait été une façon subtile de lui conseiller d'éviter d'aller chez Eva Ware Creations en jean et Converse…

Etouffant un bâillement, elle hissa sa valise sur le seuil et s'affala contre elle, presque paralysée par l'épuisement.

— Juste quelques minutes, marmonna-t-elle. Tu peux le faire.

Elle tâtonna contre le mur et finit par trouver l'interrupteur. La lueur sourde d'une lampe Tiffany lui donna une perspective diffuse du salon — des bibliothèques vitrées flanquant de part en part une cheminée de brique, un bureau ancien, un canapé de cuir et un écran plat. L'ameublement à la fois féminin et masculin lui rappela l'existence du colocataire de sa sœur, Jase Campbell.

L'image de cet homme lui vint aussitôt à l'esprit. Jordan lui avait confié des photos de tous ceux qu'elle serait susceptible de rencontrer durant son séjour, et elle les avait toutes examinées une dernière fois dans l'avion la ramenant à New York. Dès l'instant où elle avait pour la première fois porté les yeux sur la photo de Jase, elle n'avait pas réussi à se le sortir de la tête.

Elle se remémora la description que lui avait faite Jordan de sa relation avec Jase. Elle-même aurait pu lui faire la même quant à sa relation avec Cash. Cependant, quand elle avait étudié sa photo, sa réaction n'avait rien eu de fraternel. Il avait un visage carré, mince, aux traits bien dessinés. Et, même s'il portait une cravate et une veste, il n'avait vraiment pas l'air… docile. Peut-être étaient-ce les cheveux trop longs et balayés par le vent qui suggéraient en lui une pointe de désinvolture. Ou peut-être étaient-ce les yeux. La chose la plus ahurissante, c'était que chaque fois qu'elle avait fermé les yeux pour essayer de dormir dans l'avion, elle avait revu ces pommettes hautes, cette mâchoire forte et ces lèvres fermes.

Et chaque fois, elle avait eu envie de toucher ce visage. Et, chaque fois qu'elle s'était imaginé le faire, une chaleur l'avait progressivement envahie. Quand elle avait stupidement cédé à son impulsion et fait courir ses doigts sur la photo, cette chaleur lui était montée aux joues.

Mal à l'aise, elle avait regardé autour d'elle pour voir si on l'observait mais, Dieu merci, tous ses voisins dormaient. Ce qu'elle aurait dû aussi faire, d'ailleurs. Et, au lieu de remettre la photo dans la pochette, elle l'avait encore une fois regardée.

Et elle avait encore laissé courir ses doigts dessus. Son désir de toucher l'image, de *le* toucher était stupéfiant… Et sans précédent. Oh, elle avait déjà éprouvé une réaction purement chimique face à un homme, mais aucune photo d'homme ne lui avait jamais fait cet effet.

Peut-être était-ce dû au fait qu'elle n'avait plus couché avec personne depuis un bon moment. Toute l'année dernière, entre les projets d'expansion de son entreprise et le travail à abattre au ranch, elle n'avait tout bonnement pas eu le temps de s'en préoccuper. Ni l'envie, d'ailleurs.

Elle bâilla encore une fois, luttant contre la fatigue qui semblait s'être abattue sur elle d'un seul coup, et traîna sa valise le long d'un couloir étroit. Le seul fait de devoir poser un pied devant l'autre eut presque raison d'elle.

Son étrange réaction à la photo de Jase Campbell était sans doute due au manque de sommeil et au tourbillon émotionnel qui l'avait emportée ces derniers jours. Quand elle ferait sa connaissance, elle découvrirait sans doute qu'il était un homme plaisant et que cette réaction inhabituelle avait été beaucoup de bruit pour rien.

A ceci près qu'elle ne le verrait certainement pas, puisqu'il était à l'étranger et injoignable depuis presque un mois. Jordan n'avait su lui dire quand il rentrerait.

Elle s'arrêta net devant la première porte, pas sûre de pouvoir faire un pas de plus. Si elle ne trouvait pas une chambre dans la seconde, tant pis, elle dormirait par terre. L'effort quasi surhumain qu'elle dut faire pour pousser la porte fut récompensé quand elle découvrit un lit face à elle. Sans prendre la peine de chercher la lumière, elle abandonna sa valise contre le mur, se guida à tâtons sur le cadre du lit, passa du côté fenêtre et tira le dessus-de-lit. Au bord de l'épuisement, elle se déshabilla, ne garda que son débardeur et sa culotte, et se glissa sous les couvertures. Sa tête n'avait pas touché l'oreiller qu'elle dormait déjà à poings fermés.

Aux environs de 1 heure du matin, Jase rentra enfin chez lui. Durant le trajet en taxi, l'adrénaline qui l'avait fait tenir debout s'était résorbée aussi sûrement que si on lui avait enlevé ses piles. Il posa son sac par terre, referma la porte et la verrouilla. Sans même prendre la peine d'allumer, il rejoignit sa chambre, se dévêtit et se mit au lit. Sa tête n'avait pas touché l'oreiller qu'il avait déjà plongé dans les bras de Morphée.

Le rêve vint lentement et s'infiltra dans l'esprit de Jase comme une amante aurait pu se faufiler dans son lit. Une femme tiède et douce était nichée contre lui. Il se laissa dériver dans les sensations que lui procurait ce rêve. La pression d'une main contre son torse, celle d'une cuisse passée sur les siennes. Et ce parfum… un parfum de campagne, de fleurs sauvages et de grand soleil…

Quand elle soupira et se nicha plus contre lui, il fit courir une main de son épaule à sa cuisse, absorbant le contraste entre la peau douce et le toucher plus rêche du coton. Le désir monta en lui quand elle se pressa contre lui et glissa une main dans son dos.

Pressant ses lèvres contre sa tempe, il s'enivra encore un peu plus de la douceur de sa peau, et, n'y tenant plus, il passa une main sous la fine étoffe qui la séparait de lui. Le son de gorge qu'elle émit quand il effleura son sein rond fit grimper en flèche son désir. Rien ne serait plus simple que de céder à la tentation de recouvrir son corps, de se glisser entre ses cuisses et de s'y perdre.

Mais tout aussi tentante était l'idée de l'explorer plus avant et de découvrir jusqu'où le rêve pourrait l'emporter. Lentement, il promena la main sur sa poitrine, puis sur la ligne ferme et étroite de sa taille et, enfin, sous la dentelle de sa culotte. Le petit soupir qu'elle poussa quand il trouva ce qu'il cherchait et commença à la caresser l'attira comme un aimant vers ses lèvres tentatrices. Elle avait le souffle court à présent, et se cambrait de plus en plus contre sa main.

C'était simplement incroyable. Un rêve si vif qu'il savait qu'il ne pourrait plus longtemps contenir l'incroyable désir qu'elle éveillait en lui… Et pourtant, il avait envie de continuer à la découvrir. A encore prendre plus, à lui donner plus.

Il suivit le contour de ses lèvres de sa langue, puis des lèvres. Quand il s'autorisa enfin à la goûter, elle avait une saveur si douce et si envoûtante qu'il crut ne jamais pouvoir s'en rassasier. Il approfondit son baiser, glissa les doigts en elle et la sentit s'envoler.

*
* *

Vague après vague, l'orgasme emporta Maddie vers des sommets insoupçonnés, avec une telle force, une telle intensité, qu'elle crut qu'elle allait mourir de plaisir.

Et, quand enfin elle en émergea, elle eut à peine le temps de reprendre son souffle avant que cette bouche avide ne reprenne la sienne et que ces doigts agiles ne recommencent à se mouvoir en elle. Jamais encore elle n'avait fait un rêve aussi étourdissant. Aussi réaliste. Et alors même qu'un désir féroce naissait de nouveau en elle, elle fut bombardée d'autres sensations. Cette odeur, sombre et virile. Ces dents qui mordillaient ses lèvres. Et ce corps… si brûlant.

Le deuxième orgasme fut encore plus violent que le premier, quand l'amant de son rêve vint enfin là où elle le voulait, entre ses cuisses, et se mit à aller et venir à un rythme de plus en plus soutenu. Débridé. Divin.

Oui ! rêva-t-elle en enroulant les jambes autour de lui. C'était comme ça qu'elle le voulait — rapide, déchaîné. C'était ce qu'elle avait toujours voulu, et que personne n'avait jamais pu lui donner dans la réalité. Accrochée à lui comme si sa vie en dépendait, elle se laissa emporter par le tourbillon de sensations qui les submergaient, et, ensemble, ils atteignirent l'extase dans un cri de plaisir.

- 3 -

Maddie émergea peu à peu des diverses couches de sommeil dans lesquelles elle baignait. Ce rêve qu'elle avait fait cette nuit était si merveilleux, si réel… Elle continuait à respirer son odeur envoûtante. Il avait passé un bras autour d'elle et elle percevait la chaleur de ce corps pressé contre le sien. Des sensations si tangibles qu'elle sentit le désir renaître en elle.

Elle voulut à toute force replonger dans le rêve afin qu'il la touche et la caresse encore, mais dans sa demi-conscience elle percevait des bruits étouffés, qui la rapprochaient inexorablement vers le réveil dont elle ne voulait pas. Des bruits de circulation…

Des voitures ? Elle fit un effort pour se rappeler.

Le hurlement insistant d'un Klaxon, plus strident que les autres, fit remonter un flot de souvenirs en elle. Sa sœur, les termes du testament de sa mère, l'interminable série d'avions à prendre, les dossiers que Jordan avait exigé qu'elle étudie.

Le Klaxon retentit une nouvelle fois.

Elle n'était plus au Kansas. Pas plus qu'au ranch ni à Santa Fe. Elle était chez sa sœur, à New York. La dernière chose qui lui revint, ce fut d'avoir tiré sa valise dans la première chambre rencontrée et s'être écroulée au lit.

C'était là que le rêve avait commencé. Que son amant l'avait rejointe. Et il était toujours là, avec elle — elle sentait la chaleur de son épaule, sous sa main. Elle percevait le rythme régulier de sa respiration par-dessus le brouhaha qui montait de la rue.

Rêvait-elle encore ?

Un mélange d'émotions la balaya — peur et excitation. Prudemment, elle entrouvrit les yeux. Il y avait juste assez de lumière dans la chambre aux rideaux tirés pour lui faire comprendre que ses sens ne la trompaient pas. Elle avait bien la main sur l'épaule nue d'un homme. Et elle découvrit qu'elle avait aussi enroulé le reste de son corps autour du sien. Tout en lui, depuis la barbe naissante qu'elle apercevait sur le menton à la vigueur du bras passé autour de sa taille, en passant par le début d'érection contre son ventre, paraissait très réel.

Maddie referma les yeux et prit une profonde inspiration. Si elle avait appris une chose en grandissant dans un ranch, c'était qu'il fallait faire face aux faits. Donc, l'amant onirique qui l'avait rejointe dans ce lit la nuit dernière avait été réel. *Etait* réel.

Et les faits, il fallait composer avec. Une clôture arrachée devait être réparée aussitôt que possible sous peine de voir s'égayer le bétail. Cependant, un amant bien réel dans son lit à la place d'un amant onirique provoquait des problèmes infiniment plus compliqués… le premier d'entre eux étant qu'elle n'avait pas du tout envie de se libérer de son étreinte. Ce qu'elle avait plutôt envie de faire, c'était de le repousser sur le dos et de le goûter encore, de le caresser encore…

Mais où avait-elle donc la tête ? se reprit-elle intérieurement. Il n'en était pas question, et elle n'aurait même jamais dû en envisager l'éventualité, un point c'est tout. Même si aucun homme ne lui avait jamais fait éprouver ce qu'elle avait éprouvé cette nuit. Jamais… Allons, elle ne savait même pas qui il était !

S'armant de courage, elle recula la tête et ouvrit les yeux. En grand, cette fois. Même dans cette pénombre, elle le reconnut instantanément. Ces traits, elle les avait mémorisés.

Cette nuit, elle avait fait l'amour à Jase Campbell. Et Jase Campbell lui avait fait l'amour.

Une vague brûlante se répandit en elle. Une vague qui n'avait aucun rapport avec la gêne, et tout avec son envie de renouveler l'expérience. Tout de suite.

Non. Il allait falloir qu'elle se reprenne. Et qu'elle sorte de ce lit. Si elle ne parvenait pas à s'esquiver avant son réveil, elle pourrait toujours prétendre que ce qui s'était passé cette nuit ne s'était pas passé. S'il amenait le sujet sur le tapis, elle lui dirait qu'il avait rêvé. Ce serait un moyen d'arranger les choses. Le seul, en fait.

Elle dut se faire violence pour cesser d'admirer son visage et entreprit de se décoller de lui. Mais son corps, rebelle, refusait d'obéir aux ordres de son esprit. C'était comme si sa main ne voulait pas quitter cette épaule sur laquelle elle se trouvait si bien. Et Maddie fut bien forcée d'admettre qu'elle ne désirait rien tant que continuer à caresser ce corps insensé, et que la seule chose qui pourrait la faire cesser de caresser son épaule serait de céder au désir qu'elle avait de glisser la main vers son sexe déjà dur de désir.

Quand il poussa un soupir, son souffle lui balaya la tempe, et il resserra son bras autour d'elle. Maddie eut du mal à réprimer un gémissement. Il s'éveillait. Une fois qu'il aurait émergé, le scénario « rien ne s'est produit » ne serait plus une option. Cependant, ce ne fut pas de la panique qu'elle éprouva, mais plutôt une exaltation sauvage.

Que lui prenait-il ? Pourquoi réagissait-elle ainsi ?

Il s'étira encore une fois. Peut-être avait-elle encore le temps de se glisser au bas du lit. Elle se concentra, mais enlever sa main de son épaule était comme essayer de soulever une montagne. Alors, elle sentit le corps de Jase se raidir et, avant même qu'elle puisse faire quoi que ce soit, il avait passé une main sous son menton afin de l'obliger à le regarder dans les yeux.

Plusieurs éléments la frappèrent aussitôt. Le corps pressé contre le sien était devenu encore plus dur, et il dégageait une telle chaleur qu'elle allait s'y brûler, c'était certain. Mais ce furent ses yeux dont elle ne put se détacher. La photo n'avait pas rendu justice à leur couleur. Le mélange de vert foncé et de bleu lui rappela les turquoises les plus rares avec lesquelles elle avait travaillé.

Puis, soudain, il plissa les yeux, et elle sentit ses doigts se raidir sur son menton. Leurs bouches étaient proches, presque en contact. Si l'un d'eux faisait un mouvement… Et Maddie eut aussitôt l'impression que tout son corps se mettait à lancer à Jase une fervente invitation pour qu'il franchisse ce minuscule espace qui les séparait.

Non. Jase lutta pour dégager son esprit du brouillard qui l'enveloppait. Il tenait une femme entre ses bras, et il ne savait pas comment c'était arrivé.

La dernière chose dont il se souvenait, c'était d'être rentré chez lui et de s'être écroulé dans son lit. Les souvenirs commencèrent alors à affluer. C'était là que le rêve avait débuté. Une amante l'attendait, qui avait faim de lui. Ce feu qu'elle avait provoqué en lui dépassait de loin tout ce qu'il avait pu éprouver avant. Le désir n'avait jamais été aussi insistant, la passion aussi dévorante.

Cependant, ce qui s'était passé cette nuit n'avait pas été un rêve.

Le matin était là, avec ses bruits de circulation montant de la rue, et il sentait ses cheveux soyeux sous ses doigts, son souffle chaud contre son torse. Cette femme était bien réelle. Tout comme le désir qu'il éprouvait…

Un fin rayon de soleil tomba sur la ligne délicate de sa pommette et il dut se retenir de le suivre du doigt. Il savait l'effet que lui ferait sa joue. Douce comme un pétale de fleur, tiède comme…

Il mit un frein brutal au feu qui se répandait en lui. Cette femme n'avait rien d'onirique. Elle était bien réelle, et elle était si bien enroulée autour de lui qu'il ne savait pas s'il pourrait s'en dégager un jour.

Et il la désirait encore. Plus que tout. Sa bouche était si proche, à peine quelques millimètres de la sienne. Il avait une jambe déjà nichée entre les siennes, et il la sentait prête pour lui. Plus que tout, il avait envie de plonger en elle, de se perdre encore en elle.

Non. Jase lui prit les épaules et se dégagea suffisamment pour pouvoir la dévisager. Bizarre. Il connaissait ce regard, il connaissait ce visage. Elle avait les yeux de Jordan, le visage de Jordan, mais… il plissa les yeux et la soumit à un examen plus approfondi.

— Vous n'êtes pas Jordan.

Il aurait parié sa vie sur ce fait. Elle n'avait pas la bonne odeur. Jordan avait toujours affectionné les parfums français. Cette femme sentait les fleurs sauvages et le grand soleil. Et puis Jordan n'avait pas les cheveux assez longs pour les natter.

Et puis il y avait la chimie. Jamais, depuis le temps que Jordan et lui se connaissaient, il n'y avait eu la moindre étincelle entre eux. Or, *étincelle* ne pouvait même pas décrire ce qu'il avait éprouvé avec cette femme.

Les grands yeux qui le dévisageaient étaient encore embués de désir. Au bas de sa gorge, une veine battait follement. Qui qu'elle soit, il pourrait la posséder encore une fois. Tout de suite. Il n'était pas du genre à agir sur un coup de tête, oubliant toute prudence — ni dans sa vie professionnelle, ni dans sa vie privée. Cependant, l'espace d'un instant, il fut tenté de le faire.

Il se reprit et lui agrippa plus fort les épaules.

— Qui êtes-vous et que faites-vous dans mon lit ?

Le ton presque tranchant de la question fit brutalement sortir Maddie de la transe dans laquelle était tombée après avoir regardé ces yeux bleu-vert. Elle avait pensé qu'il allait l'embrasser, et voilà qu'il voulait des réponses. Certes, il en avait le droit. Il méritait sans doute des explications. Mais elle aussi !

Elle recula avec l'intention de sortir du lit, avant de se rendre compte qu'elle était nue. Sous le drap, elle chercha son débardeur à tâtons. Sans succès.

— J'attends toujours une réponse.

Une soudaine trace d'humour dans sa voix lui fit relever le menton et lui donna envie de crier. Tout ceci n'avait rien de drôle.

— Ce que j'essayais de faire ici, c'était de dormir. Quand je suis arrivée hier soir, j'étais tellement morte de fatigue que je me suis simplement couchée dans le mauvais lit. Avez-vous seulement idée du nombre d'avions que j'ai dû prendre ces derniers trois jours ?

— Pas autant que moi, je parie. C'est ça que vous cherchez ?

Elle releva les yeux à temps pour attraper le débardeur qu'il venait de lui lancer. Puis elle le regarda. Grossière erreur. Il s'était couché sur le côté, la tête appuyée sur une main. Le drap ne le couvrait que jusqu'à la taille.

Une faim dévorante s'empara d'elle. Pourquoi est-ce que ça lui arrivait ? Stupéfaite, elle se força à détourner les yeux et essaya de se couvrir tant bien que mal avec son débardeur. Si elle voulait avoir les idées claires, elle devait sortir de cette chambre. Seulement, la porte était de son côté à lui du lit. Aucun moyen de faire une sortie digne.

— Vous n'avez pas répondu à ma première question. Qui êtes-vous ?

Elle lui jeta un regard en coin. Il prenait manifestement beaucoup de plaisir à tout cela.

— Je suis la sœur jumelle de Jordan, l'autre fille d'Eva.

Et elle eut le plaisir de voir disparaître un peu de son amusement dans ses yeux.

— Bien essayé, mais ça ne marche pas. Jordan n'a pas de sœur.

— Eh si ! Mais nous avons été séparées dès notre plus jeune âge, et aucune de nous deux ne le savait jusqu'à il y a quelques jours.

Le silence s'installa. Il l'étudiait, comme s'il soupesait la valeur de ce qu'elle venait de dire. Et elle, elle ne pouvait détacher les yeux de cet homme qu'elle ne connaissait pas et qui l'avait fait crier de plaisir… Pire, elle sentait le feu du désir la submerger de nouveau. Il fallait qu'elle se reprenne.

— Où est Jordan ? s'enquit-il.

— Dans le ranch de notre père, à Santa Fe.

— Pourquoi ?

Maddie s'échauffa de nouveau.

— Ecoutez, c'est une très longue histoire et, si vous aviez un soupçon de courtoisie, vous sortiriez à l'instant même pour me permettre de m'habiller. Ensuite, je serai ravie de répondre à toutes vos questions.

Un grand sourire illumina le visage de Jase, et un nouvel éclair de chaleur traversa Maddie.

— Il ne sera pas dit que ma mère ne m'a pas élevé en gentleman.

Maddie le vit rejeter les couvertures et sortir du lit. Entièrement nu. Magnifique. Pour la première fois, elle eut un aperçu de ce qu'elle avait exploré la nuit précédente. Les épaules larges, le dos musclé à la peau bronzée, les fesses si fermes sous ses doigts. Quand il se retourna, elle sentit un immense trouble s'emparer d'elle.

— Mon jean… ah, ça y est, il est là, dit Jase en se penchant pour récupérer son pantalon. Mais ça, c'est à vous, je crois, conclut-il en lançant sa petite culotte sur le lit.

Elle tenta d'ignorer la provocation. Le traitre savait parfaitement l'effet qu'il avait sur elle.

Toujours souriant, il fit un pas vers elle, main tendue. Toujours nu.

— A propos, je suis Jase Campbell, le colocataire de Jordan.

— Et moi Maddie Farrell.

Elle prit la main qu'il lui tendait, mais au lieu de la serrer elle le repoussa de toutes ses forces en arrière. Déséquilibré, il tomba sur le sol et elle le regarda avec un sourire ironique. Ça lui apprendrait à la provoquer. Puis elle lui lança son caleçon.

— Je croyais que votre mère vous avait élevé en gentleman, non ?

Il releva la tête et lui sourit.

— Beaux réflexes, Maddie Farrell.

Il attrapa son sous-vêtement et se releva, mais elle vit bien qu'il prenait son temps pour sortir.

— Je vais faire du café, Maddie Farrell, dit-il en atteignant la porte. Et puis on pourra parler.

Après son départ, Maddie resta quelques minutes à fixer la porte, comme paralysée. Mais que se passait-il avec elle ? Pourquoi ressentait-elle le besoin si pressant de lui courir après ?

Alors que cet homme prenait toute la situation à la rigolade. Allons, peut-être que, dans cent ans, c'est aussi ce qu'elle ferait.

Elle réprima un grognement et se laissa tomber sur le lit, avec l'envie de se pelotonner sous les couvertures dans l'espoir de se réveiller encore une fois et découvrir que cela n'avait été qu'un rêve.

Seulement, ce n'était pas un rêve, et elle le savait. Comme elle savait qu'elle allait bientôt boire un café avec lui et répondre à toutes ses questions.

Tu as grandi entourée d'hommes. Tu sais comment les manœuvrer.

Tout ce dont elle avait besoin, c'était d'un plan.

- 4 -

Appuyé contre le plan de travail, Jase but sa première tasse de café. Au fond de l'appartement, il entendait couler la douche, ce qui lui donnait quelques minutes pour décider de ce qu'il allait bien pouvoir faire. D'ordinaire, il n'était jamais à court d'idées. Mais la nuit qu'il venait de passer avec la femme qui disait s'appeler Maddie Farrell avait été sans précédent. Elle lui avait embrouillé les idées.

Et elle allait lui poser un problème.

Quelques minutes après être sorti de la chambre, il avait dû se battre contre lui-même pour résister à la tentation d'y retourner, de jeter la jeune femme sur le lit et lui refaire l'amour. Au lieu de cela, il avait préféré s'asperger le visage d'eau froide. Et c'était mieux ainsi. Au moins, il ne s'était pas comporté comme un véritable homme des cavernes.

En même temps, aucune femme avant elle ne l'avait jamais fait tomber comme elle l'avait fait. A tous les sens du terme, songea-t-il en repensant à la feinte qui l'avait mis à terre. Un demi-sourire aux lèvres, il but une autre gorgée de café. Il ne mentait pas quand il avait dit que sa mère avait tout fait pour l'élever en gentleman. Son père, militaire de carrière, était mort quand il avait dix ans, D.C. neuf et Darcy six. Leur mère avait trouvé un poste d'enseignante à Baltimore et avait entrepris d'élever ses enfants comme elle faisait la classe — d'une main ferme.

Le problème, c'était qu'il n'avait pas envie d'être un gentleman avec Maddie. S'il lui faisait des avances, elle ne résisterait pas. Les quelques instants où ils étaient demeurés dans les bras l'un de l'autre après leur réveil lui avaient appris qu'elle était aussi peu désireuse que lui de rompre cette étreinte. Et, tout comme lui, elle mourait d'envie de savoir comment cela serait de faire l'amour en étant pleinement conscients. Ce qui n'en rendait la tentation que plus irrésistible.

S'il la rejoignait tout de suite sous la douche, ils pourraient le savoir très vite. Il lui suffirait de dix secondes pour aller dans la salle de bains et enlever son jean, et…

Il marmonna un juron, posa son bol et agrippa le plan de travail à deux mains. Etre à ce point asservi par une femme ne lui ressemblait pas. D'accord, il avait un côté tout fou, pourquoi le nier ? D.C. et lui avaient fait leur part de bêtises au cours de leur jeunesse et, à en croire leur mère, c'était à eux qu'elle devait ses cheveux prématurément gris. Cependant, l'université — où il avait obtenu une maîtrise de gestion — et quatre années dans la Marine, dont deux dans les forces spéciales, lui avaient plus ou moins mis du plomb dans la tête et l'avaient placé face à ses responsabilités.

Alors qu'il braquait les yeux vers la porte close de la salle de bains, une sorte de culpabilité le saisit. N'avait-il pas déjà trop profité de la situation ? D'accord, il s'était couché épuisé et manquant cruellement de sommeil, mais ça ne changeait rien au fait qu'il s'était laissé aller à faire l'amour à la femme qui était dans son lit. Il aurait dû lutter plus fort contre le rêve qui l'y avait entraîné. Lui faire l'amour avait été une erreur. Une grosse erreur.

Et il n'aurait pas dû avoir autant de mal à lutter contre le désir de recommencer. N'était-elle pas la sœur de sa meilleure amie ? Enfin, si elle lui avait dit la vérité.

Il se reversa un bol de café et en but une longue gorgée. Il était temps de faire un pas en arrière, de voir le tableau dans son ensemble et d'élaborer un plan. C'était cette manière de procéder qui lui avait plusieurs fois sauvé la vie alors qu'il était en mission pour les forces spéciales.

Il allait se concentrer sur les raisons de sa présence ici au lieu de la rejoindre sous la douche. Et que diable Jordan pouvait-elle bien faire à Santa Fe ? Dans un ranch, en plus ? Cette idée le fit sourire. Un changement de décor drastique pour un vrai rat des villes comme l'était Jordan !

Un peu plus tôt, il avait essayé de la joindre afin de vérifier cette histoire de jumelle inattendue, mais elle n'avait pas décroché. Alors, il avait cherché « Maddie Farrell » sur Google.

Madison Farrell était une créatrice de bijoux établie à Santa Fe. En plus d'une photo, il découvrit sur son site des broches en argent finement ciselé, des boucles de ceinture et des épingles de cravate, toutes inspirées du Nouveau-Mexique. Il surfa alors sur le site du journal de Santa Fe, et trouva un article vantant les créations de Maddie. Telle mère, telle fille, se dit-il. Il trouva aussi un entrefilet nécrologique concernant un rancher local, Mike Farrell, mort un an auparavant et ne laissant qu'une fille, Madison.

Bien. A l'évidence, elle ne lui avait pas menti sur son identité, et elle ressemblait assez à Jordan pour être sa jumelle. Mais il avait encore une foule de questions en tête.

Et tant qu'il n'aurait pas toutes les réponses, il mettrait de côté son désir de ramener Maddie dans son lit.

Maddie s'étira sous le jet de la douche et laissa l'eau ruisseler sur elle, incapable d'effacer de son esprit le souvenir brûlant des endroits de son corps qu'avait caressés Jase Campbell. Merveilleux souvenir…

Elle laissa retomber son front contre le mur carrelé et poussa un soupir. Il lui fallait réfléchir, et pas à Jase. Ce qui était arrivé entre eux cette nuit avait été fou. Fabuleux.

Etonnant. Mais cela avait aussi été une énorme erreur, et il fallait à tout prix éviter de la commettre de nouveau.

Haut les cœurs ! se dit-elle en versant du shampooing dans le creux de sa main avant de se mettre à se frictionner énergiquement les cheveux. Elle devait absolument reprendre ses esprits, et vite, car elle n'avait que trois semaines devant elle. Trois semaines pour marcher dans les pas de Jordan, mais aussi trouver des réponses à ses questions.

Car ce n'était pas seulement pour faire plaisir à sa sœur qu'elle avait accepté l'échange. Avant de retourner à Santa Fe, elle avait bien l'intention de découvrir tout ce qu'elle pourrait sur Eva Ware. Si Jordan avait raison, et si Eva avait vraiment été intéressée par une fille qui créait des bijoux, pourquoi avait-elle autant attendu pour lui manifester son intérêt ?

Mon Dieu… Que n'aurait-elle donné pour pouvoir rencontrer sa mère et lui poser la question ! Chaque fois qu'elle y songeait, savoir que ce souhait ne se réaliserait jamais, et qu'elle ne rencontrerait jamais Eva Ware lui serrait le cœur.

En tout cas, elle ferait tout ce qui était en son pouvoir afin de découvrir pourquoi on les avait séparées, Jordan et elle. Même si elle n'en avait pas parlé à sa jumelle, elle était persuadée qu'Eva avait bien dû confier à quelqu'un qu'elle avait eu deux filles en même temps. Elle était bien certaine que le père de Cash l'avait su. Seulement voilà, il était mort un an avant que son père à elle ne disparaisse aussi.

Obtenir les réponses à ses questions et en apprendre autant que possible sur Eva Ware, telles devaient être ses priorités.

Elle ferma les robinets, sortit de la cabine et s'enveloppa dans une épaisse serviette-éponge. Puis elle effaça d'un revers de main la buée accumulée sur le miroir et contempla son reflet.

— Tu as bien trop à faire pour ajouter Jase Campbell à la liste de tes problèmes, murmura-t-elle.

Sans compter que lui-même devait avoir bien d'autres chats à fouetter, surtout après une absence de près d'un mois. Elle se souvint alors que Jase ne devait même pas être au courant de la mort d'Eva, puisque Jordan n'avait pas réussi à le joindre. Mais ça ne changeait rien : il devait être un homme très occupé. Et, comme tous les hommes très occupés, il n'aurait pas de temps à perdre.

Elle se lança un petit sourire dans la glace. Elle la tenait, son idée, sa stratégie. Les hommes avec lesquels elle avait grandi n'avaient-ils pas toujours fait passer le ranch avant tout ? Son père avait même manqué sa première exposition de bijoux car il devait rencontrer un acheteur à Albuquerque. D'accord, cela avait été douloureux sur le moment, mais combien de fois, cette dernière année, avait-elle fait passer ses créations avant le ranch ? Alors elle était bien placée pour savoir ce qu'un esprit occupé pouvait occulter… Et c'était peut-être la solution qui allait leur permettre de sortir tous deux de… d'une situation gênante.

Elle se sécha les cheveux, puis elle enfila un jean et un T-shirt qu'elle avait sortis de sa valise. Avant de se rembrunir face au miroir.

La stratégie était une chose, l'action en était une autre.

En sortant de cette salle de bains, c'était avec Jase Campbell qu'elle allait devoir composer, et non avec son père ou avec son ami Cash, au ranch. Mais Jase comprendrait certainement que ce qui s'était passé entre eux était une erreur à ne pas reproduire.

Et tant pis pour les regrets qui lui serraient le ventre.

Tant pis, surtout, si c'était plutôt elle qu'elle tentait de convaincre.

*
* *

Quand Jase entendit la porte de la salle de bains s'ouvrir, il eut d'abord l'envie de se détourner. Mais il se força à rester : c'était la meilleure façon de découvrir l'effet que lui ferait Maddie Farrell après le bref… intermède qui les avait unis.

Elle avait une démarche semblable à celle de Jordan, de longues enjambées assurées, mais elle marchait plus lentement. Et l'autre différence, la vraie, c'était que jamais il ne s'était surpris à scruter les jambes de Jordan avec une telle insistance. Il laissa ses yeux courir sur le jean et le T-shirt qui moulaient le corps voluptueux qu'il avait exploré la nuit dernière. Rien à voir avec les vêtements de sa colocataire. Même quand elle s'habillait décontracté, Jordan avait tout d'une gravure de mode.

Quand Maddie pénétra dans la cuisine, il releva enfin les yeux sur son visage, et ce fut à cet instant que la différence entre les deux sœurs le frappa le plus. Il avait fini par accepter le fait qu'elles étaient jumelles, forcément. A part la longueur des cheveux, elles étaient le reflet l'une de l'autre. Pourtant, elles étaient si différentes l'une de l'autre. Cette longue tresse que portait Maddie, pour commencer, jamais Jordan ne se serait coiffée comme ça. Et c'était bien sa chance si rien au monde ne lui paraissait plus sexy que cette longue chevelure tressée qui retombait sur son épaule ronde. Chaque fois que son regard tombait dessus, il n'avait qu'une envie : la défaire et plonger les mains dans sa chevelure soyeuse.

Fourrant ses mains dans ses poches arrière comme pour s'empêcher de passer à l'acte, il reporta son attention sur les traits de Maddie. Jordan avait une expression plus animée, les yeux qui pétillaient toujours d'une pointe d'humour. Alors qu'avec son menton relevé et son regard solennel Maddie paraissait vouloir défier la terre entière. Il ne put s'empêcher d'admirer cette résolution.

Au même moment, la vague culpabilité qu'il éprouvait le

titilla, et le poussa à se mettre à sa place. C'était la première fois qu'elle venait à New York et, en guise de cadeau de bienvenue, elle s'était retrouvée dans son lit. Et il en avait largement profité. Et peu importait qu'elle ait coopéré de bon cœur : il avait profité d'elle. Et il ne lui restait qu'une chose à faire : tout mettre en œuvre pour qu'elle soit à l'aise et pour effacer cette expression de condamnée à mort de son joli minois.

— Il faut qu'on parle, dit-elle.

— En effet. Comment aimes-tu ton café ? Normal ou au lait ?

— Normal, enfin, si, ici, ça veut dire noir.

— Tu vois une autre façon normale de boire son café ? plaisanta-t-il. Pas comme ta sœur qui met à peine une goutte de café dans son lait sucré, dit-il en lui tendant un bol fumant. Bon, je suppose que je te dois des excuses pour ce qui s'est passé cette nuit.

Elle en lâcha presque son bol de surprise.

— Non. Bien sûr que non !

— Tant mieux.

Il s'assit sur un tabouret derrière le bar et l'invita à en faire autant, sans jamais la lâcher des yeux.

— Parce que, pour être tout à fait franc, je ne suis pas désolé du tout.

— Je…, commença-t-elle avant de s'interrompre, comme si elle réfléchissait en même temps qu'elle parlait. Je suppose qu'en quelque sorte je le suis. Parce que ça complique les choses.

— Mais ?

Deux ronds rouges apparurent sur les joues de Maddie. Il ne se souvint pas avoir déjà vu Jordan rougir.

— Mais, d'un autre côté, je ne le suis pas non plus. Parce que je n'ai jamais… C'était…

Jase ne put s'empêcher de sourire.

— Oui. Pour moi aussi.

Elle aurait pu esquiver ses questions. Mentir. Elle ne l'avait pas fait. Son admiration augmenta.

— Tant que nous sommes sur le sujet, j'ai une autre question. Vu qu'on n'a pas utilisé de préservatif cette nuit…

La rougeur de ses joues s'accentua aussitôt. Mais elle répondit d'une voix à peu près ferme :

— Je prends la pilule.

— Tu sors avec quelqu'un, donc ? dit-il, étonné de grincer des dents à cette idée.

— Non, dit-elle en relevant le menton. Et puis, ça ne te regarde pas.

Son soulagement se teinta d'amusement. Aussi soupe au lait que sa sœur ! Il prit bien soin de dissimuler son sourire.

— Je ne sors avec personne non plus, répondit-il.

— Ai-je posé la question ?

Combien de fois avait-il entendu Jordan prendre ce ton hautain ?

— Ecoute, fit Maddie en posant son bol sur le plan de travail. On ferait mieux de décider, tous les deux, que ce qu'il s'est passé entre nous cette nuit était une erreur. Et, quand j'en fais une, je n'aime pas recommencer.

— Une erreur ? En quoi était-ce une erreur ?

Elle posa les mains sur le comptoir, comme pour se donner du courage.

— Parce que c'est une complication pour laquelle je n'ai pas de temps. Il faut que je t'explique la raison de ma présence ici et de celle de Jordan à Santa Fe.

En effet, songea-t-il, ahuri de comprendre que la simple présence de Maddie lui avait fait oublier ce point essentiel.

Elle prit une grande inspiration.

— Jordan m'a dit qu'elle n'a pas réussi à te contacter, et je me trouve donc au regret de t'apprendre le décès brutal d'Eva Ware.

— Pardon ? s'écria-t-il, estomaqué.

— Elle a eu un accident. Elle a été renversée par un chauffard devant chez elle, il y a une semaine.

Un accident ? Même s'il avait du mal à assimiler ce qu'elle lui avait dit, il lui prit la main.

— Je suis désolé.

— Merci, dit-elle en entremêlant ses doigts aux siens. Je ne l'ai pas connue, et ne la connaîtrai donc jamais. J'essaye encore de m'y faire.

— Comment va Jordan ?

Il ne pouvait plus penser qu'à une chose : Jordan avait été seule à ce moment-là, et lui injoignable.

— Je ne crois pas qu'elle ait eu le temps de faire vraiment face à cette perte, tant elle a été occupée à régler tous les détails — l'enterrement, et puis ensuite le testament. Tout va probablement lui tomber dessus quand elle sera au ranch. C'est un endroit très spécial. J'espère qu'il l'aidera à faire son deuil.

— Pourquoi y est-elle, et pourquoi es-tu là ? Pourquoi n'êtes-vous pas ensemble ?

— C'est à cause du testament d'Eva.

Elle s'accrochait à ses doigts comme à une bouée de survie, à présent.

— Raconte-moi tout.

Ce qu'elle fit, depuis le coup de téléphone de Fitzwalter à sa venue à Long Island où elle avait fait la connaissance de sa sœur et de sa famille, et finalement le testament, ses conditions et leur décision commune de les accepter.

— Donc, fit-il quand elle eut fini et qu'elle lâcha sa main, Jordan est seule au ranch ?

— Oui, répondit Maddie, l'air préoccupé. Je suis un peu inquiète à ce sujet. Nous avons eu des problèmes dernièrement. Des actes de vandalisme, sans parler de mes chevaux qui l'ont échappé belle.

— Comment ça ?

— Quelqu'un a empoisonné leur fourrage, mais ne t'inquiète pas, Cash devrait être de retour demain.

— Qui est Cash ?

— Mon plus proche voisin. On a grandi ensemble.

Quand il se rendit compte que les mains qu'il avait refermées sur le bol étaient crispées, Jase le posa délicatement et fit jouer ses articulations.

— Ce Cash, tu le vois souvent ?

— Forcément, c'est lui qui s'est quasiment occupé de tout, au ranch, depuis la mort de papa. Sans lui, je n'y serais jamais arrivée. Il vient souvent vérifier que tout va bien, et me proposer son aide. Il est devenu très protecteur. Mais ces derniers jours il n'était pas au ranch — il a aidé mon contremaître à emmener mon bétail au marché. Il ne sait même rien sur Jordan ni sur tout ce qui s'est passé.

Jase découvrit alors qu'il n'aimait pas du tout l'idée qu'un cow-boy — fût-ce un ami d'enfance — traîne aux environs de Maddie. C'était fou. C'était la deuxième fois qu'elle provoquait une espèce de sentiment de jalousie en lui. Et il ne la connaissait depuis… quoi ? Quelques heures ?

Dans le silence qui s'ensuivit, l'estomac de Maddie se mit à gronder.

— Tu as faim, dit-il en se levant et en ouvrant le réfrigérateur.

Vide, à l'exception de deux bouteilles de jus de fruits bio. Il les sortit et les posa sur le comptoir.

— Quand as-tu mangé pour la dernière fois ?

Maddie éluda d'un geste en ouvrant une bouteille.

— Ils nous ont donné des bretzels quand on a attendu trois heures sur la piste à O'Hare.

Jase se lança dans une fouille en règle des placards.

— Jordan ne cuisine pas, et elle ne fait presque jamais de provisions d'avance, mais elle a toujours des biscuits quelque part. Gagné ! fit-il au bout de quelques secondes.

Des biscuits aux pépites de chocolat. Tu crois que ça va te suffire ?

— Je les adore, répondit Maddie en en prenant un dans le paquet qu'il venait d'ouvrir. J'en ai toujours sous la main, dans mon studio, au ranch.

— Un autre point commun entre vous, commenta-t-il en souriant.

Maddie termina son biscuit et se mit à caresser machinalement sa tresse. Ce qui donna une nouvelle fois à Jase l'envie de la défaire au lieu de lui poser une question très importante. Une sonnette d'alarme s'était déclenchée dans sa tête dès l'instant où elle lui avait parlé de l'accident dont avait été victime Eva Ware. Trois semaines après que son magasin avait été cambriolé.

— Maddie, as-tu la moindre idée de la raison pour laquelle Eva a exigé cet échange par testament ?

— Jordan pense que, dans l'éventualité de sa mort, Eva voulait que celle de ses filles qui avait un don pour la création de bijoux soit impliquée dans son affaire.

En fait, la question qu'il avait en tête était beaucoup plus précise que ça.

— Sais-tu si quelqu'un était au courant des termes du testament avant son ouverture ?

Maddie tendit la main vers un autre biscuit tout en réfléchissant.

— Ils ont tous eu l'air très choqué quand Fitzwalter en a fait la lecture. A l'exception de Cho Li. A part Jordan, c'était le seul visage amical dans la pièce.

— Et toi, pourquoi crois-tu qu'Eva a voulu cet échange entre Jordan et toi ?

— Je n'en suis pas sûre. Mais je n'aime pas beaucoup la théorie de Jordan non plus. Je n'aime pas l'idée de lui prendre quelque chose qui lui appartient. J'espère qu'Eva avait un but plus vaste, et qu'elle voulait que Jordan fasse l'expérience de ce qu'elle avait manqué en ne grandissant pas dans un ranch. D'ailleurs, Jordan m'a promis, une fois au ranch, de réfléchir à ce qu'elle pourrait faire pour m'aider à le rentabiliser davantage.

— Aurait-il des difficultés à part le vandalisme ? s'enquit Jase en l'étudiant de près.

— Je ne suis pas le rancher qu'était mon père, lâcha-t-elle dans un soupir. Et je ne peux pas m'empêcher de me sentir coupable.

— Ce n'est pas toujours facile de gérer la culpabilité.

Maddie releva les yeux sur lui. Au bout d'un moment, elle reprit :

— Je suis désolée. Je ne fais rien d'autre que parler de moi. Jordan m'a dit que tu étais à l'étranger pour essayer de faire libérer des otages. As-tu réussi ?

— En partie. Ils étaient trois, nous en avons perdu un.

Cette fois-ci, ce fut elle qui lui prit la main.

— Je suis désolée.

Pour la première fois depuis qu'il avait quitté l'Amérique du Sud, Jase sentit quelque chose lâcher en lui. Aussi prononça-t-il les mots qu'il se répétait depuis l'instant où il avait regardé le corps de l'homme qu'il n'avait pas pu sauver :

— Les deux otages que nous avons libérés étaient un homme et son fils. Ils ont retrouvé leur famille hier à Panama City.

— Parfois, quoi qu'on essaye de faire, on perd quelqu'un qu'on aime. Pendant des mois après la mort de mon père, j'ai ressassé mes regrets. Que se serait-il passé si j'avais été avec lui… ou si j'avais fait les choses différemment. Peut-être que si je l'avais plus harcelé pour qu'il ne s'en aille pas tout seul aux confins du ranch… Il a eu une crise cardiaque alors qu'il était seul. S'il avait eu quelqu'un avec lui…

— Tu ne devrais pas te le reprocher, dit-il en resserrant les doigts sur les siens.

— Toi non plus.

Alors que le silence s'étirait, Maddie prit pleinement conscience de l'attraction qu'il y avait entre eux. Elle l'avait perçue dès qu'elle était sortie de la salle de bains et avait avancé vers lui. Toutefois, elle pressentait à présent que c'était plus qu'une attraction. Alors qu'elle regardait dans ses yeux bleu-vert, quelque chose remua en elle. Une reconnaissance ? Comment serait-ce possible ? Ils ne se connaissaient pas, justement.

Arrachant son regard du sien, elle contempla leurs mains jointes. Celle de Jase était si grande qu'elle ne voyait pratiquement plus la sienne. Et, même si elle était bronzée, Maddie avait la peau nettement plus claire que celle de Jase. Ils étaient si différents, et pourtant sa main lui semblait à sa place dans la sienne. Pour stupéfiant que cela fût, c'était indéniable.

— Maddie, je ne pense pas que ce qui s'est passé entre nous cette nuit était une erreur.

Elle lui arracha sa main dans un sursaut et le dévisagea. Ce qu'elle vit dans ses yeux la fit fondre, et elle dut lutter contre l'émotion qui s'emparait d'elle et qui menaçait de nouveau de lui faire perdre la tête. Elle était sortie de la salle de bains avec un plan précis en tête, et il fallait absolument qu'elle s'y tienne.

— Erreur ou pas, ça ne doit pas se reproduire.

— Pourquoi pas ? Si nous le voulons tous les deux ?

Cet homme était du genre direct. Et, à son grand dam, la lueur d'insouciance qu'elle vit briller dans ses yeux ne fit pas naître la panique en elle, mais l'excitation. Elle s'efforça de l'ignorer. Logique et raison. Telle était la clé.

— Comme je l'ai déjà dit, on a tous les deux des choses à faire. Et je ne dispose que de trois semaines.

— Ce n'est pas la même chose que dire que tu ne veux pas que ça recommence, objecta-t-il en se levant pour avancer vers elle. D'ailleurs tu ne l'as pas redit.

— Si tu t'approches encore, dit-elle en se levant aussi, tu vas finir sur les fesses.

— Ça ne sera peut-être pas aussi facile cette fois…

Elle sentit la moutarde lui monter au nez et fut à deux doigts de répondre vertement, mais elle réussit à se contenir. Inutile d'ajouter la provocation à la provocation.

— D'un autre côté, dit-il en faisant un autre pas, ce serait amusant de le vérifier.

Elle détesta le fait d'être d'accord avec lui. Elle détesta les deux pas qu'elle fit en arrière. Mais elle ne put nier que l'avance de Jase vers elle la mettait en émoi.

« Raison et logique, raison et logique », se répéta-t-elle. Elle tenta d'insuffler de la rigueur dans sa voix :

— Je suis sérieuse, Jase. Je n'ai tout simplement pas le temps de m'amuser ou de jouer. Ce n'est pas pour cela que je suis venue à New York.

Elle en soupira presque de soulagement quand ses mots le figèrent net. La pointe d'insouciance disparut de son regard.

— Tu as raison, Maddie Farrell, dit-il en tendant la main pour attraper l'extrémité de sa natte. Je ne sais même pas pourquoi je me laisse tant distraire par toi, mais je vais finir par comprendre. Et en attendant, je vais aller passer un coup de téléphone. J'aimerais bien découvrir les circonstances exactes de l'accident de ta mère.

- 5 -

— Allô ! Dave, j'aurais besoin d'un service.

Son portable à l'oreille, Jase faisait les cent pas dans la petite cuisine, très conscient du regard de Maddie sur lui. A son front plissé, il comprit qu'elle était inquiète. Ce qui pourrait se révéler une très bonne chose.

— Et que pourrait faire un minable flic de la N.Y.P.D. pour un as de la sécurité comme toi ? répondit l'inspecteur Dave Stanton d'une voix traînante.

Stanton était un géant à la peau chocolat dont l'aspect de nounours jovial dissimulait un policier hors pair. Jase l'avait rencontré au cours d'une enquête, six mois plus tôt, et ils avaient fini par se lier d'amitié. Stanton était aussi l'officier à qui avait été confié le cambriolage chez Eva Ware Creations.

— Ça concerne Eva Ware — l'accident. Ces trois dernières semaines, je travaillais à l'étranger, et je viens donc juste d'apprendre sa mort. Pourrais-tu vérifier ce que vous avez et me rappeler ?

— Pas la peine. J'ai un œil sur l'enquête depuis le début. Elle piétine, mais les recherches se poursuivent.

— Que sais-tu ? s'enquit Jase en cessant ses allées et venues quand Maddie vint se planter devant lui.

Il passa son portable en haut-parleur afin de lui permettre d'entendre.

— Elle a été renversée en rentrant chez elle après son cours de gym, juste au moment où elle traversait en face de chez elle, lui précisa Dave. Elle allait toujours au gymnase deux fois par semaine en sortant de la boutique de Madison Avenue. Elle rentrait toujours chez elle par le même chemin. Selon son portier, elle traversait toujours en face de l'immeuble au lieu d'aller emprunter les clous à l'angle.

— Donc, on aurait très bien pu l'attendre ?

— C'est exactement ce que j'ai suggéré aux collègues chargés de l'enquête. Ils l'ont suivie, et un des voisins, dont la fenêtre donne sur la rue, s'est souvenu avoir vu une berline claire garée sur la zone de livraison de l'autre côté de la rue. Il a dit qu'elle était là depuis un moment quand elle a démarré et écrasé Mme Ware.

— Y a-t-il eu des témoins de l'accident ?

— Plusieurs, y compris le portier de l'immeuble. Tous s'accordent sur le fait que c'était une berline de couleur claire. Un a prétendu que c'était une Mercedes. Mais aucun n'a pu relever le numéro. On en est là.

— Moralité, la mort d'Eva Ware n'était probablement pas un accident.

— C'est ce que je pense.

— Tu en sais beaucoup sur une enquête qui ne t'est pas confiée, fit remarquer Jase.

— J'aimais bien Eva Ware. Cette femme avait de la classe. Et sa fille Jordan aussi. Comment tient-elle le coup ?

Ça, c'était précisément ce que Jase voulait savoir. Il n'avait pas encore pu joindre la jeune femme.

— Je n'ai pas eu l'occasion de lui parler jusqu'à présent. Merci infiniment, Dave.

— Pas de problème. Tiens-moi au courant si tu trouves quoi que ce soit.

— Bien évidemment.

Alors qu'il raccrochait, Maddie secoua la tête.

— Jordan n'a jamais dit un mot quant à l'accident qui n'en serait pas un, réfléchit-elle à voix haute.

Jase attrapa la cafetière et les resservit tous les deux.

— Elle s'est certainement appuyée sur le premier rapport de police. J'ai l'impression que c'est l'inspecteur Stanton qui a poussé ses collègues à chercher plus attentivement. A ce moment-là, Jordan devait être prise par tous les préparatifs de l'enterrement. Si seulement j'avais été là…

Ça le minait qu'elle ait dû être seule dans cet instant crucial de sa vie.

— Si seulement j'avais été là aussi pour elle. Je ne sais pas si j'aurais tenu le coup à la mort de Papa si Cash n'avait pas été là pour moi…

Puis elle le fixa intensément.

— Quelque chose me chiffonne, Jase. Tu as pensé que la mort d'Eva n'était pas un accident avant même de téléphoner à ton copain flic. Pourquoi ? Tu connais quelqu'un qui lui aurait voulu du mal ?

— Peut-être.

Pendant un moment, il se demanda ce qu'il avait envie de dire à Maddie. Puis il décida qu'elle devait savoir. Jordan également.

— As-tu réussi à joindre ta sœur ? J'ai essayé tout à l'heure, en vain.

— Les portables captent très rarement au ranch, et la ligne fixe semble coupée. J'ai appelé avant de prendre ma douche. La météo annonçait une violente tempête pour la nuit dernière. Mais Jordan doit aller à Santa Fe aujourd'hui pour visiter l'hôtel dans lequel aura lieu l'exposition de bijoux qui commence demain. Son portable captera à ce moment-là, et elle m'appellera. On a fait le plan de se tenir au courant quotidiennement. Et inutile de te dire à quel point les plans comptent pour Jordan.

— Une véritable obsédée ! lui répondit-il en souriant.

— Tu n'as pas répondu à ma première question, lui dit Maddie en posant son bol sur le comptoir. Pourquoi as-tu tout de suite suspecté que l'accident de notre mère n'en était pas un ?

— Ça ne t'arrive jamais d'avoir instinctivement la certitude que quelque chose ne colle pas ?

— Si, répondit-elle en cherchant son regard. Je l'ai parfois quand je dessine une pièce d'orfèvrerie. Alors, je sais que je pars dans la mauvaise direction.

Jase s'appuya contre le comptoir et croisa les jambes. Maddie Farrell savait écouter, et elle était intelligente. Peut-être que ça lui serait utile de tout lui dire.

— Ce pressentiment, je l'ai eu dès l'instant où tu m'as dit qu'elle avait été renversée par une voiture. Quelques jours avant mon départ pour l'Amérique du Sud, le magasin de ta mère avait été cambriolé, et cent mille dollars de bijoux ont disparu.

— Jordan me l'a dit, fit Maddie d'un air soucieux. Les voleurs auraient piraté les codes de sécurité. Mais entre nous, vu les bijoux que j'ai admirés sur le site d'Eva Ware, ça m'étonne qu'ils n'en aient pas pris davantage. Certaines pièces uniques valent deux ou trois fois cela.

Vraiment intelligente, songea Jase.

— Le cambriolage a eu lieu dans le grand salon. La plupart des bijoux sont conservés au coffre et sortis sur demande spécifique des clients. Cependant, il y a des bijoux plus onéreux en exposition. La police pense que le ou les voleurs se sont cantonnés aux petites pièces, plus prisées des receleurs. Et ils n'ont pris que des bijoux sertis de pierres.

— Qui peuvent être desserties et vendues.

— C'était l'idée. L'inspecteur Stanton travaillait sur cette affaire, mais Eva m'avait demandé d'y jeter aussi un coup d'œil. Si je n'avais pas dû partir, je l'aurais d'autant plus volontiers fait que c'est moi qui ai installé le système de sécurité. Le cambriolage a été rondement mené. Soit le voleur est un pro, soit il a bénéficié d'une aide de l'intérieur.

Je penchais pour la deuxième solution, et je l'ai dit à Eva, et elle m'a suggéré d'enquêter dans cette direction à mon retour d'Amérique du Sud. Je lui ai proposé de confier l'enquête à mon associé, Dino Angelis, mais elle a refusé.

— Peut-être avait-elle besoin d'un peu de temps pour rassembler elle-même des informations. Il se peut qu'elle ait soupçonné l'identité de l'informateur et qu'elle ait voulu s'en occuper en personne.

— Oui, répondit Jase en la dévisageant. C'est aussi ce que j'ai pensé, mais comment as-tu fait le rapprochement ? Tu ne connaissais même pas Eva.

— Je crois que c'est parce que si j'avais été à sa place j'aurais voulu faire la même chose. Selon Jordan, son travail signifiait tout pour Eva, elle y avait consacré sa vie. Même si c'est à un niveau bien moindre, je sais ce que j'éprouve pour mon entreprise toute neuve ou presque. Et je peux comprendre qu'elle ait voulu s'en charger. Peut-être qu'elle ne tenait même pas à ce que le coupable soit poursuivi.

— Et pourquoi ça ?

— Peut-être qu'elle ne tenait pas à un scandale. D'après ce que j'ai retenu des dires de Jordan, tout le monde ou presque travaille ave elle depuis très longtemps.

— Bien raisonné.

Maddie se jucha sur un tabouret et croisa les mains sur le comptoir.

— Bon, comment allons-nous découvrir qui a cambriolé Eva Ware Creations ?

— *Nous* n'allons pas le faire, repartit-il, rembruni.

— Il le faut.

— Maddie, dit-il en se redressant, si Eva avait une idée sur l'identité du voleur et l'avait menacé de tout révéler, qui nous dit que cette personne n'est pas celle qui l'a écrasée ? Si il ou elle a déjà tué une fois, il ou elle n'hésitera pas à recommencer.

Maddie tenta d'ignorer le frisson glacé qui lui parcourait le corps. L'entendre énoncer cette vérité si brutalement était bien pire que la penser.

— Tu crois que le voleur a tué Eva ?

— Il y a de fortes chances, et j'ai dans l'idée que c'est pour ça que Dave Stanton garde un œil sur l'enquête.

Son regard s'était fait aussi catégorique que son ton. De toute évidence, il essayait de l'effrayer.

— Mais tu comptes enquêter davantage sur le vol ?

— Oui.

S'il avait raison, si quelqu'un avait sciemment assassiné Eva Ware, il était hors de question qu'elle ne fasse pas tout son possible pour démasquer cette personne. Il lui fallait juste trouver la bonne stratégie pour le convaincre.

— Je peux t'aider.

— Non. C'est trop dangereux. Fais ce que tu es venue faire... apprends à connaître ta mère et le fonctionnement de son entreprise. Mon bureau va s'occuper de chercher qui a été derrière le cambriolage.

Un plan déjà en tête, elle se pencha en avant :

— Mais je serai à l'intérieur. Et ma couverture est parfaite. Jordan leur a tous parlé de moi. Je suis l'autre fille d'Eva, celle qu'elle a laissée derrière elle. Je peux jouer sur le facteur compassion. Pas avec mon cousin Adam, mais peut-être avec tous les autres.

— Je suis désolé, lui dit Jase en posant ses mains sur les siennes. J'oubliais à quel point ça devait être dur pour toi.

— C'est exactement ce que vont penser les autres. Et je m'attends à tout un tas de questions, de toute façon. J'ai déjà l'intention de poser des questions sur Eva aux gens — comment elle était, comment elle a démarré dans le business, quel était son processus créatif. C'est mon seul moyen d'apprendre à la connaître, désormais. Je vais insister pour visiter son atelier.

Jase la regarda sans mot dire. Il réfléchissait. Maddie

pouvait presque entendre tourner les rouages de son cerveau. Raison et logique.

— On me parlera peut-être du cambriolage au cours de l'un ou l'autre de ces entretiens, insista-t-elle. Je pourrais apprendre des choses qu'ils ne te diraient jamais si tu venais à la boutique en mission officielle.

— Tu n'as rien d'une enquêtrice aguerrie.

— Non, riposta-t-elle d'un air de défi. Mais j'ai déjà une idée de là où commencer.

Et sans attendre sa réponse, elle sauta au bas de son tabouret et courut jusqu'à la chambre de Jase. Là, elle s'empara du dossier que Jordan lui avait préparé ainsi que de son sac.

De retour dans la cuisine, elle fouilla dans son sac et en tira son agenda. C'était un agenda papier relié de cuir à l'ancienne, avec un ruban pour marquer la page. Entre les pages, elle fourrait cartes de visite, articles de journaux et post-it. Puis elle sortit les pages imprimées que lui avait confiées sa jumelle et qui détaillaient son planning heure par heure pour les trois semaines à venir.

— Tu peux m'expliquer ? dit Jase après les avoir contemplées en silence pendant un bon moment.

— Tu as bien remarqué que Jordan et moi avions des styles différents, n'est-ce pas ? Eh bien ça marche aussi pour nos agendas. Elle, elle tient son planning sur un machin high-tech qu'elle trimballe dans son sac, tandis que moi, expliqua-t-elle en caressant le petit livre de cuir, je suis très vieille école. Mon père m'offrait un agenda comme celui-ci chaque année à Noël. Mais, électronique ou papier, je suis prête à parier qu'Eva tenait un agenda. Sinon, son assistante doit en tenir un, poursuivit-elle avant de consulter ses notes. Ah, je l'ai, Michèle Tan. Selon Jordan, elle travaille avec Eva depuis presque un an.

Jase prit le temps de réfléchir, puis il déclara :

— Tu as peut-être raison. Eva est passée à mon bureau

quand elle a décidé de me demander d'enquêter plus avant. Et elle m'a demandé de ne rien dire à Jordan tant qu'on n'en saurait pas plus.

— Tu vois ? Elle se montrait discrète.

Trop discrète, songea-t-il. *Ça lui avait peut-être coûté la vie.*

— Tu comptes les terminer ? demanda-t-il en désignant le paquet de biscuits.

— Sers-toi.

Il en prit un et mordit dedans. Il était en train de se faire manipuler. A force de vivre avec une mère et une sœur, D.C. et lui avaient vite appris l'impression que ça faisait. Le problème, c'était que ce qu'avançait Maddie était frappé au coin du bon sens. Ce n'était pas bête de commencer par l'agenda d'Eva. Et puis elle allait y fourrer son nez même s'il ne voulait pas. Si Jordan avait été là, il serait face au même problème. Ces deux-là étaient aussi curieuses qu'Alice quand elle avait décidé de suivre le lapin dans son terrier.

— Mon père, reprit Maddie, croyait fermement que deux têtes valent mieux qu'une. Chaque fois qu'il rencontrait un problème au ranch, il en discutait avec notre voisin, Jesse Landry. Après la mort de Jesse, il nous en parlait à nous, Cash et moi. Reconnais-le, conclut-elle avec un immense sourire. Mon aide pourrait t'être utile.

L'espace d'un instant, ce sourire et la façon dont elle le regardait eurent raison de sa capacité à réfléchir, mais il parvint à se ressaisir. Il allait devoir apprendre à composer avec l'effet qu'elle avait sur lui s'il voulait la protéger.

— D'accord, mais je vais être ton compagnon constant.

— Mon compagnon constant ?

— Les trois prochaines semaines — ou jusqu'à ce qu'on le découvre — je resterai près de toi.

— Pas question, ça gâcherait tout. Tu diriges une entreprise de sécurité et, si on te voit jamais avec moi, les gens ne me parleront pas librement.

— Tu oublies que je ne suis pas un inconnu pour les gens qui travaillent là-bas. Jordan m'y a souvent emmené pour les réceptions de Noël et les autres événements qu'organisait Eva. Tout le monde me connaît donc en tant qu'ami et colocataire de Jordan. Quand je suis allé vérifier les systèmes de sécurité après le cambriolage, c'était pendant les heures de fermeture. Ainsi que je te l'ai dit, Eva était venue me voir.

— Mais ça n'expliquera pas pourquoi tu me colles aux basques.

Il lui décocha un sourire langoureux.

— Voilà *ma* couverture : même si on vient juste de se connaître, ça a été le coup de foudre entre toi et moi. Et je veux passer autant de temps que possible avec toi pendant les trois semaines de ton séjour en ville.

- 6 -

— Nous sommes désolés, votre appel ne peut aboutir pour le moment. Merci de le renouveler ultérieurement.

Perplexe, Maddie reposa le combiné. C'était la deuxième fois qu'elle appelait le ranch depuis que Jase et elle avaient regagné leurs chambres respectives. Les deux fois, elle s'était heurtée au même message. Même s'il y avait une tempête la veille sur le ranch, elle devait être terminée à présent. Les lignes téléphoniques auraient dû être rétablies.

Elle avait besoin de l'aide de sa sœur. Son regard dériva vers la petite bibliothèque et, pour la première fois, elle remarqua la photo encadrée sur le premier rayon. Jordan et Eva Ware y souriaient toutes deux, et cette photo la bouleversa.

Allons, c'était immature, et injuste, d'être jalouse de Jordan si Eva Ware n'avait assisté à aucun des événements marquants de sa propre vie. Son père n'en avait manqué aucun. Mais lui aussi avait été absent à tous ceux de Jordan.

S'efforçant de calmer son trouble, elle prit la photo entre les mains et étudia le visage de sa mère. Elle était coiffée d'une longue tresse, et Maddie tripota instinctivement la sienne. Elle avait encore du mal à se faire à l'idée qu'Eva Ware était sa mère. En pensée, et même quand elle avait parlé d'elle à Jase, elle y faisait encore référence en tant qu'Eva Ware.

Se ferait-elle à cette idée ? Elle reposa la photo sur l'étagère. Pourquoi son père et Eva avaient-ils décidé de se séparer ? Pourquoi avaient-ils chacun coupé les liens avec une de leurs deux filles ? Elle était bien décidée à trouver la réponse avant de quitter New York. Peut-être trouverait-elle une réponse partielle en apprenant à connaître Eva.

Le deuxième rayon de la bibliothèque contenait des livres de poche. Curieuse, elle fit courir un doigt sur leurs dos, et se mit à sourire en découvrant le nom des auteurs qu'affectionnait sa sœur. Elle-même possédait plus de la moitié de ces livres dans sa chambre, au ranch — des sœurs Brontë à Jane Austen en passant par des ouvrages plus modernes, Linda Howard, Jayne Ann Krentz, Karen Robards, J.D. Robb, Nora Roberts et Robert B. Parker. Son sourire s'élargit. Sa sœur avait, tout comme elle, un faible pour le suspense romantique et les romans à énigme.

Puis elle regarda le bas de la petite bibliothèque et ouvrit des yeux ronds. Les livres y étaient aussi rangés par ordre alphabétique, mais c'étaient tous des romans western — Zane Grey, Louis L'Amour, Luke Short, Larry McMurtry. Les auteurs et les romans qu'adorait Mike Farrell… Elle trouva même deux exemplaires de *The Lonesome Dove,* un qui avait dû être lu et relu mille fois, à en juger par son triste état, et un autre apparemment neuf. Combien de fois avait-elle brocardé son père quand il relisait ce roman pour la énième fois ? Sa sœur avait manifestement hérité de ce trait…

Un goût en littérature pouvait-il se transmettre génétiquement ? Et que pouvaient-elles avoir d'autre en commun, Jordan et elle ? Certainement pas leurs goûts vestimentaires. Elle se leva et alla se planter devant le miroir afin d'étudier la tenue qu'elle avait sélectionnée dans l'armoire de sa sœur. Elle y avait cherché partout un pantalon ordinaire et une veste, mais Jordan ne paraissait pas les apprécier. Sa sœur avait des vêtements un peu trop sophistiqués, ou trop à la mode à son goût. Sa propre garde-robe ne contenait que des jeans, des pantalons unis, des vestes et des T-shirts.

Simple, pratique, et on avait rarement à se soucier d'accord de couleurs.

Elle avait finalement opté pour un tailleur bleu pâle qui lui rappelait le ciel d'été à Santa Fe. La jupe finissait par un volant, et elle la fit virevolter en pivotant sur elle-même. La veste avait une coupe très féminine. Ce n'était certainement pas une tenue qu'elle pourrait porter au ranch, mais ça lui allait bien.

Elle baissa les yeux sur ses pieds nus. Bon, des chaussures, maintenant, se dit-elle en jetant un regard inquiet aux multiples paires de sa sœur. Le temps lui manquait pour choisir. La douche avait cessé de couler dans la salle de bains, et Jase devait s'habiller.

Le problème avec les chaussures de Jordan, c'était qu'elles semblaient toutes susceptibles de lui briser les chevilles. Elle vit soudain une paire d'escarpins de cuir bleu avec une boucle d'argent, dont le talon n'était pas aussi haut que celui des autres chaussures. Mais, en les attrapant, elle s'aperçut qu'ils n'avaient jamais été portés. Pouvait-elle vraiment enfiler une paire de chaussures que sa sœur n'avait jamais portées ? Raison de plus de parler avec elle, songea-t-elle en composant de nouveau le numéro du ranch sur son portable.

Ah, enfin. Ça sonnait. Mais elle se retrouva à écouter sa propre voix sur le répondeur. Après le bip, elle se lança :

— Jordan, c'est Madison. Si tu es là, décroche s'il te plaît. Sinon, rappelle-moi dès que possible.

Elle consulta sa montre. Il était 9 h 30.

— Je suis un peu en retard, mais tu devrais pouvoir me joindre chez Eva Ware Creations un peu après 10 heures. Jase vient avec moi.

Elle avait perdu un temps fou à essayer de le convaincre d'abandonner son idée de la suivre à la trace, mais il avait refusé net. Tant qu'ils ne se seraient pas fait une idée claire de ce qui se tramait, il la collerait comme son ombre. Et il n'avait pas oublié sa remarque quant à l'utilité de deux têtes au lieu d'une. Rien de tel que de se faire renvoyer ses propres mots à la figure…

— Tu n'avais pas mentionné dans le dossier à quel point c'est une tête de mule, ajouta-t-elle au téléphone. Bref, c'est une longue histoire, et il y a autre chose qu'il faut que je te dise.

Pas question de lui dire ce qu'ils avaient découvert sur la mort de leur mère par l'intermédiaire d'un répondeur téléphonique.

— Bon, rappelle-moi, conclut-elle, mais elle était sur le point de raccrocher quand il lui vint autre chose en tête : Oh, autre chose. Il y a une paire de chaussures neuves dans ton placard. Des bleues avec une boucle en argent. J'espère que tu ne m'en voudras pas si je les étrenne avant toi. A bientôt.

Bon, d'accord, elle n'avait pas demandé la permission, mais ces chaussures bleues lui faisaient vraiment de l'œil.

Elle alla les chercher et les enfila avant de faire la grimace. Etait-ce ce qu'avaient éprouvé les belles-sœurs de Cendrillon quand elles avaient fourré leur pied dans la pantoufle de vair ?

La taille était la bonne, elle avait vérifié. Si elle s'y sentait à l'étroit, ce devait être parce qu'elle portait toujours des bottes. De très confortables bottes *éculées*. Elle fit un pas, et dut plaquer la main sur le chambranle pour conserver son équilibre. Elle reporta les yeux vers le miroir.

— Ça ne peut pas être aussi dur, se morigéna-t-elle tout haut. Tu as appris à monter à cheval, à attraper une vache au lasso et à te servir d'un pistolet.

Elle fit un autre pas et vacilla. Cette fois-ci, elle ne se retint nulle part.

— Tu peux apprendre à marcher dans ces machins. Des millions de femmes le font. Pourquoi pas toi ?

Elle se détourna de son reflet, avança vers le lit, trébucha et ne fut pas loin de tomber.

— Aussi dur que d'apprendre à marcher sur des échasses, marmonna-t-elle.

Puis elle se concentra sur sa destination. Le lit n'était qu'à dix pas à peine. Totalement concentrée, elle écarta les bras en balancier et mit à grand-peine un pied devant l'autre. En parvenant au lit, elle put enfin baisser les bras.

Et respirer.

Bon. Elle respira encore une fois et s'en fut vers la commode, de l'autre côté du lit. Les bras toujours écartés mais, à mi-chemin, elle réussit à les baisser.

Sur la commode, Jordan rangeait brosse, peigne, des épingles à cheveux et une boîte à bijoux. Maddie se regarda dans la psyché et se renfrogna. Les cheveux n'allaient pas du tout avec ses vêtements.

Elle dénoua très vite sa natte, se brossa les cheveux et les réunit en queue-de-cheval. Puis elle tortilla la queue-de-cheval et la rassembla en chignon derrière sa tête grâce aux épingles.

C'était mieux. Mais les boucles d'oreille allaient-elles ? s'interrogea-t-elle en portant un regard critique sur les petits fers à cheval en argent et turquoise qui ornaient chacune de ses oreilles. La couleur de la pierre allait avec sa tenue, mais, tant qu'elle y était, elle avait envie d'autre chose, et elle ouvrit la boîte à bijoux de Jordan. Ce qu'elle y découvrit lui coupa le souffle.

Bien sûr, elle avait vu les bijoux d'Eva Ware sur son site et dans des magazines, mais rien de tout cela n'avait pu rendre leur délicatesse. Ses fers à cheval paraissaient presque grossiers comparés à ce qui se trouvait devant elle. Elle tendait la main vers un ravissant entrelacs de fils dorés en forme de larme quand elle perçut une présence.

Elle pivota et découvrit Jase appuyé au chambranle. Depuis combien de temps l'observait-il ? La brûlure de son regard lui assécha la gorge et elle baissa les yeux. Mais ce fut pire alors, car elle ne put s'empêcher d'observer la manière dont il était habillé. Il portait un T-shirt bleu nuit et une veste qui accentuaient la largeur de ses épaules. Et son jean moulait ses cuisses et ses admirables fesses comme une seconde peau.

A cet instant, en dépit de tout ce qu'elle lui avait dit, elle le désira encore. Et elle eut le sentiment d'avoir avalé sa langue, tant il lui était impossible de prononcer un mot pour le moment.

Le silence s'appesantit entre eux, et elle se rendit soudain compte que la seule chose qui les séparait était le lit de Jordan. Si elle y allait, l'imiterait-il ? Une vague de nostalgie la balaya, si intense qu'elle en perdit presque l'équilibre.

Et cette fois les chaussures n'y étaient pour rien.

Il ne tenait qu'à elle, elle le savait. Elle pouvait avoir cet homme qui la troublait tant, c'était évident à la manière dont il la dévisageait. L'image d'eux deux nus, sur le lit, lui vint à l'esprit. Insistante.

Non ! Il fallait absolument qu'elle arrive à maîtriser la façon qu'il avait de l'affecter. Tout ce qu'elle lui avait dit était vrai. Elle n'avait pas de temps pour se laisser aller à… ce… cette… folie. Il fallait qu'elle apprenne à marcher dans les chaussures de sa sœur. Au propre comme au figuré. Il fallait qu'elle aille chez Eva Ware Creations.

Elle reporta les yeux sur son visage et s'obligea à revenir au problème qu'elle avait avant son arrivée dans sa chambre. Sa tenue. Elle écarta les bras et pirouetta sur elle-même.

— Qu'en penses-tu ?

Jase ne répondit rien pendant un bon moment. Comment l'aurait-il pu alors qu'il ne pensait plus du tout ? Toutes ses pensées s'étaient éparpillées dès qu'il avait vue Maddie près du lit. S'il s'était arrêté sur le seuil, c'était parce qu'il ne se faisait aucune confiance s'il avançait dans la pièce.

Ou peut-être était-ce parce que le désir l'avait frappé mieux qu'un uppercut. Et quand elle avait défait sa natte pour se recoiffer, il avait pratiquement perdu le contrôle. Il avait dû agripper le chambranle pendant que son esprit s'emplissait de sensations, qu'il pensait à l'effet que lui feraient ces cheveux entre les doigts, ou sur la peau.

Il ne savait même plus combien de temps il était resté là à la boire des yeux. Assez longtemps pour avoir le fantasme de la sortir de ce tailleur pour la caresser. La caresser vraiment. Il avait imaginé qu'ils s'écroulaient ensemble sur ce lit, cette fois-ci en plein jour, et pleinement conscients.

— Eh bien ?

Elle avait l'air vraiment impatiente d'avoir son avis. Et pourtant aucun mot n'arrivait à sortir de sa bouche. Pour la première fois de sa vie, quelque chose comme de la peur s'insinua en lui.

Aucune femme ne lui avait jamais noué la langue auparavant.

— Si ça me va aussi mal que ça, dis-le ! J'ai l'habitude de porter des jeans et des T-shirts, alors je n'ai pas vraiment le sens de la mode. La couleur me plaisait, c'est tout. Mais Jordan a plein d'autres choses dans son placard.

Finalement, il retrouva l'usage de sa voix :

— C'est très bien.

Elle le dévisagea un instant, puis avança vers lui en contournant largement le lit. Tant mieux. Il ne savait pas s'il aurait pu résister à la tentation de la pousser sur le lit si elle l'avait frôlé de plus près. Et apparemment elle avait eu la même idée, sinon elle n'aurait pas mis tant de soin à éviter le lit.

— Tu ne dis pas ça juste comme ça ? Tu es sûr ?

— Oui, mentit-il.

Car la seule chose dont il était vraiment *sûr*, c'était qu'elle n'allait pas porter ce tailleur longtemps s'ils ne sortaient pas immédiatement de la chambre de Jordan. Et tant qu'il n'aurait pas découvert qui, exactement, avait renversé Eva Ware, il avait besoin de toute sa clarté d'esprit. Cependant, il ne put s'empêcher de la manger des yeux une fois encore.

— Tu vas pouvoir marcher dans ces chaussures ?

— Oui, dit-elle en les regardant. Je pense en avoir pris le contrôle.

Le contrôle. C'était ça la clé, se remémora-t-il. Il lâcha le chambranle et fit jouer ses doigts, histoire d'être certain qu'ils fonctionnaient encore. Enfin, il parvint à arracher son regard du lit et sortit de la chambre.

Comme on pouvait s'y attendre à New York et à cette heure de la journée, la circulation avançait à l'allure d'un escargot. Du coin de l'œil, Jase vit Maddie écarquiller les yeux qu'elle braquait par la vitre ouverte du taxi, tendre le cou pour regarder les immeubles et inspirer le mélange d'odeurs qu'il trouvait normal — goudron brûlant, ordures en décomposition, gaz d'échappement.

Un coup d'œil à sa montre lui apprit qu'il n'était pas loin de 10 heures. Eu égard aux chaussures de Maddie, il avait hélé un taxi, même si Eva Ware Creations n'était pas si éloigné que cela. Toutefois, le trajet qui aurait dû ne pas excéder cinq minutes avait déjà atteint la demi-heure. Même avec les chaussures qu'elle avait aux pieds, ils seraient déjà arrivés.

Dans un hurlement de freins, la voiture qui les précédait s'arrêta net et quelqu'un descendit du côté passager pour foncer dans une boutique. Leur chauffeur s'excita sur le Klaxon et hurla des imprécations par sa vitre ouverte. New York dans toute sa splendeur, en somme.

Jase s'amusa à regarder l'air étonné de Maddie tandis qu'elle fixait un policier à cheval. Ils n'avaient pas dit grand-chose depuis qu'ils étaient sortis de l'immeuble, tant qu'elle absorbait tout ce qu'elle voyait, et lui, il avait juste apprécié le fait de ne plus être dans l'appartement. Ils devraient bien y retourner à un moment ou un autre et, bonne idée ou pas, il était bien certain qu'ils finiraient de nouveau ensemble dans un lit.

Jamais encore il n'avait connu de femme qui l'attire à ce point-là. Même maintenant, il devait se retenir violemment de la toucher, de repousser ses cheveux derrière son oreille ou de simplement caresser son décolleté si tentant.

Mais il savait que ça ne lui suffirait pas, qu'il voudrait davantage. Ce serait peut-être la plus grosse erreur de sa vie, mais, d'une façon ou d'une autre, il avait bien l'intention de refaire l'amour à Maddie Farrell.

Seulement, pour l'instant, il fallait bien qu'il mette ces pensées de côté. Maddie avait toujours les yeux braqués sur le cavalier, et il se rappela qu'elle venait juste d'échanger son univers avec celui de sa sœur et qu'elle découvrait un tout autre monde. Peut-être pourrait-il l'aider en cela.

— Dans les dossiers qu'elle t'a donnés, Jordan a-t-elle mentionné qu'elle a un cheval, dans une ferme au nord de la ville ?

— Non.

Pour la première fois depuis qu'elle s'était assise dans le taxi, elle tourna les yeux vers lui. Il y lut un mélange de surprise et d'intérêt.

— C'est un étalon, reprit-il. Elle l'a acheté quand elle est venue en ville travailler avec ta mère. Elle l'a appelé Jules César, parce qu'il est né aux ides de mars.

Maddie le fixa, éberluée.

— Tu plaisantes ? Le mien s'appelle Brutus !

— Jordan a toujours aimé les chevaux. Elle a commencé à prendre des cours d'équitation quand elle avait six ans, et c'est une cavalière-née. Elle a commencé la compétition deux ans plus tard, et elle n'a arrêté qu'en entrant à l'université.

Un sillon se creusa dans le front de Maddie. Il lui avait déjà vu cette expression, quand elle réfléchissait attentivement à quelque chose.

— Un sou pour tes pensées.

— C'est juste… bizarre. Non, ironique convient mieux.

— Quoi donc ?

Le sillon se creusa davantage.

— J'aime monter à cheval, j'adore vivre dans un ranch, mais j'ai découvert que ma véritable passion est la création de bijoux. Jordan semble avoir une passion pour les chevaux et l'équitation équivalente à celle de mon père. D'après ce que j'ai vu dans sa chambre, ils partageaient même une autre passion pour les westerns.

— Tu te dis qu'ils ont chacun pris la mauvaise fille quand ils ont fait leur choix ?

Elle hocha lentement la tête.

Même s'il savait que c'était une erreur, il lui prit la main.

— Je suis sûr que ni ton père ni ta mère n'ont eu cette impression.

Il comprenait. La gorge de Maddie se serra. Même s'il lui tenait délicatement la main, elle percevait la pression de chacun de ses doigts. Toutefois, ce n'était pas la passion qui courait dans ses veines, c'était une chaleur infiniment plus douce. Il se pencha et effleura ses lèvres des siennes.

Sans plus réfléchir, elle leva une main vers son visage. Pour le repousser ? Pour le garder là ?

Mais, avant qu'elle puisse décider, il recula la tête et demanda :

— Tu te sens capable de faire trois pâtés de maison à pied ?

— Je ne promets rien, dit-elle en jetant un regard peu

amène à ses pieds, mais je suis partante. Après tout, je suis sensée marcher dans les pas — et les chaussures — de Jordan.

— Elle porte toujours ses baskets quand elle va travailler à pied, lui apprit-il en souriant. Et elle emporte ses escarpins dans un sac.

— Tu n'aurais pas pu me le dire avant qu'on parte ? s'indigna-t-elle, mécontente.

— Ce n'est plus très loin maintenant, éluda-t-il en tendant deux billets au chauffeur.

Puis il lui reprit la main et l'entraîna avec lui sur le trottoir. Ils se mêlèrent au flot des passants marchant vers le centre-ville alors qu'une véritable cacophonie les accueillait — hurlements de Klaxons, bruits de moteurs, bribes de conversations et communications téléphoniques hurlées dans les portables.

— Comment sont les chaussures ? s'enquit Jase en élevant la voix.

— Superbes à regarder, atroces à porter, répondit-elle avant de lui jeter un regard déterminé. Mais cet inconfort sera largement récompensé quand j'entrerai dans la boutique en n'ayant pas l'air de la provinciale qu'ils s'attendent probablement à voir.

— Tout va bien se passer. Souviens-toi juste des rôles que nous jouons.

— Je vais jouer le mien véritable — l'autre fille.

Il porta sa main à ses lèvres et lui posa un baiser sur les doigts.

— Et moi, ton amoureux.

Un courant brûlant la traversa, et elle fut sûre que ses orteils ne s'étaient pas recroquevillés à cause du manque de place dans ces maudites chaussures. Quoi qu'en dise Jase et quel que soit son rôle, elle entendait rester concentrée sur son objectif.

Soudain, elle s'arrêta net et les passants la bousculèrent au passage.

Jase l'attrapa par les épaules et la sortit rapidement du flot des marcheurs.

— Que se passe-t-il ?

— J'ai oublié les boucles d'oreilles !

— Non. Tu les portes.

— Je comptais les enlever et porter celles d'Eva Ware, repartit-elle en secouant la tête. Mon style est si… différent. En comparaison, mes boucles paraissent…

Elle se tut, cherchant manifestement le bon mot.

— Superbes, dit-il, en faisant courir un doigt sur l'un des fers à cheval.

Elle fut de nouveau incapable de penser. Il allait l'embrasser. Elle voyait le désir dans ses yeux, elle percevait sa propre réaction. Le vacarme qui régnait depuis leur sortie du taxi s'assourdit. Son cerveau se concentra tel un spot sur Jase, et uniquement lui.

Il fit glisser ses mains de ses épaules à son visage et les referma sur lui. Elle eut l'impression que cela faisait des années qu'il ne l'avait pas touchée.

Puis il lui releva le menton d'un geste très doux.

— J'ai envie de t'embrasser. J'ai cru que je pourrais attendre jusqu'à ce qu'on revienne à l'appartement, mais c'est impossible.

Il baissa lentement la tête jusqu'à effleurer ses lèvres des siennes, puis il s'arrêta.

Elle devrait le repousser, se dit-elle vaguement. Elle s'était toujours enorgueillie de la tournure pratique et rationnelle de son esprit, mais elle n'avait jamais fait l'expérience de cette sorte de désir. Chaque fois qu'il la touchait, ou la regardait, elle le voulait. C'était aussi élémentaire que cela.

— Je ne peux plus attendre non plus, fit-elle presque malgré elle en se haussant sur la pointe des pieds et en glissant ses mains sous la veste.

Enfin, *enfin,* leurs bouches se touchèrent, se goûtèrent, alors que leur fringale croissait.

Ce baiser était infiniment plus fort que ce dont elle se souvenait. Ce qui était arrivé dans la nuit avait tout d'un rêve alors que, à cet instant, elle vivait la réalité. Chaque sensation était si intense — le contact de son corps dur contre le sien, la pressant contre une vitrine, celui de ses dents contre ses lèvres, la chaleur de la main qu'il insinua sous sa veste pour lui caresser le dos. Puis il changea de position et elle put goûter encore la saveur de son désir. Irrésistible.

Ils étaient en plein cœur de Manhattan, souffla à Jase la minuscule partie de son esprit qui ne s'était pas encore obscurcie. Tout en luttant pour conserver son équilibre, il lutta également pour s'en souvenir et s'efforça de retrouver un peu de son self-control. Il devrait se donner des claques pour se conduire comme un adolescent gouverné par ses hormones. Il devrait lui donner des claques, à elle, pour le pousser à agir ainsi. Cependant, il en voulait encore plus.

Quand il comprit dans un sursaut qu'il pourrait ne jamais cesser d'en vouloir plus, un élan de peur lui donna la force de la relâcher et de faire un pas en arrière. Mais, alors qu'il reprenait difficilement son souffle, il n'eut qu'une envie. Recommencer. Il l'aurait peut-être fait si une femme n'avait pas choisi cet instant pour le bousculer.

Il recula d'un autre pas. La première pensée cohérente qui lui vint alors fut qu'il n'était plus capable de se contrôler. Ce qui le laissa sans voix.

Ce fut Maddie qui parla la première :

— C'est ridicule.

Jase la dévisagea. Il y avait en elle une vulnérabilité qu'il n'avait pas encore remarquée. Et parce qu'il mourait d'envie de la toucher encore, il glissa les mains dans ses poches.

— Ce n'est pas le mot que j'aurais employé.
— Je ne comprends pas ce qui se passe entre nous.
— Moi non plus.
— Bon sang, on est en plein milieu de la rue, et la seule chose à laquelle je pouvais penser, c'était que je voulais t'embrasser !
— Même chose pour moi.
— Ce qui ne fait qu'aggraver le problème, fit-elle en le regardant, soucieuse. Il nous faut une solution. Que va-t-on faire à ce propos ?

Il regarda sa bouche, puis chercha ses yeux.

— Je crois qu'on connaît tous les deux la réponse.
— Je n'aime pas cela, reprit-elle, toujours rembrunie. Ça va interférer avec tout. J'ai déjà assez à faire.
— Moi aussi.

La frustration dans le ton de Maddie était si semblable à la sienne qu'elle suffit à alléger ses doutes. Il lui sourit.

— Je crois qu'on va juste devoir compartimenter et faire avec. Travailler avec. A propos de travail, Eva Ware Creations est ouvert depuis un bon quart d'heure. Je te suggère de reprendre cette discussion plus tard.
— O.K., fit-elle en relevant le menton. On reste concentrés sur nos investigations.

Ensemble, ils se mêlèrent de nouveau au flot des passants, puis elle déclara :

— J'avais prévu de te dire dans le taxi que j'ai une idée sur ce qu'on devrait faire en arrivant à la boutique.
— Vas-y, dit Jase.
— Il semble que nous ayons deux objectifs. Ton intérêt premier est de comprendre qui a pu aider les voleurs de l'intérieur. Ce point m'intéresse aussi, ça va sans dire. Le mien est d'apprendre tout ce que je pourrai sur Eva, mais je veux aussi trouver quelqu'un à qui elle aurait pu se confier.
— Quelqu'un qui aurait pu savoir, pour toi ?
— Oui. Plus j'y pense, plus que je crois qu'elle a dû

se confier à quelqu'un. Et ce quelqu'un pourrait peut-être éclairer un peu la raison pour laquelle on a été séparées, Jordan et moi.

Jase retint les mots qui lui brûlaient la langue. Son impression à lui, c'était qu'Eva Ware était une femme très indépendante, très secrète. Il avait eu le temps d'y réfléchir, et il était parvenu à la conclusion qu'elle avait eu dès le départ une idée sur l'identité de la personne qui l'avait cambriolée, qu'elle n'avait confiée à personne. Ni à Jordan, ni à lui, ni à la police. Elle savait taire un secret. La preuve, elle en avait tu un très important pendant vingt-six ans.

— Et je veux voir son agenda, poursuivit Maddie. Il serait peut-être mieux qu'une fois là-bas on se sépare pour rassembler nos informations.

Ce n'était pas une mauvaise idée, songea-t-il.

— Tant que je pourrai te voir.

— J'ai une question à te poser, dit-elle.

— Je t'écoute.

— As-tu une idée sur la raison qui a poussé ma mère à nous faire échanger nos places, Jordan et moi ?

Il y réfléchit un instant.

— Je pense que la théorie de Jordan, selon laquelle elle voulait que chacune d'entre vous fasse l'expérience de la vie que vous auriez pu vivre sans la séparation de vos parents, est très possible. Est-ce que le fait que tu crées toi aussi des bijoux a joué dans sa décision, peut-être. Mais je pense aussi qu'elle a peut-être eu des regrets.

— Si c'est exact, pourquoi ne nous a-t-elle pas réunies avant ? Pourquoi coucher dans son testament que notre réunion n'aurait lieu qu'après sa mort ? Maintenant, je n'aurai jamais plus l'occasion de la connaître.

— Je n'ai pas de réponse à cette question, Maddie. Mais elle ne pourra jamais te connaître non plus. Dommage pour elle.

— Je vais en obtenir, des réponses.

Quand ils s'immobilisèrent à l'angle de rue, il fit courir un doigt sur une de ses boucles d'oreilles.

— Au fait, j'aime beaucoup tes boucles. Ta mère a peut-être voulu que tu fasses l'expérience de la vie de Jordan, mais je ne pense vraiment pas qu'elle aurait voulu que tu cesses d'être toi-même.

- 7 -

Le siège d'Eva Ware Creations se trouvait à l'angle de Madison Avenue et de la 51e rue. De plus en plus nerveuse, Maddie ralentit le pas et observa les vitrines. Résolue à mettre de côté l'attirance qu'exerçait sur elle l'homme qui marchait à ses côtés et à se concentrer sur son but, apprendre à mieux connaître Eva et Jordan.

La façade de marbre blanc de l'immeuble encadrait quatre vitrines, deux de chaque côté de la porte d'entrée de verre. Chacune des vitrines était savamment éclairée et n'exposait qu'un seul bijou.

Un appât, songea-t-elle. L'approche minimaliste l'intrigua, et elle songea aux vitrines presque surchargées des boutiques qui vendaient ses bijoux à Santa Fe. Sans doute auraient-ils gagné à comprendre que toujours plus ne signifiait pas forcément toujours mieux, et qu'en matière de luxe c'était même plutôt le contraire.

Elle alla d'une vitrine à l'autre, et cette fois cela n'avait plus rien à voir avec son envie de retarder son entrée dans la boutique. Non, cette fois, c'était simplement de la fascination. Les yeux écarquillés, elle remarqua une émeraude solitaire sertie sur une bague en or délicatement ouvragée. La pierre était au moins de deux carats, et pourtant elle était taillée si finement que tout dans ce bijou exprimait une extrême délicatesse. Impatiente d'en voir davantage, elle se précipita vers l'autre vitrine.

— On n'est pas encore entrés et tu as déjà l'air d'un enfant dans un magasin de bonbons ! s'amusa Jase.

Sans quitter la vitrine des yeux, elle lui sourit.

— C'est exactement ce que je ressens, lui dit-elle en désignant une paire de boucles d'oreilles faites d'une explosion de minuscules gemmes multicolores. Exposer une seule pièce par vitrine… c'est une brillante idée de marketing. Ça force celui qui regarde à se concentrer sur l'aspect artistique du bijou.

— Cette idée, c'est l'invention personnelle de Jordan. Il lui a fallu presque six mois pour en convaincre sa mère. Ton cousin Adam s'y est opposé bec et ongles.

La dernière vitrine abritait un pendentif de presque cinq centimètres de diamètre dont l'or avait été martelé et il lui fit penser, en beaucoup plus petit, à ces plastrons de cuirasse que portaient au combat les guerriers d'antan. Et quand elle détailla les pierres qui l'ornaient, elle sentit son cœur se serrer. Autour du diamant central, quatre rangées de turquoise partaient en étoile.

— J'ignorais qu'Eva travaillait avec des turquoises, dit-elle, la gorge serrée.

— Désolé, répondit Jase. Je ne peux pas te renseigner sur ce point. Je savais, pour les vitrines, parce que Jordan en a parlé des mois durant.

Doigts pressés contre le verre, Maddie mourait d'envie de toucher le pendentif.

— Il me fait un peu penser à certaines pièces que j'ai créées, lui dit-elle. A ceci près que je n'utilise pas de diamant ni d'or. Je serais curieuse de savoir comment elle a développé cette technique de martelage.

— On devrait entrer. C'est le genre de question à laquelle pourrait répondre ton cousin.

Oui. Elle se tourna pour le regarder et constata qu'il semblait la défier du regard.

— Tu penses que je cherche à gagner du temps, c'est

ça ? Tu crois que j'ai peur d'entrer ? Tu as tort. Peut-être que, quand j'ai commencé à regarder la vitrine, c'était un peu pour reculer le moment d'entrer, c'est vrai, mais je me suis laissé embarquer par ce que je voyais. Vraiment. Tu n'imagines pas à quel point j'ai toujours admiré les bijoux d'Eva Ware, c'est même une espèce de vénération. C'est elle qui m'a donné envie d'en créer moi-même.

Elle releva le menton et se dirigea vers l'entrée.

— Mais tu n'as pas tort. Je ne suis pas venue en tant qu'admiratrice béate. Il me faut des réponses.

Mais, avant qu'elle n'entre, Jase lui prit la main, et elle s'efforça, en vain, de se dégager.

— Je croyais qu'on était d'accord pour remettre notre… situation personnelle à plus tard ?

— Notre situation personnelle ? fit-il en souriant. Oui, on la verra plus tard, mais ça, ça tient à notre travail. Tu te rappelles ma couverture ?

Il se pencha pour lui embrasser le bout du nez, et elle se figea, consciente que les deux personnes dans le magasin s'étaient retournées vers eux. Une femme trapue entre deux âges en tailleur rose et un homme très distingué qui devait être le directeur.

— Tu fais une scène, souffla-t-elle.

— C'est le plan. La première fois que je t'ai vue, je suis tombé fou amoureux. Je n'arrive même plus à aligner deux pensées cohérentes. Tant qu'on sera dans le magasin, je vais être ton amoureux transi, ton homme objet prêt à satisfaire tes moindres désirs. Si tout le monde le croit, je ne représenterai plus aucune menace.

Son homme objet ? Ça, elle pouvait l'imaginer. Mais, même habillée et en public, elle eut du mal à penser à lui comme ne représentant pas une menace.

*
* *

Une fois dans le magasin, Jase lâcha la main de Maddie. La toucher en quelque façon que ce soit lui embrouillait les idées, et il allait avoir besoin de toute son agilité d'esprit. Son rôle de suiveur hébété d'amour était un peu trop proche de la réalité à son goût.

Cependant, il avait assez travaillé en infiltration pour savoir ce qu'il y avait d'essentiel à jouer avec les cartes qui vous avaient été distribuées. Il conserva donc les deux occupants de la boutique dans sa vision périphérique. L'homme au costume gris et à la cravate trop serrée fixait à présent un œil rond sur Maddie.

Il fouilla dans sa mémoire. Jordan le lui avait présenté comme le directeur du magasin, lors d'une réception chez Eva. Quel était son nom, déjà ? Arnold ? Albert ? Il avait le visage bronzé, le cheveu grisonnant impeccablement coiffé, et il lui fit un peu penser à Sean Connery.

Arnold Bartlett ! Ça lui revint d'un coup. La femme boulotte, qui s'habillait plus ou moins comme la reine d'Angleterre et avait même choisi un chapeau rose assorti à sa tenue, avait reporté son attention sur le présentoir.

Deux pas devant lui, Maddie tournait lentement sur elle-même. *Un enfant dans un magasin de bonbon* ne rendait pas tout à fait justice à son expression. C'était un tel mélange d'émerveillement, d'excitation, de fierté et de… jalousie ?

Tout cela, il le comprenait. La joaillerie était un travail pour Jordan, et clairement une passion pour Maddie. Ici, c'était l'univers de sa mère. Quelle impression ça pouvait bien lui faire, d'avoir été coupée de la vie d'Eva ? D'avoir été privée de l'expérience de grandir avec sa jumelle ?

Ce qui le ramena à ses relations avec sa propre famille, sa sœur Darcy, sa mère, son frère D.C. Quelle pourrait être sa vie s'il n'avait jamais eu l'occasion de les connaître ?

— C'est tellement beau, lui glissa Maddie en revenant vers lui.

Une fois encore, elle parcourut la boutique des yeux, s'imprégnant du moindre détail. Il n'était venu qu'une seule fois au magasin auparavant, après la fermeture, le jour où il était passé vérifier le système de sécurité. Il avait été impressionné par le sol de marbre blanc, les murs crème ponctués de colonnes d'inspiration grecque, les plantes vertes et les vases de fleurs fraîches disséminés un peu partout.

Même à l'intérieur, les bijoux étaient exposés sans ostentation et au compte-gouttes — juste quelques pièces dans chacun des présentoirs vitrés. Ça aussi, c'était l'idée de Jordan. Selon elle, comme l'activité principale de la boutique consistait en commandes spéciales, les présentoirs et les vitrines étaient surtout là pour donner des idées aux clients.

Partout dans le grand salon, des canapés anciens et des fauteuils permettaient de discuter tranquillement. Sur une desserte près de la porte, une cafetière et une théière en argent attendaient à côté d'une fontaine à eau.

— Je suis tellement loin de mon univers, murmura Maddie.

Il s'efforça de retenir la colère qui montait en lui, et qui n'avait rien à voir avec elle, mais tout avec ses parents qui la mettaient dans une telle situation.

— Non, fit-il avec un geste tendre de la main sur sa joue. Tu es chez toi ici, au même titre que Jordan. Ne l'oublie jamais.

Puis il l'attira entre ses bras et lui donna un voluptueux baiser.

Maddie s'efforça de rester concentrée malgré son esprit embrumé et ses genoux en coton. Jase jouait un rôle, se remémora-t-elle. Et elle, elle devait jouer le sien.

— Mademoiselle Farrell, dit alors une voix grave derrière eux.

Maddie se retourna vers l'homme en costume sombre qui lui tendait la main en souriant.

— Arnold Bartlett, responsable du magasin. Je tiens à vous souhaiter la bienvenue chez Eva Ware Creations.

— Merci, monsieur Bartlett, répondit-elle en lui serrant la main avec chaleur.

— Appelez-moi Arnold, je vous prie, c'est ce que fait votre sœur, lui dit-il avant de l'étudier attentivement et de reprendre : Même si Jordan nous a prévenus, je… Votre ressemblance est frappante. Quand vous avez pénétré pour la première fois dans le magasin, j'ai vraiment cru que c'était elle qui arrivait. Elle porte parfois les cheveux tirés en arrière.

Toujours souriant, il jeta un regard interrogateur à Jase.

— Jase Campbell, se présenta celui-ci. Je suis l'ami et le colocataire de Jordan.

— Ah, oui. Mais je pensais que Madison viendrait seule.

Jase serra légèrement le bras de Maddie.

— Comme elle ne va rester que trois semaines, je ne peux pas me résoudre à la laisser disparaître de mon champ de vision. Je suis certain que vous pouvez comprendre.

— Oui, eh bien…

— Madison ?

Maddie tourna les yeux vers Adam Ware, qui avançait droit sur eux.

— Adam m'a demandé de le prévenir de votre arrivée, expliqua Arnold Bartlett. Il tient à vous faire faire personnellement la visite des lieux.

Maddie réprima un accès de mauvaise humeur alors que son cousin approchait. Il était d'une beauté trop parfaite, glacée, encore plus que dans son souvenir. Aujourd'hui, il portait un costume, une chemise de soie et une cravate assortis. Ses cheveux châtain foncé, repoussés derrière ses oreilles, révélaient un unique diamant dans un de ses lobes. Il avait les traits ciselés, la peau bronzée, et son profil aurait facilement pu figurer sur une pièce de monnaie.

Il lui faisait un peu penser à Daniel Pearson, l'agent immobilier qui la harcelait à propos du ranch. Tous deux avaient un vernis de sophistication doucereuse, et l'un comme l'autre ne lui inspiraient aucune confiance.

L'homme qui lui tenait la taille n'avait rien de doucereux, lui. Et, même si Jase avait décidé d'adopter le rôle de la sophistication urbaine, elle était bien certaine qu'il pourrait s'en dépouiller dans la seconde. Jase aurait bien plu à son père, se dit-elle soudain, ne serait-ce que parce qu'il était capable de mentir comme un arracheur de dents.

En arrivant devant elle, Adam lui décocha un sourire froid. Il souriait, mais ses yeux n'étaient que glace. Encore une différence notable entre Jase et lui.

— Si tu veux bien me suivre, je vais te montrer le bureau de Jordan, lui dit Adam avant de se tourner vers Jase : Vous allez devoir attendre ici. Nous n'autorisons personne — à part les employés et la famille — au-delà du grand salon.

Une pointe de colère enfla en Maddie. Jase resserra son bras autour d'elle, et elle comprit qu'il allait dire quelque chose. Elle l'en empêcha d'une pression de son talon sur sa chaussure.

Il se raidit, mais ne dit mot.

Elle plaqua un sourire tout aussi artificiel que celui d'Adam sur son visage, bien décidée à ne pas se laisser intimider. Peut-être qu'elle n'avait pas fait partie de la vie d'Eva jusqu'à présent, mais c'était terminé.

— Je suis venue faire plus que visiter, Adam, lui déclara-t-elle. J'endosse le rôle de Jordan pour les trois semaines à venir, alors tu vas nous voir très souvent, Jase et moi. Considérez-le comme mon invité personnel, même au-delà du grand salon.

Et sans attendre la réponse d'un Adam stupéfait, elle se dirigea vers l'ascenseur, main dans la main avec Jase.

— Superbe, lui glissa-t-il à mi-voix alors qu'elle appuyait sur le bouton d'appel.

— Avant de voir le bureau de Jordan, dit Maddie à Adam une fois qu'ils furent tous trois dans la cabine, je veux voir l'atelier où travaillait Eva.

— Personne n'est autorisé à y pénétrer à part les membres de l'équipe de création, fit Adam en la fixant. Cette règle très stricte, c'est Eva qui l'a édictée.

— Je suis sûre, repartit-elle en haussant les sourcils, que Jordan a pu y avoir accès, non ?

Ce fut au tour d'Adam de froncer les sourcils.

— A l'occasion, mais elle n'y travaille pas. Elle n'est pas designer.

— Eh bien, il se trouve que je le suis. Et, puisque je suis l'autre fille d'Eva *et* sa consœur professionnelle, je suis certaine qu'elle aurait voulu que je visite son atelier.

— Oh, bon, d'accord, maugréa Adam d'une voix revêche en pressant le bouton du deuxième étage. L'atelier est adjacent aux bureaux, ajouta-t-il avant de regarder une fois encore Jase. Mais je ne peux pas laisser votre ami accéder à l'atelier de création. C'était une règle inébranlable de ma tante, aucun étranger dans son atelier. Personne n'est autorisé à voir le processus de création. Même mes parents n'y avaient pas accès.

— Le problème, riposta Maddie, c'est qu'Eva Ware n'est plus responsable de rien.

Le visage soudain rouge brique, Adam eut l'air de s'étrangler de rage, puis il finit par balbutier :

— Très bien.

Ils débouchèrent dans une petite salle haute de plafond sur laquelle donnaient trois portes, laissant chacune voir des bureaux et des casiers. Le soleil entrait par d'étroites et hautes fenêtres. Assise derrière un bureau de merisier au centre de la pièce, une jeune Asiatique se leva en les voyant et avança vers eux.

— Bienvenue chez Eva Ware Creations. Je m'appelle Michèle Tan.

Maddie se rappelait ce nom. Elle l'avait lu sur les notes de Jordan.

— Enchantée, fit-elle en lui serrant la main. Et voici Jase Campbell.

— Ah, le colocataire, dit Michèle. Jordan parle souvent de vous.

— En bien, j'espère !

Elle lui sourit, mais Adam intervint avant même qu'elle puisse répondre.

— Ils ont demandé à voir l'atelier de tante Eva. On revient.

Et il s'engouffra au pas de charge vers un petit couloir.

— Tu fais des merveilles avec ton cousin, chérie, glissa Jase à l'oreille de Maddie alors qu'ils lui emboîtaient le pas. Plus tu le prendras de haut, plus je pourrai me fondre dans le paysage.

— Sa mère n'est pas là pour lui souffler ses réponses. Il paraît plus assuré quand elle le fait, répondit Maddie à mi-voix avant de le dévisager en répétant : Chérie ?

— Ça, c'était pour les orteils écrasés.

Et cela suffit pour atténuer la tension de Maddie.

— Quand on sera à l'atelier, reprit Jase, je compte distraire ton cousin pour que tu aies tout ton temps.

Devant eux, Adam ouvrit une porte et entra dans une pièce. Par-dessus son épaule, Maddie aperçut Cho Li, l'assistant de toujours de sa mère, penché sur un bureau. Il portait un jean et une chemise XXL.

— Cho, que faites-vous à travailler au poste d'Eva ?

La voix d'Adam tira Cho Li de sa concentration, et il se retourna vers eux.

— Je termine la création sur laquelle elle travaillait, répondit-il paisiblement. Elle aurait voulu la voir achevée.

L'espace d'un instant, les deux hommes se mesurèrent du regard. Ce fut Adam qui finit par baisser les yeux.

— Vous vous souvenez de Maddie Farrell, dit-il.

Cho se leva de sa chaise, s'approcha et, une fois devant Maddie, s'inclina.

Jase lâcha la main de Maddie alors qu'elle s'inclinait de même. De Jordan, il savait que Cho Li avait plus de soixante-dix ans, mais il paraissait bien plus jeune, et ses yeux souriaient.

— Bienvenue, mademoiselle Farrell, dit Cho Li. Que puis-je faire pour vous ?

— Je vous en prie, appelez-moi Maddie, lui dit-elle en souriant.

— Maddie, donc, corrigea-t-il en inclinant la tête.

— J'aimerais beaucoup voir la création que vous terminiez pour Eva.

— Venez, lui dit-il, un grand sourire aux lèvres.

Quand Adam voulut les suivre, Jase lui posa une main sur le bras.

— Puis-je vous dire un mot ?

— A quel propos ?

Jase jeta un coup d'œil à Maddie et Cho devant la table. Ce dernier tenait un anneau d'or jaune dans lequel était inséré un plus petit anneau d'or blanc.

— En fait, j'aurais besoin d'aide.

— Pour quoi ? fit Adam, renfrogné.

— Eh bien en fait, dit-il en plantant ses yeux dans les siens, Maddie et moi, on vient juste de se rencontrer. C'est fou, parce que Jordan et moi on est amis depuis des années, et elles se ressemblent comme deux gouttes d'eau, mais quand j'ai vu Maddie j'ai eu comme un déclic. Enfin vous voyez ce que je veux dire…

— Votre relation avec Madison ne m'intéresse pas. Maintenant, si vous voulez bien m'excuser…

— En fait, reprit Jase en l'arrêtant d'une main, j'aimerais bien lui offrir quelque chose pendant qu'elle est là. Est-ce que vous pourriez m'aider ?

— Est-ce que j'ai une tête de vendeur ? gronda Adam, offusqué. Si vous êtes venu acheter quelque chose, Arnold aurait pu s'occuper de vous dans le grand salon.

— Vous êtes bien un des créateurs ? éluda Jase.

— Oui, répondit sèchement Adam. Et, à présent qu'Eva est morte, je suis le directeur artistique ici.

— Et vous êtes le cousin de Maddie. Elle accorde beaucoup d'importance à la famille. Alors je m'étais dit que l'une de vos créations pourrait être mon ticket gagnant. Quelque chose d'exclusif qui ne serait pas encore descendu à la vente ? Auriez-vous quelques pièces à me montrer ?

Le dilemme déchirait Adam, Jase le voyait sur son visage. Et, finalement, son ego eut le dessus. Il alla à son poste de travail, en sortit un trousseau de clés et l'entraîna vers un placard d'angle.

— Je peux vous faire voir trois de mes plus récentes créations.

Maddie prit le pendentif que lui tendait Cho et l'examina plus attentivement. Cho avait presque terminé de marteler l'anneau le plus large.

— C'est le croquis sur lequel travaillait votre mère.

Elle observa la cloison de séparation entre deux postes de travail. Une bonne douzaine de croquis était punaisée sur la surface de liège, et il lui fallut un moment pour repérer le bon. Elle vit que le plus petit anneau était aussi censé être martelé.

Elle reporta les yeux vers le pendentif à présent niché au creux de sa paume.

— Il est beau. Simplement beau. Moi aussi, j'ai fait des expériences avec une technique similaire.

— Pourquoi ne vous essaieriez-vous pas la main sur l'argent ?

— L'argent ? s'étonna-t-elle en examinant de plus près le bijou. Oh, c'est vrai, mais j'ai d'abord cru que c'était de l'or blanc ! Je ne savais pas qu'Eva travaillait l'argent.

— Elle venait juste de commencer, dit Cho en lui présentant un petit marteau. Allez-y.

Si elle avait les doigts qui la démangeaient de le prendre, elle préféra regarder Cho dans les yeux.

— Ça fait très longtemps que vous la connaissiez.

— Oui. J'ai travaillé un an avec elle avant qu'elle ouvre cette boutique.

— Vous a-t-elle jamais parlé de moi ? lui demanda-t-elle après avoir pris une grande inspiration.

— Non. Je suis désolé.

La compréhension et la tristesse étaient visibles dans les yeux de Cho. Ravalant sa déception, Maddie refusa d'un geste de prendre l'outil que tenait Cho.

— Je pense que vous devriez le terminer vous-même. Je ne suis même pas sûre qu'elle aurait voulu me voir travailler sur ses créations.

— Mais elle vous a fait venir ici.

Elle se tut un instant. Il avait raison. Eva *l'avait fait* venir par testament. Elle devait avoir voulu qu'elle soit là. Alors, quand Cho lui présenta une chaise, elle s'y assit.

Il s'installa à côté d'elle.

— Elle ne m'a jamais parlé de vous, reprit-il, mais il y a une chose que je peux vous dire. Avant de signer le bail de ce local, elle a visité beaucoup d'autres lieux qui auraient tout aussi bien convenu que celui-ci, mais je me rappelle qu'elle tenait à avoir sa boutique sur Madison Avenue. Elle était sûre que ça lui porterait chance, et elle l'a répété je ne sais combien de fois. Et, de fait, ça lui a porté chance.

Maddie prit le marteau et se pencha sur le pendentif. Puis elle prit une grande inspiration et donna le premier coup.

- 8 -

Pendant qu'Adam prenait des accents lyriques pour vanter la délicatesse d'une bague, puis d'un bracelet, Jase avait pris le temps d'étudier la pièce. La table devant laquelle étaient assis Cho et Maddie était presque aussi longue que le mur. Elle possédait deux postes de travail. Celui d'Adam était contre le mur opposé.

Celui-ci jetait régulièrement des coups d'œil par-dessus son épaule pour voir ce que faisait Maddie, et Jase en avait profité pour examiner les croquis qui recouvraient pratiquement un mur entier. Il savait par Jordan que Cho ne créait pas de bijoux et qu'il s'occupait de modifications éventuelles des designs d'Eva.

Les bijoux d'Adam étaient plus hardis que ceux de sa tante, son usage des pierres plus dramatique. Jase baissa les yeux sur le collier que lui présentait Adam, une succession de pierres multicolores serties dans un entrelacs de fils d'or. Il était stupéfiant, et c'était la seule pièce qu'Adam lui ait montrée qui pourrait convenir à Maddie.

— Combien ? s'enquit-il.

— Deux cent cinquante mille dollars, répondit Adam en se retournant une nouvelle fois vers Cho et Maddie.

Jase mit sa distraction à profit pour ouvrir un autre tiroir de la petite commode. Des centaines de gemmes y reposaient dans des compartiments.

— N'y touchez pas !

Jase dut à la rapidité de ses réflexes de ne pas se faire coincer les doigts dans le tiroir brutalement refermé.

— Ça brille, commenta-t-il.

— Oui, dit Adam en tendant la main vers le collier. Si ce collier ne vous convient pas, Arnold en a d'autres au rez-de-chaussée.

Mais, au lieu de le lui rendre, Jase le fit passer d'une main dans l'autre.

— On m'a dit qu'il y avait eu un vol dernièrement. Je devine qu'ils ne sont pas venus ici.

— Non, répondit sèchement Adam en agitant les doigts pour récupérer son collier. Les voleurs ne sont entrés que dans le grand salon.

— Jordan m'a dit qu'ils en ont volé pour moins cher que ce seul collier. Mais je suppose qu'un bijou pareil serait plus dur à écouler que les petites pièces qu'ils ont prises.

Adam se raidit.

— Chaque pièce qui a été dérobée était unique. Cela a été une perte terrible.

— Ont-ils volé certaines des vôtres ?

Quelque chose passa fugacement dans le regard d'Adam. De la colère, ou alors de la peur.

— En fait, aucune des miennes n'a été dérobée. Si votre théorie est correcte, les voleurs ont peut-être trouvé que mes créations étaient un peu trop onéreuses. A présent, si vous me rendiez ce collier ?

— Il se trouve qu'il me plaît bien. Mais il est un peu gros pour Maddie. Pourriez-vous m'en faire un plus petit et plus délicat ?

Même si Jase n'aurait pas cru cela possible, Adam se raidit davantage et éleva légèrement la voix :

— Absolument pas. Je n'altère jamais mes créations.

Jase prit à dessein une expression perplexe.

— Mais Jordan m'a dit que s'il y avait aussi peu de pièces

exposées en bas, c'était parce que les clients pouvaient consulter le designer et lui faire des commandes spéciales ?

Adam lui arracha le collier des mains, le remit dans son écrin et verrouilla le tiroir.

— C'était la stratégie de Jordan. Tante Eva y a adhéré. Moi, jamais.

— Ne finiriez-vous pas par gagner plus d'argent en suivant la stratégie de Jordan ?

— Je suis un artiste, repartit Adam d'un air hautain. Je ne modifie pas mes créations.

S'il avait fallu que Jase qualifie Adam, il aurait dit qu'il était créatif, mais, s'il avait dû ajouter quelque chose, ça aurait été *arrogant* et *rebelle*. Le côté rebelle, sa tante l'avait aussi. Selon Jordan, tante et neveu avaient refusé de travailler à la banque. Peut-être qu'Eva avait trouvé un peu d'elle-même en son neveu. Un peu, mais pas assez pour lui léguer l'affaire.

A l'autre bout de la pièce, le premier coup de marteau retentit, et Adam pivota vers Cho et Maddie.

— Attendez un peu ! Tu ne peux pas…

Jase lui agrippa le bras, le maintint sur son siège et baissa la voix.

— Elle peut. Vous n'avez aucune autorité pour l'en empêcher.

Le visage d'Adam s'empourpra de colère. Mais, quoi qu'il ait voulu dire, ce fut interrompu par la sonnerie de son portable. Il décrocha rageusement.

— Mère, je… Non… Oui. Je peux expliquer.

Adam jeta un autre coup d'œil à Cho et Maddie puis, irradiant de frustration, il quitta la pièce.

Que pouvait-il bien avoir à expliquer à sa mère ? se demanda Jase. Quoi que ce soit, il n'en avait pas paru ravi. Cependant, ça lui avait fait quitter l'atelier.

Jase reporta son attention sur Maddie et Cho, tous deux penchés sur le pendentif. Maddie travaillait, et Cho murmurait des indications. Ils étaient tellement absorbés qu'ils n'avaient même pas dû se rendre compte de la sortie d'Adam.

Satisfait, Jase alla se planter devant une fenêtre qui donnait sur Madison Avenue. Un flot ininterrompu de piétons défilait sur les trottoirs.

Adam Ware allait être un problème. D'après Jordan, il devait avoir vingt-neuf ans, et avait intégré Eva Ware Creations en sortant de l'université. Il y travaillait depuis trois ans et avait déjà créé sa propre ligne de bijoux quand Jordan était montée à bord. Son arrivée lui était restée en travers de la gorge dès le départ et il se plaignait régulièrement des changements qu'elle voulait faire.

Et Jordan n'était pas joaillière. Quel effet la présence de Maddie allait-elle avoir sur lui ? s'interrogea Jase. A quel point son irascibilité et ses emportements pouvaient-ils être dangereux ?

Plus il y pensait, plus Jase était persuadé qu'avec son testament Eva avait secoué un véritable nid de frelons. Quand ils étaient étudiants, Jordan lui avait décrit sa mère comme ayant d'énormes œillères. Et, même si cela avait interféré avec sa vie privée et ses relations, cette capacité qu'elle avait de se concentrer uniquement sur son art avait parfaitement servi sa carrière. Il était bien persuadé que, dans son désir de réunir ses filles, elle n'avait pas envisagé une seule seconde les problèmes que ces mêmes filles pourraient rencontrer. Il suffisait d'ajouter son meurtre probable à la mixture pour obtenir l'authentique recette du désastre.

Et ça ne plaisait pas du tout à Jase. Cependant, une partie du problème qu'allait représenter Adam pouvait être résolue, au moins temporairement. Le seul moyen pour qu'Adam cesse d'être en permanence sur le dos de Maddie, c'était de le distraire, et l'idée germait justement en lui.

Il se tourna vers la fenêtre et composa un numéro sur son

portable, certain que Maddie et Cho étaient trop occupés pour prêter attention à lui.

— Campbell & Angelis Sécurité, bonjour, dit la voix de son frère.

— Toujours au poste ? dit-il en souriant.

— Tu as enfin ressuscité d'entre les morts ? A t'entendre hier, je n'attendais pas de nouvelles avant ce soir !

— Est-ce que Dino est là ?

— Il sera bientôt de retour. Mais moi, je suis là, dit D.C. Et je m'ennuie. Standardiste, ce n'est pas vraiment mon truc.

— Je voudrais te dicter une liste de noms, fit-il à mi-voix avant d'énoncer les noms de tous ceux qu'ils avaient rencontrés au magasin. Ils travaillent tous chez Eva Ware Creations.

— Tu es sur une affaire, on dirait.

— Oui. Elle date d'avant mon départ pour l'Amérique du Sud. Il y a eu un cambriolage dans la boutique de Madison Avenue. Eva Ware est la mère de Jordan et, comme elle a été tuée par un chauffard la semaine dernière, je préfère garder un œil sur Maddie, la sœur de Jordan.

— Une minute, une minute. Jordan a une sœur ?

Evidemment, songea Jase, lui-même venait de l'apprendre ! Il fit donc un bref résumé de la situation à D.C. incluant le testament d'Eva Ware et ce que lui avait appris Dave Stanton.

D.C. lâcha un petit sifflement.

— De quoi as-tu besoin ? fit-il aussitôt.

Le sourire revint sur les lèvres de Jase. Son frère avait mille questions à lui poser, mais pour l'instant il se concentrait sur le travail.

— Demande à Dino ou à un autre de rassembler toutes les informations financières disponibles concernant tous ces noms — et plus particulièrement l'apparition ou la disparition de grosses sommes sur leurs comptes. Les bijoux volés valaient à peu près cent mille dollars. Et vois ce qui pourrait surgir d'autre en passant.

Il y eut un silence, et il se représenta D.C. en train de prendre des notes sur le petit carnet qui ne le quittait jamais. Les flics, même du genre militaire, avaient toujours leur carnet à portée de main. Lui-même n'en avait pas besoin, sa mémoire faisant le stockage de données pour lui.

Il scruta la rue en contrebas. Midi approchait, et la circulation des piétons comme des voitures avait repris. Il allait s'éloigner quand son regard retourna sur l'angle de rue, face à la boutique. Quelque chose avait attiré son attention, mais quoi ?

Ce fut alors qu'il la repéra. La même femme boulotte qui examinait les bijoux quand Maddie et lui étaient entrés dans la boutique. Elle portait toujours son tailleur rose et son chapeau. Plantée près de l'entrée d'une maroquinerie de luxe, elle ne regardait pas la vitrine mais paraissait surveiller Eva Ware Creations.

— La terre à Jase ? Tu es encore là ?

La femme en rose choisit cet instant pour pénétrer dans le magasin Louis Vuitton, et Jase reporta son attention sur la voix de son frère.

— Je suis là.

— Autre chose ?

— Oui, dit-il en jetant un regard furtif à Maddie.

Elle se mordillait la lèvre, pensive et commençait à manier le marteau comme une pro. Quelques mèches de cheveux s'étaient échappées de son chignon.

— J'ai un travail pour toi, à faire en priorité, reprit-il. Je veux que tu téléphones à Eva Ware Creations et que tu demandes à parler à Adam Ware. Présente-toi comme un journaliste free-lance qui prépare un papier pour *Vanity Fair* sur les gloires montantes de la joaillerie. Demande-lui un rendez-vous aussitôt que possible. Dès que tu raccroches, si tu peux.

— Ça, ça me plaît bien ! s'exclama D.C. en riant. Je suppose que tu ne vas pas me dire pourquoi.

— Plus tard. Mets le plan en action.

— Dino vient d'arriver, ça ne devrait pas prendre longtemps. Un truc que je devrais savoir sur cet Adam Ware ?

— Il a un ego de la taille du continent australien.

— Pas de problème. Est-ce que je dois coller à ton scénario ou est-ce que je peux en concocter un à ma façon ?

— Tu vas improviser ? fit Jase en réprimant un sourire.

Il savait que son frère avait plus d'imagination que lui, et qu'il avait le chic pour manipuler son auditoire.

— Dans ce cas, fais en sorte d'être crédible. Et pendant que tu ponds ton scénario, veille à occuper Ware les prochains jours, et même les prochaines semaines si tu peux.

— Pigé. On n'a jamais de missions comme ça dans la police militaire. Peut-être que je devrais démissionner et venir travailler avec toi.

— Quand tu veux, dit Jase avant de raccrocher.

Si D.C. était sérieux, ils allaient devoir se voir pour en discuter.

Plus tard.

Cho et Maddie comparaient à présent le pendentif au croquis. Aucun ne leva les yeux quand il alla s'asseoir sur le siège d'Adam et posa les pieds sur son bureau. C'était comme ça qu'il réfléchissait le mieux, et il y avait pas mal de choses sur lesquelles il devait revenir.

Au sommet de la liste figurait Maddie Farrell. Même à présent, alors qu'il devrait essayer de découvrir qui avait cambriolé et ensuite tué Eva Ware, il ne pouvait empêcher ses yeux de revenir sur Maddie.

Ce qu'il éprouvait pour elle commençait à dépasser l'attrait initial purement physique car, petit à petit, il apprenait à la connaître. Elle était intelligente, courageuse et la nouveauté ne lui faisait pas peur. Son cran lui rappelait Jordan et leur mère. Il sourit en repensant à la façon ludique qu'elle avait eue de relever le défi de porter les impossibles chaussures de sa sœur et d'ensuite mettre son cousin au pas. Et à présent, voilà qu'elle s'était même lancée à travailler sur une des créations de sa mère.

Pendant qu'il l'observait, elle souleva le pendentif et le maintint près du croquis. Nul doute qu'elle avait hérité du pouvoir de concentration de sa mère, et de l'énergie de sa sœur. Elle avait fait preuve des deux alors qu'ils faisaient l'amour, cette nuit.

Cette seule pensée suffit à lui donner une érection. Mais il ne voulait pas juste lui refaire l'amour. Il avait besoin de la goûter, de la toucher, de la pénétrer en pleine conscience. Et il ignorait combien de temps il pourrait attendre.

Deux heures plus tard, Jase et Maddie sortirent de l'atelier. Adam était venu une seule fois voir ce qu'ils faisaient, mais, à part jeter un regard de pure frustration à sa cousine, il n'avait rien fait pour les interrompre avant de ressortir.

— Superbe, la pièce que tu as terminée.

— Merci, répondit Maddie. Comment as-tu réussi à éloigner Adam aussi longtemps ?

— Mon charme.

— Je n'aurais pas cru que ton genre de charme opérerait sur lui ! s'amusa-t-elle.

— Facile, en fait. Il m'a suffi de faire des ohhh et des ahh pendant qu'il me montrait ses bijoux, et puis sa mère l'a appelé et il a dû sortir.

— J'ai l'impression qu'elle lui tient la bride serrée.

— Il n'avait pas l'air ravi quand elle a téléphoné. Qu'as-tu appris de Cho ?

Elle prit une grande inspiration et la relâcha.

— Que ma mère voulait que je sois ici.

Jase s'arrêta net et se tourna vers elle.

— C'est la première fois que tu fais référence à Eva en tant que ta mère.

— Je sais.

— L'a-t-elle dit à Cho, qu'elle te voulait ici ? Savait-il, pour toi ?

— Non. Elle n'a jamais parlé de moi, et il ignorait que Jordan avait une sœur jusqu'au moment où j'ai été conviée à l'ouverture du testament. Mais, selon Cho, ça prouve qu'elle me voulait ici. Je n'avais jamais vu les choses sous cet angle-là avant.

— Il a raison.

— Il n'empêche que j'ai toujours des milliers de questions en tête, mais ça m'aide de voir le testament comme ça, comme la preuve qu'elle me voulait vraiment ici. Qu'elle voulait nous réunir, Jordan et moi. Cho m'a dit aussi qu'elle tenait à avoir un magasin sur Madison Avenue parce que ça lui porterait chance. Suis-je une idiote si je crois qu'elle l'a fait en pensant à moi ?

Jase leva leurs mains jointes pour poser un baiser sur la sienne.

— Absolument pas, au contraire, même. La journée a été bonne, donc, Madison Farrell.

— Oui. La prochaine chose que je veux faire, c'est demander à Michèle où est l'agenda de ma mère.

Mais quand ils parvinrent dans le bureau de Michèle, elle était au téléphone et Dino Angelis la filmait, une caméra sur l'épaule. Quand D.C. promet une action rapide, il est sérieux, comprit Jase, un peu éberlué quand même. Par une porte ouverte, il aperçut Adam assis derrière son bureau et son frère face à lui, un bloc sur les genoux et apparemment suspendu à ses moindres paroles. La canne était-elle nécessaire au rôle, ou D.C. en avait-il vraiment besoin pour sa jambe blessée ? se demanda-t-il. Il se promit de faire un saut au bureau dans la journée.

Michèle raccrocha et leur fit signe d'approcher alors que Dino partait vers le bureau d'Adam.

— Ces deux hommes sont venus voir M. Ware, leur confia-t-elle d'une voix contenue et néanmoins excitée. Celui qui a la canne s'appelle M. Duncan Dunleavy, il produit un nouveau reality show à propos des artistes de New York. Ils veulent faire un reportage sur M. Ware. Ils l'ont même filmé en bas, dans le grand salon.

— Eh bien ! s'exclama Jase.

Maddie lui jeta un bref coup d'œil avant de refaire face à Michèle.

— Et ils sont sortis de nulle part, juste comme ça ?

— Oh non. Ils ont téléphoné d'abord, mais comme ils étaient dans le secteur M. Ware leur a dit de passer tout de suite. Et puis il m'a dit de les faire entrer directement dans son bureau, même s'il était encore en train de parler avec sa mère.

— Dorothy Ware était là ? s'étonna Maddie.

— Elle est toujours là, fit Michèle en se pressant les tempes. J'étais censée venir vous chercher dans l'atelier, mais j'ai oublié. Et puis on a tous été distraits par les cameramen. Mme Ware aussi. Elle avait plein de questions à poser à M. Dunleavy. Elle vous attend pour vous parler dans le bureau de Jordan.

Maddie sentit une espèce de malaise monter en elle quand elle vit Dorothy Ware assise, raide comme un piquet, sur l'une des chaises. Elle portait un tailleur de lin framboise, des chaussures de cuir noir et avait croisé les mains sur une pochette de couturier. Ridicule, de se laisser intimider parce que sa visiteuse avait l'air de sortir d'une prise de vue pour la couverture de *Vogue*.

Elle prit le temps de se rappeler ce que Cho lui avait dit, et ce qu'elle avait éprouvé en travaillant sur le pendentif de sa mère, puis fit le tour du bureau de Jordan, s'installa dans le fauteuil et croisa les bras :

— Que puis-je faire pour vous, madame ?

— Je suis ici car je désire connaître vos projets pour mon fils. Il n'a apparemment ni la capacité ni l'ambition de vous poser lui-même la question. S'il n'est pas destiné à réussir ici, son père pourra toujours lui trouver un poste à la Ware Bank.

Le détachement avec lequel cette femme parlait de son fils et de son avenir avait de quoi faire froid dans le dos.

— D'après ce que j'ai vu, repartit Maddie, Adam est un designer de talent, qui réussit déjà bien.

— Pas assez bien pour que ma belle-sœur lui lègue son affaire. Quand je l'ai appelé, il y a moins d'une heure, il se sentait menacé. J'ai dû annuler une réunion importante pour venir ici de toute urgence. Carlton et moi présidons un défilé de mode au profit du service pédiatrique du Mount Sinai Hospital, ajouta-t-elle en consultant sa montre. Je suis censée y retourner tout de suite, aussi aimerais-je clarifier le sujet une fois pour toutes.

Quel sujet ? se demanda Maddie.

— Adam ne m'a pas paru menacé la dernière fois que je l'ai vu, répondit-elle. En fait, il m'a même semblé très excité par la présence d'un visiteur.

— Oui, il me l'a présenté. M. Dunleavy veut faire son portrait pour une émission télévisée, acquiesça Dorothy en pointant un doigt manucuré vers elle. Ceci devrait vous donner un aperçu de la valeur d'Adam pour Eva Ware Creations. Eva dépendait de son génie. Il croit, ajouta-t-elle, que vous voulez prendre la tête des designers et le pousser dehors.

— J'ignore où il est allé chercher cette idée, répondit Maddie. Pendant les trois semaines à venir, j'ai pour seule intention de respecter les termes du testament de ma mère.

— J'avais cru comprendre que vous deviez prendre la place de votre sœur et faire son travail. Jordan ne prend aucune part dans le domaine créatif de l'affaire.

— Eh bien, moi si, rétorqua Maddie d'une voix ferme. Et j'ai l'intention de travailler avec Cho afin de concrétiser tous les croquis de ma mère. Toutefois, je n'ai pas l'intention de mettre Adam à la porte car, je vous le répète, c'est un designer de talent.

Il y eut un silence, puis Dorothy Ware se leva.

— Merci. Si Adam avait pu vous parler lui-même, ça m'aurait évité cette perte de temps.

Maddie réussit à réprimer un frisson jusqu'à ce qu'elle sorte et que Jase referme derrière elle.

— C'est moi, dit-elle alors, ou la température a chuté de plusieurs degrés, ici ?

— C'est un vrai bloc de glace, commenta-t-il. A se demander si elle sera jamais satisfaite de son fils.

— Tous les deux, on ne les voit pas dans les meilleures circonstances, lui dit-elle. Les termes du testament ont dû leur faire un choc. A propos, en parlant d'Adam, aurais-tu quelque chose à voir avec ce plan de la télé ?

Jase lui sourit.

— Tu es vraiment fine, Maddie Farrell. Comment t'en es-tu doutée ?

— Le timing. Est-ce qu'ils travaillent pour toi ?

— Duncan Dunleavy est mon petit frère D.C., et le type qui s'amuse avec la caméra est mon partenaire, Dino Angelis. Je leur ai téléphoné pour leur demander de distraire Adam pendant que tu travaillais avec Cho.

— Je n'aimerais pas être là quand Adam découvrira le pot aux roses.

— Pas de panique, la rassura-t-il. Quand l'heure sera venue, D.C. aura une stratégie de départ plausible. Ça ne te reviendra pas dans la figure. Et ça pourrait donner à Adam le temps d'en finir avec sa paranoïa.

Maddie se leva, alla se planter devant lui, se haussa sur la pointe des pieds et lui donna un baiser léger.

— Merci.

Jase dut faire un effort pour ne pas la prendre dans ses bras et approfondir le baiser. *Plus tard,* se promit-il.

Maddie se laissa tomber sur l'un des canapés des toilettes pour femmes. C'était le seul moyen qu'elle avait trouvé pour parler en tête à tête avec Michèle, la jeune femme de l'accueil : la suivre jusqu'aux toilettes. Enfin, en fait de toilettes, il s'agissait plutôt d'un petit salon, où avait été installé un espace de repos avec un canapé aussi luxueux que confortable, à l'autre bout du mur de miroirs qui permettaient aux visiteuses de retoucher leur maquillage. Et Michèle était précisément en train de se remaquiller.

— Avant de retourner à votre bureau, lui dit-elle quand Michèle referma sa trousse, puis-je vous poser une question ?

— Bien sûr. J'imagine que la situation ne doit pas être facile pour vous, et Adam est si grossier.

— Ça vous étonne ?

— Non, fit la jeune femme. Il est très absorbé par son travail, et surtout par sa petite personne. Mais il ne traite pas Jordan comme il vous traite. Peut-être que c'est parce que vous êtes également designer et qu'il vous voit comme une menace pour sa position ici, ajouta-t-elle avant de regarder sa montre. Je devrais y aller, je ne suis pas censée m'absenter longtemps.

— J'ai juste une question, reprit Maddie. Je présume qu'Eva tenait un agenda ?

— Elle avait un Palm Pilot.

— J'aimerais bien le voir. Je ne voudrais pas qu'un détail important m'échappe pendant que je suis là.

— Le Palm devrait être dans son bureau — tiroir du haut. C'est toujours là que je le rangeais chaque fois que je le mettais à jour. Mais elle ne s'y est jamais vraiment faite. Elle se servait toujours d'un agenda à l'ancienne, en cuir avec un ruban pour marquer la page.

— Quelque chose comme ça ? dit Maddie en sortant le sien de son sac, le cœur serré.

— Tout à fait ! s'écria Michèle.

— Savez-vous où je pourrais trouver celui d'Eva ?

— Mais… Ce n'est pas celui-là ? fit Michèle, perplexe.

— Non, c'est le mien.

— Eva l'emportait toujours chez elle, le soir, dit Michèle au bout d'un instant de réflexion. Je suppose qu'il devait être dans ses… affaires. Jordan le sait peut-être.

Il devenait plus qu'urgent qu'elle parle à sa sœur, songea Maddie en sortant des toilettes.

Jase regarda les deux femmes revenir et Michèle se précipiter vers le téléphone qui sonnait. Il remarqua la fatigue sur les traits de Maddie quand elle s'approcha de lui.

— Dure journée, lui dit-il en effleurant du pouce les cernes noirs sous ses yeux.

— Oui, mais j'avance. Je viens d'apprendre que ma mère tenait un agenda. Exactement le même que le mien.

— Telle mère, telle fille.

Elle resta un instant silencieuse, comme si elle se livrait à une terrible bataille contre des émotions qui menaçaient de la submerger.

— Peut-être, dit-elle enfin. Mais, chaque fois que je pense à elle en tant que ma mère, je ne peux pas m'empêcher de me demander ce que ça aurait été, de lui parler, de travailler avec elle.

— Je sais, dit-il en lui caressant la joue, pris du besoin brutal de l'emmener hors d'ici, de lui faire prendre une pause méritée.

Derrière eux, le téléphone sonna de nouveau et Michèle décrocha.

— Jordan ! s'écria-t-elle, tout excitée, avant de se tourner vers eux. Oui, oui, elle est là. Je vous la passe dans le bureau, ajouta-t-elle à l'adresse de Maddie.

Maddie alla vite décrocher tandis que Jase fermait la porte et lui disait :

— Branche le haut-parleur.

— Maddie, quelque chose de terrible est arrivé, résonna la voix de Jordan dans le bureau. Es-tu seule ?

— Non, répondit Maddie, je suis avec Jase. Je viens de mettre le haut-parleur pour qu'il puisse t'entendre aussi.

— Il est rentré ?

— Tout à fait, Jordan, répondit Jase. On est dans ton bureau. Que s'est-il passé ?

— C'est le…

La voix de Jordan se brisa et, soudain, elle fut remplacée par une voix d'homme.

— Maddie, c'est Cash.

Le cow-boy, songea Jase en se rapprochant du bureau.

— Jordan ne pleure jamais, glissa-t-il à Maddie avant de hausser la voix : Est-ce que Jordan va bien ?

— Oui. Qui êtes-vous ?

— Jase Campbell.

— Jordan a dit que vous étiez en Amérique du Sud.

— Maddie a dit que vous étiez parti vendre le bétail.

— Je suis rentré.

Maddie fixa Jase, abasourdie. Non seulement il était tendu comme un arc, mais il avait parlé d'un ton agressif, à la limite de la politesse. Il était bien plus poli, tout à l'heure, avec Adam.

— Est-ce que Maddie va bien ? demanda Cash.

A l'autre bout du fil, la voix de Cash était au moins aussi tendue.

— Je vais bien. Repasse-moi Jordan, ou, mieux, branche le haut-parleur.

— Maddie ? dit Jordan d'une voix plus calme. Je ne veux pas que tu te fasses du souci. Je peux tout faire réparer pendant que je suis là. Apparemment, rien n'a été volé. Je ne voulais même pas t'en parler, mais Cash a insisté pour le faire.

— Dis-moi ce qui se passe.

— C'est ton atelier. Quelqu'un s'y est introduit et a tout détruit.

Maddie sentit la main de Jase se refermer sur la sienne, et elle la serra fort.

— Mais toi, tu n'as rien ?

— Elle va bien, intervint Cash. Elle m'a dit à propos de ce testament de ta mère. Je me suis dit que, peut-être, on avait vandalisé ton studio dans le but de te faire revenir par le premier avion. Ou peut-être pour faire peur à Jordan. Je ne la quitterai pas d'une semelle pendant les prochaines trois semaines. On va demander à Mitch Cramer de venir réparer les dégâts. Et je vais demander à l'un de mes hommes de monter la garde.

Maddie se mit à réfléchir à toute vitesse.

— Cash, reprit-elle, pourquoi as-tu insisté pour que Jordan me le dise ?

Comme Cash se taisait, elle lança :

— C'est parce que tu as peur que quelque chose de similaire arrive ici aussi, c'est ça ?

— On ne peut rien te cacher.

Maddie étudia Jase, qui acquiesçait de la tête. La tension qu'elle avait perçue un peu plus tôt en lui avait disparu.

— Jase ? Vous devriez aussi coller au train de Maddie, dit Cash à l'autre bout du fil.

— C'est bien mon intention, répondit Jase en serrant la main de Maddie. Nous avons aussi de mauvaises nouvelles, de notre côté.

— Quoi ? Il est arrivé quelque chose à la boutique ? s'alarma Jordan.

— Non, tout va bien ici, à ceci près qu'Adam n'est pas ravi de la présence de Maddie.

— Pour une surprise, ironisa Jordan.

— Mais non, ce n'est pas Adam le problème. Mais j'ai appris quelque chose qui n'est pas une bonne nouvelle, reprit Jase. Tu ferais peut-être mieux de t'asseoir.

— Je suis bien comme ça.

Maddie garda les doigts entrelacés à ceux de Jase alors qu'il apprenait à Jordan et Cash ce qu'il savait de l'enquête sur la mort de leur mère.

— Ainsi, ce ne serait pas un accident, dit Jordan d'une voix calme. La police enquête sur un homicide.

— Un homicide possible, la corrigea Jase. J'ai comme dans l'idée que l'accident est relié au cambriolage de la boutique. Ta mère et moi soupçonnions tous les deux que quelqu'un de la maison était impliqué dans le vol.

— Elle ne m'en a jamais parlé.

— Je crois qu'elle ne voulait pas que ça se sache.

— Qui, chez Eva Ware Creations, pourrait bien faire une chose pareille ? demanda Jordan.

— C'est bien ce que je me demande. Tu as une idée ?

— Aucune.

— Elle m'avait demandé d'enquêter, reprit Jase, et je lui avais proposé de mettre quelqu'un dessus pendant mon absence, mais elle avait refusé. Elle tenait à ce que ce soit moi. Avec le recul, je pense qu'elle se doutait de l'identité du voleur.

— Alors, elle a sans aucun doute suivi son instinct, répondit Jordan. Eva Ware Creations était son bébé. Si elle avait raison, si quelqu'un de la boîte avait volé la boutique, elle aurait voulu éviter le scandale à tout prix. Je n'aurais pas été d'accord. C'est probablement pour ça qu'elle ne m'a rien dit. Je devrais peut-être rentrer.

— *Non !* s'écrièrent à l'unisson Maddie, Jase et Cash.

Il y eut un silence, puis Maddie reprit :

— Souviens-toi, Jordan, pourquoi nous avons accepté d'échanger nos places. J'ai à peine vu la boutique et l'atelier, mais tu ne voudrais pas que son travail et son héritage meurent. Je ne le veux pas non plus. Et tu n'as pas eu encore l'occasion de visiter le ranch.

— Tu as raison, finit par approuver sa sœur.

— Et je travaille avec Jase, poursuivit Maddie. Tous les deux, on va trouver qui a fait ça.

— Mais moi, qu'est-ce que je peux faire pour vous aider ?

— L'agenda d'Eva, répondit Maddie, soulagée de l'entendre calmée. L'agenda en cuir… on essaye de le localiser.

— Son vieux machin ? Même avec l'aide de Michèle, je n'ai pas réussi à la faire entrer dans le XXIe siècle !

— Sais-tu où il est ? Michèle a dit qu'elle l'emportait chez elle tous les soirs.

— Elle le rangeait toujours dans son sac, dit Jordan avant de marquer une pause. Quand on m'a rendu ses affaires à la morgue, je n'ai pas eu le cœur de les rapporter chez moi, alors je suis passée poser le carton chez elle. Dans le placard de l'entrée. Pourquoi le veux-tu ?

— Si elle a parlé avec celui ou celle qu'elle soupçonnait, elle a pu le noter dans son agenda. C'est ce que je ferais, dans ce cas.

— Mettons que tu aies raison. Si quelqu'un appartenant à Eva Ware Creations l'a assassinée et, s'il ou si elle découvre que tu le ou la cherches, vous pourriez toutes les deux être en danger de mort, interféra Cash.

— Tout à fait, répondit Jase.

Il y eut un coup à la porte.

— Une petite minute, cria Jase avant de reprendre une voix normale. Il faut qu'on y aille.

— Prenez soin de Maddie, dit Cash.

— Et comment. Je compte sur vous pour en faire autant avec Jordan. répliqua Jase.

— Pas de problème.

— Merci, vous m'avez l'air d'un type bien, dit Jase avant de raccrocher.

Maddie le regarda en souriant.

— Je suis contente de voir qu'il te plaît. Il est comme mon frère. Et il va prendre bien soin de Jordan. Tu sais, le taquina-t-elle, c'est lui qui m'a appris à me défendre — sans lui, je n'aurais jamais réussi à te faire tomber sur les fesses.

Il lui sourit aussi et lui passa un bras autour des épaules.

— Je ne suis pas certain qu'il ait le même sentiment « fraternel » vis-à-vis de Jordan. C'est une telle fille de la ville.

Maddie s'efforçait d'assimiler les implications de ce qu'avait dit Jase quand un autre coup fut frappé.

— Oui ? lança Jase.

— Je suis sur le point de me commander à déjeuner, dit Michèle en passant la tête par la porte. Aimeriez-vous que je vous prenne quelque chose ?

Sans laisser le temps à Maddie de répondre, Jase dit :

— Non, je vais emmener Maddie déjeuner dehors. Une pause lui fera le plus grand bien.

- 9 -

La « pause » qu'avait Jase en tête était un pique-nique impromptu à Central Park, ce qui ravit Maddie. La matinée avait été plus que chargée et elle en avait la tête qui tournait un peu. Ils étaient entrés par la 60e Rue, et la première chose qu'elle avait vue, c'était la rangée interminable de touristes attendant de faire un tour en calèche à cheval.

— N'y pense même pas, dit Jase.

— Je n'y pensais pas.

— Menteuse. Il n'y a qu'à voir la façon dont tu regardes les chevaux. Si tu veux, on reviendra dans la soirée, quand il y aura moins de monde. Pour l'instant, on a besoin d'autre chose que de biscuits pour te sustenter, reprit-il en désignant de la main une série d'étals surveillés par leurs vendeurs. Lequel serais-tu assez aventureuse pour essayer ?

— Surprends-moi, fit-elle.

— Les oignons, ça te dérange ?

— Non, tant que tu en manges aussi.

Il s'esclaffa, se pencha vers elle et lui donna un baiser. Un baiser bref, amical, qui n'aurait pas dû la troubler. Cependant, et comme elle ne pouvait plus se fier à ses jambes, elle resta où elle était pendant que Jase s'éloignait vers les vendeurs. Mais même de loin, elle percevait l'effet qu'il avait sur ses sens.

Et sur elle.

Ce qui s'était passé dans la nuit les avait connectés d'une façon qu'elle n'avait jamais connue avec un homme. Et maintenant, en plus de la chimie qui existait entre eux, elle commençait à le connaître en tant que personne.

Sous son apparence bonhomme et facile à vivre se dissimulaient tant d'autres qualités. Elle avait déjà remarqué des pointes d'insouciance dans ses yeux, mais elle l'avait vu aussi sur le qui-vive, presque dur, comme tout à l'heure quand il s'était adressé à Cash d'une manière brutale. Pas de doute, il pouvait se montrer impitoyable s'il le désirait. Cependant, elle avait été bénéficiaire de sa gentillesse. Elle se souvint de la manière dont il avait retourné la cuisine pour lui dénicher ce paquet de biscuits, celle dont il avait hélé un taxi pour lui éviter d'avoir à marcher dans les chaussures de Jordan, et la façon si créative dont il l'avait momentanément débarrassée d'Adam.

Non, sans conteste, Jase Campbell était un homme exceptionnel. Et elle ressentait quelque chose de très fort pour lui.

Son estomac se pinça, et ce n'était pas seulement à cause de la faim. S'engager dans une relation avec Jase ressemblait bien à la plus grosse erreur qu'elle pourrait faire dans la vie. Cependant, elle avait dépassé le stade de la raison et de la logique. Il y aurait un prix à payer en retournant à Santa Fe, mais ça n'allait pas l'empêcher de profiter à fond des instants qu'elle passerait avec lui.

Comme l'attente se prolongeait, elle alla s'asseoir sur un banc tout proche, afin de soulager ses pieds à la torture. Sitôt assise, elle ôta ses chaussures.

En regardant ses orteils rougis par le frottement, elle en arriva à la conclusion que la seule façon qu'avaient les actrices de *Sex and the City* de survivre à leurs fabuleux escarpins était de ne les porter *que* devant la caméra.

Puis elle chassa ses pieds douloureux de ses pensées pour se concentrer sur ce qui se passait autour d'elle. D'accord, elle avait souvent vu Central Park à la télévision ou au cinéma, mais rien n'aurait pu remplacer le fait de s'y trouver soi-même.

Toute une diversité d'odeurs la bombardait — depuis celle familière des chevaux aux relents moins agréables des gaz d'échappement et de l'asphalte brûlé par le soleil, en passant par les odeurs de nourriture et d'humanité.

Le soleil tapait fort, et une touffeur humide montait des allées de ciment. Les fleurs s'épanouissaient partout, dans leurs pots ou leurs bordures. D'autres poussaient entre les rochers.

Mais c'étaient les gens les plus fascinants. Ils passaient devant elle par grappes, poussant des landaus, pédalant sur leurs vélos ou faisant cliqueter leurs appareils photos. Le tout dans toute une variété de langages et d'accents. L'espagnol, elle le reconnaissait facilement, mais les autres elle n'aurait su les identifier.

Ils étaient également de tous les types, âges et formes — depuis les adolescents courant en shorts et débardeurs aux vieux couples avançant d'un pas plus mesuré. Un homme âgé dans une chaise roulante électrique attira son attention. Une femme boulotte vêtue d'un tailleur rose et munie de deux grands sacs le dépassa. Maddie dut la regarder deux fois, mais elle fut bien certaine que c'était la même qu'elle avait vue dans la boutique en arrivant ce matin. Le monde était petit. Elle eut le sentiment que la moitié de la population de New York choisissait de déjeuner à Central Park.

— Viens, il faut qu'on se trouve un endroit pour pique-niquer, dit Jase en lui tendant la main.

— On ne peut pas manger ici ? demanda-t-elle en jetant un regard en coin à ses chaussures.

Il se pencha, attrapa les escarpins et l'entraîna sur l'herbe, divinement fraîche sous ses pieds nus. Ils marchèrent quelques minutes, puis il s'arrêta.

— Ici, ça te plaît ?

Il avait choisi une étendue herbeuse circulaire au pied d'une colline et bordée de rochers. De part et d'autre, une rangée d'arbres offrait toute l'ombre nécessaire. Ils n'étaient qu'à moins de deux cents mètres de l'allée, mais le bruit était nettement assourdi.

— C'est parfait.

Jase s'installa en tailleur dans l'herbe et, après avoir rassemblé sa jupe, elle l'imita.

— Désolé, il n'y a pas de couverture, lui dit-il en lui tendant un hot dog et une bouteille d'eau.

— Je me perdrai en récriminations plus tard en voyant les taches d'herbe, mais pour le moment j'ai trop faim pour m'en préoccuper, répondit-elle en baissant les yeux sur son sandwich.

Son arôme d'oignons frits et de sauce pimentée lui donna des grondements d'estomac. Elle lécha un peu de moutarde tombée sur son pouce, puis planta les dents dans le hot dog. Une explosion de saveur lui assaillit les papilles et lui fit fermer les yeux de délice.

— Mmm. Je retrouve même un peu des saveurs de Santa Fe.

— Il est pas mal, dit Jase en mangeant. Mais je préfère le mien plus épicé.

— Tu veux dire pimenté au point que tu as l'impression d'avoir avalé un volcan ?

— Exactement !

Elle ne put s'empêcher de sourire en avouant :

— C'est aussi comme ça que je les préfère.

Ils mangèrent quelque temps dans un silence seulement rompu par le brouhaha diffus de la ville, Klaxons, ronflements de moteurs.

Elle avait presque terminé son hot dog quand Jase lui lança :

— Un sou pour tes pensées.

— Oh, depuis l'instant même où j'ai reçu cet appel de

Fitzwalter, répondit-elle en le regardant, j'ai des questions plein la tête.

— Peut-être puis-je t'aider. Demande toujours.

Elle hésita, peu désireuse de revenir aux mille questions qui la hantaient depuis peu. Il faisait trop beau, ils étaient trop bien dans cette petite oasis de sérénité en plein cœur de la ville. Aussi préféra-t-elle demander :

— Parle-moi de ta famille.

— Je parie que ce n'est pas la première question de ta liste.

— Peut-être pas, dit-elle en souriant et en étendant les jambes devant elle. Mais je l'ai posée. Je sais déjà que tu as un frère.

— D.C., alias Duncan Dunleavy, répondit Jase en rassemblant leurs restes dans le sac vide, est capitaine dans la police militaire. Il a fait deux missions en Irak, et il est actuellement en permission à cause d'une blessure à la jambe. Hier soir en rentrant, j'ai appelé mon bureau depuis La Guardia, et c'est lui qui a répondu. Il avait passé une semaine chez ma mère et ma sœur à Baltimore, et puis il a débarqué ici il y a deux jours pour me voir.

— Mais tu étais à l'étranger.

— Oui, alors il a décidé de travailler dans mon affaire jusqu'à mon retour. Mon associé l'a très intelligemment pris au mot. Mon frère aime bien s'occuper. Tu auras peut-être l'occasion de le rencontrer plus tard, ça dépend du temps que va durer son coup de bluff avec Adam.

— Et les autres ?

— Mon père était militaire de carrière, un *marine*. Il y a presque vingt ans, alors qu'il allait prendre une retraite anticipée, il a été tué par un tir ami.

— Je suis désolée.

— C'était il y a longtemps. D.C. et moi avions neuf et dix ans et étions très proches de lui, c'est d'ailleurs probablement pour ça qu'on a fini tous les deux militaires. Et puis il y a ma mère, qui est proviseur de lycée à Baltimore, ajouta-t-il avant de sourire. Elle te plairait. C'est un petit bout de bonne femme, mais coriace. Et puis il y a ma petite sœur Darcy, qui est toujours au lycée. Elle ne sait pas trop ce qu'elle va faire plus tard. Pour l'instant, elle hésite entre faire du droit ou rejoindre l'équipe de notre député au Congrès. Comme D.C. et moi ne voulons pas qu'elle intègre l'armée ou la marine, on dit pis que pendre des avocats et des politiciens.

— Pourquoi ? fit Maddie en ouvrant de grands yeux.

— Elle n'avait pas deux ans qu'on avait déjà compris une chose, D.C. et moi, s'esclaffa-t-il. Il suffit qu'on lui donne un conseil pour qu'elle fasse le contraire !

Elle se mit à rire, elle aussi, ravie par l'anecdote et sa description si imagée de sa famille.

— J'ai aussi un cousin, reprit-il. Sloan Campbell. Il élève des chevaux dans la région de San Diego. Son père et le mien étaient beaux-frères. Ça fait des années que je ne l'ai pas revu.

Elle pencha la tête et le regarda avec un sourire curieux.

— Et toi, comment as-tu fini par atterrir dans la sécurité ?

— Je crois, répondit-il en reprenant son sérieux, qu'une partie de la réponse réside dans le fait que mon père voulait ouvrir sa propre entreprise de sécurité après sa retraite. J'ai toujours pensé qu'un jour ou l'autre on aurait travaillé avec lui, D.C. et moi. C'est pour ça que je suis allé à Wharton étudier la gestion. Mais j'ai aussi opté pour la sécurité et l'investigation parce que j'adore résoudre des énigmes.

— Comment ça ?

— C'est aussi pour ça que je suis entré dans les opérations spéciales de la Navy. Oh, j'adorais l'action et l'aventure, d'accord, les poussées d'adrénaline, mais tout ça venait à la suite d'un plan, et ça, j'aimais encore plus.

Maddie l'étudia un instant. Cet homme avait le don de prendre tous les sujets à la légère, même les plus graves.

Mais une lueur on ne peut plus sérieuse jouait dans ses yeux quand il parlait de son travail.

— C'est un peu comme la création de bijoux, lui dit-elle. Je commence par avoir une vision mentale de la pièce que je veux créer, et ensuite il me faut trouver le moyen d'y arriver.

— C'est vrai, répondit-il en lui prenant la main. Maintenant, pourquoi ne me poserais-tu pas une des questions qui te tracassent ?

Elle poussa un soupir. La main de Jase autour de la sienne l'aidait, et elle lui posa la question qui la titillait depuis l'instant même où elle avait connu sa sœur :

— Que peux-tu me dire des relations entre Jordan et Eva ?

— Jordan n'en parlait pas beaucoup, mais j'ai perçu qu'elles n'étaient pas aussi proches que Jordan l'aurait voulu.

— Pourquoi ?

— Eva était une femme très peu démonstrative, très concentrée sur son art. Jordan ne l'a jamais vraiment dit, mais je crois que ta sœur pensait qu'elles auraient été bien plus proches si elle-même avait hérité du talent d'Eva.

— Est-ce que tu crois que c'est vrai ? demanda Maddie, une boule dans la gorge.

— Je pense, dit-il en secouant la tête, qu'Eva prenait de la distance vis-à-vis des autres parce que le plus important pour elle était son art et Eva Ware Creations. C'est pour ça que, quand Jordan dit qu'Eva a peut-être voulu dépatouiller seule ce truc du cambriolage, j'ai tendance à la croire. J'aurais dû prévoir qu'Eva réagirait de cette façon.

Il lâcha la main de Maddie, roula sur lui-même pour se relever et fit quelques pas dans l'herbe.

— C'est pour ça qu'elle est venue me voir au lieu de la police. J'aurais dû insister pour que Dino s'en occupe pendant mon absence. Mais je devais partir le matin suivant, et je n'avais que les trois otages en tête, dit-il avant de lui faire face. Je parie que Jordan a raison et qu'Eva a enquêté de son côté.

Maddie se leva également.

— Tu crois qu'elle a compris qui l'avait volée ?

— Oui. Et je parierais ma chemise que c'est quelqu'un qu'on a vu aujourd'hui.

Les visages se succédèrent dans la tête de Maddie — Arnold Bartlett, Cho, Michèle Tan, Adam. Elle refusait que ce soit l'un d'entre eux.

— Sans cette affaire en Amérique du Sud, j'aurais été là…

— Le père et le fils que tu as sauvés seraient peut-être morts, lui dit-elle en lui prenant le visage à deux mains. Ça ne te servira à rien de te reprocher la mort d'Eva. Concentrons-nous plutôt sur la résolution de l'énigme. Qui a écrasé Eva et pourquoi ?

A son contact, la tension de Jase s'apaisa.

— Tu as raison. Et on devrait s'y mettre.

— Donc, quel est le plan ? Je me disais qu'avant de retourner à la boutique on pourrait faire un saut chez Eva pour prendre l'agenda. Je suis certaine qu'il nous apprendra quelque chose.

Il lui prit le poignet pour l'emmener, mais, dès qu'il perçut son pouls, une autre réaction naquit instantanément en lui. Ils avaient des choses à faire, des gens à voir, mais ce qu'il vit dans son regard le poussa à la plaquer contre un rocher.

— Jase ?

Ce n'était pas une objection, c'était une invitation. Et cela suffit à faire couler des torrents de lave dans ses veines. Il l'attira plus près et effleura ses lèvres.

Elle lui passa aussitôt les bras autour du cou, infiltra les doigts dans ses cheveux et se pressa plus fort contre lui.

Et il fut obligé de la dévorer. Il l'embrassa, et fit courir sa main sur son dos, sa hanche, sa taille. Ses gémissements lorsqu'il l'embrassa, il eut l'impression de les avoir attendus pendant une éternité.

Exalté, il passa une main dans ses cheveux et renversa sa tête en arrière pour mieux la goûter. Dans un recoin encore lucide de son esprit, une petite voix lui criait de l'attirer derrière le rocher, où ils disposeraient de plus d'intimité. Alors, il pourrait l'avoir. Il était assez habile, elle assez excitée. Ce serait dingue. Et merveilleux.

Il pourrait soulever sa jupe et s'enfouir en elle, s'y perdre comme il l'avait fait cette nuit. Il la fit pivoter afin de contourner le rocher sans interrompre le baiser. Mais, la deuxième fois qu'ils pivotèrent ensemble, un éclat de roche lui entailla la joue.

Il y avait une seule chose au monde, il le savait, qui pouvait déloger un morceau de granite. Une balle.

Alors que son esprit se remettait en route en un éclair, son corps réagit d'instinct. Il se plaqua sur Maddie, la poussa derrière le rocher et la fit s'accroupir.

— Quoi ?

— Chut, dit-il en lui plaquant la main sur la bouche et en tendant l'oreille.

Rien.

Il baissa les yeux sur Maddie. Elle était devenue livide, et les questions le disputaient à la peur dans ses yeux.

Il ôta sa main et bougea un peu pour lui faire de la place.

Elle lui toucha la joue :

— Tu es blessé. Que s'est-il passé ?

— On nous a tiré dessus.

— Je n'ai pas entendu…

— Ils ont dû utiliser un silencieux.

— Et ils t'ont touché ?

— Non, fit-il, soulagé de voir qu'elle ne paniquait pas. La balle a délogé un morceau de granite.

— Qui ?

— Un pro, réfléchit-il à voix haute. Il se peut qu'il pense qu'on s'est cachés ici pour faire l'amour, ajouta-t-il. Ce qui veut dire qu'il va attendre qu'on sorte. Mais dans le cas contraire, il ne va pas falloir longtemps avant qu'il fasse le tour par les arbres et vienne finir le travail de l'autre côté. C'est ce que je ferais, à sa place.

Si les lèvres de Maddie tremblaient, elle gardait un regard clair et résolu.

— Qu'allons-nous faire ?

Jase se débarrassa de sa veste et y prit son revolver, qu'il se glissa dans le dos, sous sa ceinture.

— *Je* vais voir si on peut lui faire croire qu'on prend du bon temps. Et *toi*, tu ne bouges pas.

Il prit sa veste et la jeta sur le rocher. Avec un peu de chance, elle serait juste dans la ligne de mire du tireur.

— Maintenant, donne-moi la tienne.

Maddie se redressa et l'enleva.

Il la jeta juste à côté de la sienne.

— Et maintenant ? voulut savoir Maddie.

Jase reporta les yeux sur elle. Ses lèvres ne tremblaient plus, et une nouvelle détermination avait remplacé la peur dans son regard. Elle était prête à relever tous les défis. Il lui prit le menton, l'embrassa légèrement et lui confia son portable.

— Appelle le 911, dis-leur ce qui nous arrive et donne-leur notre localisation. On est à une centaine de mètres de l'entrée de la 60e Rue. Et puis croise les doigts et fais une prière pour que le tireur s'imagine qu'on est en train de se faire des câlins.

— Que vas-tu faire ?

— Je vais me servir des rochers pour me couvrir, ramper sous les arbres et le prendre par l'arrière.

— Non ! fit-elle en agrippant son T-shirt. Tu restes ici jusqu'à l'arrivée de la police.

— C'est un pro, Maddie. Il n'a peut-être pas attendu de me voir jeter nos vestes. Il est peut-être déjà en route pour finir de remplir son contrat.

— Alors, c'est trop dangereux.

Il lui prit l'épaule, le regard soudain dur.

— Il faut que tu me fasses confiance. J'ai déjà fait ce genre de choses. Et puis, il serait peut-être plus dangereux de ne rien faire. On pourrait tous les deux finir à la morgue.

Il attendit de la voir acquiescer, puis il partit à quatre pattes.

Les mains tremblantes, Maddie posa le portable à côté d'elle. La police arrivait. Parler à l'opérateur du 911 et devoir se concentrer pour lui indiquer leur localisation avaient fait du bien à ses nerfs. De plus, la poussée d'adrénaline qu'elle avait ressentie quand Jase lui avait dit qu'on leur avait tiré dessus s'était évanouie.

Ne restait plus que la peur. Elle gardait les yeux braqués sur l'endroit où elle avait vu disparaître Jase à quatre pattes.

Ses dernières paroles lui revinrent. C'était vrai qu'il avait déjà connu semblable situation. Il allait y arriver. Mais pourquoi ne revenait-il pas ? Pourquoi la police n'était-elle pas encore là ?

Les poings serrés, elle tendit l'oreille. Mais elle n'entendit rien, à part les sons entendus auparavant. Pas de sirène, pas de coup de feu.

Soudain, une pensée lui vint à l'esprit. Celui qui leur avait tiré dessus s'était servi d'un silencieux. Peut-être qu'il avait déjà tué Jase sans faire le moindre bruit.

Puis elle entendit des détonations. Une. Deux. Trois.

Sans plus réfléchir, elle se mit à quatre pattes et partit dans la même direction que Jase.

- 10 -

Jase avait couvert une bonne centaine de mètre avant de se relever. Tant qu'il avançait sur les mains et les genoux, il avait pu réduire au minimum le bruit de sa progression. Mais une fois qu'il se mit à courir en zigzag entre les arbres, il y avait de grandes chances pour que le tireur l'entende.

Le bon côté, c'était que ça détournerait l'attention de l'homme de Maddie. Le mauvais, c'était qu'il augmentait ses chances de se faire tirer dessus. Il n'avait pas pris le temps d'y réfléchir. Quand il pensa avoir parcouru assez de distance, il se mit à couvert derrière un arbre et écouta.

Rien. Même les oiseaux s'étaient tus au raffut qu'il avait fait. Il reprit son souffle et se concentra sur la carte des lieux qu'il avait imaginée comme un triangle équilatéral. Le rocher derrière lequel il avait laissé Maddie et la position du tireur étaient aux deux extrémités de sa base, et la pointe du triangle était à peu près à une centaine de mètres de là où il était, plus loin sous les arbres.

Quand le premier oiseau se remit à pépier, il recommença à avancer lentement, prudemment, vers la pointe du triangle où il pensait que le tireur avait pris position.

Bien sûr, il n'était assuré de rien. L'homme pouvait très bien être déjà parti, même s'il ne le croyait pas. Selon lui, être tueur à gages exigeait une patience illimitée. Et il était prêt à parier que le tireur attendait de les voir émerger de leur cachette, Maddie et lui. Après tout, combien de temps fallait-il pour un petit interlude coquin d'après déjeuner à Central Park ?

Lorsqu'il pensa être tout près de là où il voulait aller, sa nuque se hérissa et un froid glacial descendit sur son esprit. Il se glissa derrière l'arbre le plus proche. Il n'avait peut-être pas un instinct aussi aiguisé que son ami Dino, mais il s'y fiait.

Il attendit. Le tireur n'était pas le seul à être patient. Une minute s'écoula, puis deux, puis cinq. Plus le temps passait, plus il était persuadé que son adversaire était tout proche. Très prudemment, il pencha la tête pour examiner le sous-bois.

Il ne vit rien. Et, si le tireur l'avait repéré, de l'écorce aurait jailli du tronc. Il jeta un coup d'œil à sa montre. Si Maddie avait suivi ses instructions, la police ne devrait plus tarder. Il y aurait des sirènes, et le tireur prendrait alors la poudre d'escampette.

Devait-il attendre ? Non, décida-t-il après réflexion. Il s'accroupit lentement, attrapa un gros caillou, se releva et le projeta sur sa gauche.

En entendant le bruit qu'il fit en atterrissant, il passa la tête et regarda. Du coin de l'œil, il vit voler de l'écorce. Bien. Il avait cinq secondes pour repérer le tireur pendant que celui-ci visait l'endroit où était tombé le caillou.

Personne. Ce ne fut qu'après avoir rentré la tête derrière l'arbre qu'il comprit avoir vu quelque chose en vision périphérique — un sac noir contre le pied d'un arbre, à environ dix mètres. Sûr que le tireur se cachait derrière ce même arbre.

Il sortit son revolver, le prit à deux mains et risqua un autre coup d'œil. Il repéra enfin l'homme, sur une branche à environ cinquante mètres du sol. Il était entièrement vêtu de noir. Une balla siffla à quelques centimètres de son visage. D'instinct, il se jeta par terre, roula deux fois sur lui-même, visa les branches et tira trois fois.

Les branches oscillèrent, craquèrent, et le tireur tomba. Jase resta en position et compta jusqu'à dix. L'homme avait laissé tomber son fusil à deux mètres de lui, hors d'atteinte, et n'avait encore fait aucun geste pour le récupérer.

Lentement, Jase se leva et avança. Rien ne bougea. Un silence absolu régnait. Les tirs avaient provoqué l'envol des oiseaux. Quand il fut assez près de l'homme étendu face contre terre, il comprit deux choses. La première, c'était que l'homme était une femme, et la deuxième qu'elle avait fait le mort.

Dommage qu'il ne l'ait pas compris avant qu'elle lui lance un caillou à la figure, en plein sur le front. Il lutta contre les ténèbres qui menaçaient de l'envelopper alors qu'elle sautait sur ses pieds, attrapait la main qui tenait le pistolet et lui faisait une clé qui l'envoya par terre.

Maddie attendit d'avoir atteint le couvert des arbres avant de se relever et de courir directement vers l'endroit d'où étaient partis les coups de feu. Si Jase avait tiré, c'était qu'il allait bien, se répétait-elle.

Cependant, elle savait qu'elle n'aurait pas pu entendre l'autre tirer, à cause du silencieux.

Un nouvel accès de peur lui fit relever sa jupe à deux mains afin d'accélérer sa course. Les feuilles mortes soulageaient ses pieds nus, mais les cailloux et les brindilles lui entaillaient la plante des pieds et la faisaient souvent trébucher. Une fois, elle se rattrapa à un tronc d'arbre. La suivante, elle atterrit sur les genoux et les mains. Elle y resta un moment et reprit son souffle en tendant l'oreille.

Elle l'entendit alors. Des grognements, des bruits de coups, des bruissements de feuilles mortes. On se battait. Elle se releva et courut dans l'herbe en direction du bruit. Au loin résonna une sirène de police. Enfin, songea-t-elle.

Elle s'arrêta net en les voyant. Une femme et Jase roulaient sur le sol et se battaient. D'abord, l'un avait le dessus, et puis c'était l'autre. Le sang qui coulait d'une entaille que Jase avait au front jouait en sa défaveur.

Le bruit des sirènes enfla, mais ils n'allaient pas arriver assez tôt, se dit-elle en regardant autour d'elle. Elle aperçut le revolver de Jase par terre, s'en saisit et fit volte-face. La femme était de nouveau sur Jase. Prenant le revolver à deux mains, Maddie visa. Les deux combattants roulèrent une fois encore, puis une autre.

Elle tenait l'arme d'une main ferme. Elle savait manier un pistolet. Mais elle ne voulait surtout pas blesser Jase. Un autre coup d'œil alentour lui apporta la solution. Elle échangea le revolver contre une grosse branche morte et courut vers eux.

La femme roula une fois de plus sur Jase et referma les mains sur sa gorge. Il fit de même avec la sienne. Maddie couvrit la distance qui les séparait encore d'elle et balança sa branche de toutes ses forces. La femme s'avachit sur Jase. Maddie lâcha son arme improvisée et la tira en arrière.

— Maddie ? fit Jase, hors d'haleine, en essuyant le sang qu'il avait dans les yeux. Tu étais censée rester cachée.

— J'ai entendu les coups de feu et je me suis dit que la police n'arriverait pas assez tôt, dit-elle en tombant à genoux pour examiner la plaie qu'il avait au front. Est-ce qu'elle t'a tiré dessus ?

— Non. Elle m'a eu en faisant la morte, et elle m'a lancé un caillou. Je vais être bon pour une migraine. Avec quoi l'as-tu assommée ?

— Une branche.

— Beau boulot.

Maddie reporta son attention sur la femme.

— Tu crois qu'elle est morte ?

Comme pour lui répondre, la femme gémit.

— Pas du tout. Mais mieux vaut ne pas tenter sa chance

cette fois-ci, dit Jase en tirant de sa poche deux entraves en plastique.

Il lui lia les mains dans le dos et fit de même avec ses chevilles. Puis il alla chercher le sac de voyage qu'il avait repéré sous l'arbre.

— Avant de parler à la police, lui dit-il, je tiens à jeter un coup d'œil là-dedans.

Il ouvrit le sac et en sortit une veste de tailleur rose ainsi qu'un chapeau de même couleur.

— C'est la femme qui était à la boutique quand on est arrivés ce matin, dit Maddie.

— Je l'ai revue plus tard par la fenêtre de l'atelier, dit-il en remettant ses trouvailles dans le sac.

— Et moi, je l'ai vue entrer dans le parc avec ses sacs.

— Elle y transportait son matériel, conclut Jase en se redressant et en balançant le sac par-dessus son épaule.

Il revint vers Maddie et lui passa un bras autour de la taille. Elle s'appuya contre lui et ils restèrent un moment comme ça, serrés l'un contre l'autre.

Des pas approchaient, aussi Maddie releva-t-elle la tête. Jase chercha ses yeux.

— Maintenant, on sait quelque chose. Seule une personne sachant que tu viendrais ce matin a pu organiser tout ça. Et cette personne veut ta mort.

Puis, à la grande surprise de Maddie, il lui agrippa les épaules et les serra.

— Alors, la prochaine fois que je te dis de ne pas bouger, suis mes ordres.

Jase ouvrit la porte de son bureau et laissa Maddie l'y précéder. Grâce aux bonnes relations de Dave Stanton avec les officiers chargés de leur agression, ils n'avaient été retenus que deux heures au commissariat afin de remplir les papiers. Une femme policier avait emmené

Maddie se nettoyer un peu et lui avait prêté une paire de tennis. Lui-même avait téléphoné à Michèle Tan pour lui expliquer la raison pour laquelle ils ne retourneraient pas à la boutique aujourd'hui, puis il avait appelé Dino et D.C. et leur avait demandé de les rejoindre à son bureau.

Maddie n'avait pas desserré les lèvres durant tout le trajet en taxi. Elle était contrariée. Mais c'était lui qui avait le droit de l'être, contrarié ! Elle aurait dû rester cachée derrière le rocher, et chaque fois qu'il pensait à ce qui aurait pu arriver…

Surtout, il était furieux contre lui-même. Il ne l'avait pas assez protégée.

Dino se leva et avança vers Maddie, la main tendue.

— Vous devez être Maddie. Je n'ai vu votre sœur qu'une seule fois, mais la ressemblance est frappante.

— Merci.

Au grand dam de Jase, elle lui décocha un immense sourire, que non seulement Dino lui rendit, mais en plus il garda sa main dans la sienne un bon moment. Jase en aurait presque conçu de la jalousie s'il n'avait su que son ami était fou amoureux d'une autre jeune femme.

— Je me suis laissé dire que vous avez sauvé la vie à mon associé, reprit Dino.

— Ça le rend furieux contre moi, répondit-elle en jetant un coup d'œil à Jase.

— Je ne suis pas furieux.

— Au lieu de me remercier, reprit-elle à l'adresse de Dino, il m'a ordonné de suivre ses ordres la prochaine fois. Plaisant, non ?

Dino sourit de nouveau et Jase eut encore un peu plus envie de le bâillonner.

— C'est un maniaque des ordres, dit-il à Maddie avant de regarder son associé : Du nouveau sur votre tueuse à gages ?

— Elle refuse de parler. Mais ils ont ses empreintes,

le fusil, et ils ont lancé la recherche dans leurs bases de données. Dès que j'aurai un nom, on se met en route.

Dino hocha la tête, puis planta les yeux dans ceux de Jase.

— Juste avant Noël, on était sur une affaire et tu m'as donné un avis précieux. Au risque de me prendre un coup de poing, je vais te rendre la pareille.

Jase sut exactement ce qui allait venir. Dino allait lui dire que jouer au jeu des reproches n'allait faire qu'interférer avec la résolution de l'affaire. Il le savait déjà, merci. Il savait aussi que les poings de Dino étaient prêts, et que sa propre colère bouillonnait trop près de la surface. Ce qui arrivait rarement. Comme une réaction à retardement, après les événements de l'après-midi.

— C'est passé près. J'ai failli la perdre, dit-il.

— Moi aussi, j'ai failli te perdre, rétorqua Maddie d'une voix soudain pleine de colère. Et si j'étais restée terrée derrière mon rocher, tu ne serais peut-être plus là pour me faire des reproches !

Jase dut faire appel à tout son self-control et inspira à fond.

— Tu as raison. Merci.

Puis il l'attira dans ses bras pour la première fois depuis que cet éclat de granite lui avait éraflé la figure, et il sentit sa tension commencer à s'effacer.

— Dois-je revenir plus tard ?

Au son de la voix de son frère, Jase lâcha Maddie et se tourna vers lui, appuyé sur sa canne à l'entrée de la pièce.

— Au contraire, lui dit-il en souriant. Viens que je te présente Maddie.

Alors que D.C. traversait la pièce, Jase remarqua qu'il ne boitait que légèrement, et il se détendit davantage.

— Désolé d'être en retard, il m'a fallu du temps pour laisser Adam Ware à Tony et Carter. Ils vont rester sur place et filmer. Ça devrait nous être utile pour les problèmes de sécurité pour Maddie.

— Merci, petit frère.

— A ton service, dit D.C. en s'asseyant et en les regardant tous. Qu'ai-je manqué ?

— On commence juste, lui apprit Jase. Selon toutes apparences, nous avons trois affaires. D'abord : le cambriolage chez Eva Ware Creations. Avant de mourir, Eva m'avait engagé pour enquêter. C'est l'inspecteur Dave Stanton qui s'en occupe. Lui et moi sommes persuadés que ça vient de l'intérieur. Non seulement le voleur connaissait les codes de sécurité, mais il savait aussi comment désactiver l'alarme. Un superpro aurait pu le faire, mais le voleur a été très sélectif sur ce qu'il prenait. Eva estimait la valeur des bijoux dérobés à environ cent mille dollars. D'autres bijoux, avoisinant les cinq cent mille dollars, sont restés dans les vitrines.

— Intéressant, commenta Dino. Tu penses que le voleur avait une somme précise en tête et qu'il ou elle connaissait la valeur de ce qu'il ou elle dérobait ?

— Oui. J'ai un contact qui pourrait peut-être nous indiquer les receleurs locaux, et je vais l'en charger. Bien. Ensuite, il est fort probable que l'accident d'Eva Ware n'ait pas été un accident mais un homicide. Peut-être en relation avec le cambriolage. Maddie, Jordan et moi pensons qu'elle avait peut-être deviné, ou découvert, l'identité du voleur et était allée l'affronter. Et enfin, il y a eu l'attentat d'aujourd'hui contre Maddie.

— La vraie question, fit D.C., c'est : est-ce que nous avons trois affaires séparées ?

Maddie étudia les trois hommes en pleine discussion comme si elle n'était pas dans la pièce avec eux. Tous trois étaient beaux, même si Dino avait une beauté plus classique. En apparence, Jase et D.C. ne se ressemblaient pas. D.C. était un peu plus petit et plus brun. Elle avait aussi le sentiment que la pointe d'insouciance qu'elle avait détectée chez Jase était peut-être plus prononcée chez son jeune frère. Elle reporta les yeux sur Jase. Dans le parc, elle avait eu un aperçu de sa nature impitoyable et, à présent, de sa force de concentration alors que son frère, son associé et lui triaient les pièces du puzzle.

— Bonne question, disait Dino, adossé à son fauteuil et les mains nouées derrière sa tête. Une mère tuée, et sa fille pratiquement tuée en moins de deux semaines ? Difficile de croire qu'il n'y a pas de lien.

— Je ne crois pas beaucoup aux coïncidences moi non plus, reprit Jase. Mais il existe bien d'autres motivations pour vouloir se débarrasser de Maddie sans que ça soit relié à la mort de sa mère ou au cambriolage.

Un frisson glacé parcourut Maddie.

— Pourquoi quelqu'un voudrait-il me tuer ?

Cette question, elle tentait à tout prix de l'éviter depuis l'instant où Jase l'avait brutalement poussée au sol en lui disant qu'on avait tiré sur elle.

— Le testament.

Les trois hommes avaient répondu en chœur, et elle dut s'appuyer contre le bureau.

— Si tu meurs, les termes du testament ne peuvent pas être honorés, et d'autres ont tout à y gagner, lui dit Jase. L'argent est une puissante motivation.

Elle tenta de lutter contre l'horrible malaise qui l'envahissait. Ce matin, ses seules préoccupations étaient d'apprendre à connaître sa mère, de découvrir pourquoi ses parents s'étaient séparés et l'avaient séparée de sa sœur, et enfin ce qu'elle devait faire avec Jase Campbell. Et voilà qu'à présent on voulait l'assassiner…

Elle se força pourtant à réagir. Si son père lui avait appris quelque chose, c'était qu'il ne servait à rien de faire l'autruche face à un problème.

— D'accord. On veut me tuer à cause du testament. Jusqu'à présent, on a pensé que la mort de ma mère avait un rapport avec le cambriolage. Pourrait-elle être aussi liée au testament ? demanda-t-elle.

— Elle a peut-être mis le doigt sur quelque chose, dit D.C. Et si quelqu'un s'était attendu à obtenir infiniment plus quand Eva mourrait et qu'il avait voulu accélérer l'échéance ?

— C'est une possibilité, acquiesça Dino.

— On en revient toujours à l'argent, ajouta Jase. Il faut qu'on remonte la piste monétaire.

— Je m'y mets tout de suite, annonça D.C. en sortant son carnet et en se tournant vers un ordinateur.

Dino vint regarder par-dessus son épaule.

— Pourquoi est-ce que je ne me chargerais pas de Cho Li, de Michèle Tan et d'Arnold Bartlett ? Comme ça, tu pourrais te concentrer sur les Ware et la Ware Bank.

— Tu soupçonnes Cho ? demanda Maddie à Jase.

— Jusqu'à preuve du contraire, tout le monde est suspect.

Maddie réfléchit en silence à ce que cela signifiait. Il avait raison. Mieux valait ne rien laisser de côté. Et dans la même optique, songea-t-elle soudain, il y avait une autre chose qu'ils devaient absolument faire.

— Il faut qu'on prévienne Jordan, déclara-t-elle alors à la ronde.

Les trois hommes se retournèrent vers elle.

— Si on a essayé de me tuer à cause du testament et qu'on a échoué, ils pourraient essayer de l'avoir, elle.

— A moins que le plan soit de se débarrasser de vous deux, dit Jase en soulevant le combiné du téléphone pour lui tendre. Appelle le ranch. Laisse un message s'il le faut. Dis à Jordan de te rappeler de toute urgence, sur mon portable.

Maddie obtempéra, et dut effectivement laisser un message, le cœur serré.

— Elle avait prévu d'aller à Santa Fe pour voir l'hôtel où aura lieu l'exposition, dit-elle après avoir raccroché. S'ils y sont, son portable passera.

Elle composa le numéro de sa sœur.

— Jase ? répondit Jordan.

— Non, c'est Maddie, dit-elle alors que Jase enfonçait la touche du haut-parleur. On est à son bureau.

— Je suis là aussi, Jordan, intervint-il. Il s'est passé autre chose ici. Est-ce que Cash est avec toi ?

— Oui. Il écoute.

— Quelqu'un — que nous pensons être de chez Eva Ware Creations — a embauché une tueuse à gages pour tirer sur Maddie ce mat…

— Maddie, tu vas bien ? s'écrièrent Cash et Jordan de concert.

— Oui, oui.

— Je me fais du souci pour Jordan, expliqua alors Jase. Maddie aussi. Il se pourrait que sa tentative d'assassinat soit en rapport avec la mort d'Eva. Et nous pensons tous que tout cela pourrait avoir un rapport avec le testament.

— Parce que si l'une d'elles ou les deux disparaissent, quelqu'un d'autre hérite, c'est à ça que vous pensez ? dit Cash.

— Exact.

— C'est justement ce qui me faisait peur, répondit Cash. Est-ce que vous pouvez assurer la sécurité de Maddie ?

— J'ai mis d'autres hommes sur l'affaire. J'ai l'intention d'envoyer mon frère à Santa Fe pour vous apporter du renfort de votre côté.

Il y eut un instant de silence à l'autre bout de la ligne, puis la voix de Cash :

— Ce ne serait peut-être pas une mauvaise idée.

— Je m'en occupe, dit Jase avant de raccrocher.

— Moi, je me charge des renforts, dit Dino en se levant.

Maddie aurait été soulagée si elle n'avait pas vu Jase regarder le téléphone, pensif.

— Un problème ? dit-elle.

— Le cow-boy, répondit-il. Il a accepté le renfort sans

protester. Ma première impression de lui était qu'il pensait pouvoir se charger de tout, ou presque.

— Tu y vas fort. Cash ressemble beaucoup à mon père, en fait.

— Je pense qu'il s'est passé quelque chose de leur côté qu'ils ne nous ont pas encore dit, reprit-il en la fixant droit dans les yeux.

- 11 -

En quittant le bureau, Jase préféra l'escalier à l'ascenseur, et les tennis que Maddie avait empruntées l'aidèrent à le suivre d'un bon pas. Au rez-de-chaussée, il la guida vers une sortie latérale donnant sur une allée.

Des odeurs de bière, de sueur humaine et d'ordures décomposées lui agressèrent les narines.

— C'est la route touristique pour rentrer à l'appartement ? voulut-elle plaisanter pour détendre l'atmosphère.

— On ne retourne pas à l'appartement.

— Mais j'ai vraiment besoin de me changer !

— On achètera ce qu'il faut, répondit-il avant de tourner au bout de l'allée. Pour l'instant, je ne veux pas que tu t'approches de l'appartement. La personne qui est derrière tout ça sait forcément que tu y habites. Comme ils savent qui je suis et où je travaille. Cette fois-ci, nous n'allons offrir à personne l'occasion de nous suivre, ou de savoir où nous allons.

— En somme, tu es en train de dire que ta couverture d'amoureux fou n'a pas dû berner le tueur ?

— Comment l'aurait-elle pu ? L'attentat devait être programmé bien avant qu'on arrive au magasin. Il a peut-être été programmé la première fois que Jordan leur a appris que tu allais la remplacer chez Eva Ware Creations à partir de telle date. Par là, dit-il en l'entraînant dans un café, au coin de la rue.

Il était 15 h 30, et l'affluence de midi était passée.

Derrière le bar, les coudes sur le comptoir, une serveuse en uniforme violet feuilletait le journal.

— Edie, fit Jase en arrivant devant elle.

La femme se redressa et son visage s'éclaira.

— Longtemps que je ne t'avais plus vu, mon grand. Tu m'as manqué.

— J'étais en mission à l'étranger, et je viens juste de rentrer, dit-il en faisant le tour du bar pour l'embrasser. Tu m'as manqué aussi.

— Dis plutôt que c'est mon *apple cake* qui t'a manqué !

— Aussi ! répondit-il en souriant.

Maddie aurait juré que la femme avait rougi en disant cela. Et Jase… eh bien, c'était la première fois depuis Central Park qu'elle retrouvait le Jase Campbell facile à vivre. Et elle n'aurait su dire quel aspect de cet homme la fascinait le plus.

— Installez-vous. Je vais vous en servir une part.

— Pas le temps, je me suis juste arrêté pour te dire bonjour, répondit Jase en glissant un billet plié dans sa poche d'uniforme. J'ai besoin de passer par ta porte de service.

Edie jeta un coup d'œil à Maddie, puis à Jase, et leur fit signe de filer d'un geste de main.

Jase s'immobilisa devant les portes battantes menant dans la cuisine.

— Si quelqu'un entre et demande, la dame et moi, on…

— Aux toilettes, finit Edie pour lui. Je sais. Le baratin habituel. Je te garde un morceau de gâteau.

Les quelques personnes travaillant dans la cuisine sourirent à Jase tandis qu'il la traversait.

— On te suit souvent ? s'enquit Maddie alors qu'ils sortaient.

— De temps en temps.

Elle remarqua que, dès leur sortie, il reprenait son mode sécurité. Après avoir coupé par une autre allée, il héla un taxi.

— Le Donatello, dit-il une fois à l'intérieur.

Quelques instants plus tard, Maddie se retrouva en train de fouler le sol de l'un des hôtels les plus luxueux qu'il lui ait été donné de voir, sauf dans les films. Le hall était émaillé de canapés et de fauteuils moelleux, et un air de Mozart était diffusé en sourdine par d'invisibles haut-parleurs.

Ils passèrent devant une série de vitrines exposant des bijoux et des vêtements de prix. Trois chandeliers de cristal pendaient du plafond sculpté, et un vase de fleurs fraîches aussi hautes qu'un sapin de Noël trônait sur une console de marbre.

Ils parvinrent à la réception, où une jeune femme en tailleur noir les accueillit avec un immense sourire.

— Pourrais-je parler à M. Benson, je vous prie ? lui dit Jase.

— Certainement, monsieur.

Elle disparut par une porte et revint peu après en compagnie d'un homme de taille moyenne à la moustache parfaitement taillée. Il portait le costume noir qui paraissait être l'uniforme de l'hôtel, un badge portant son nom épinglé au revers : « Louie ». Dès qu'il reconnut Jase, Maddie eut l'impression qu'il se crispait un peu, mais cela ne l'empêcha pas de s'incliner légèrement en parvenant derrière le comptoir.

— Bienvenue au Donatello, monsieur Campbell.

— Louie, j'aurais besoin d'une faveur, dit Jase en se penchant vers lui.

— Certainement, monsieur.

— J'aurais besoin d'une chambre pour quelques jours. La dame que voici a des ennuis, et je voudrais un endroit où je pourrais la cacher en toute sécurité.

L'air toujours aussi guindé, Louie leva les sourcils.

— Vous voudriez user du Donatello comme d'un coffre-fort ?

Maddie décela une pointe d'épouvante dans sa voix.

— Pour ainsi dire, répondit Jase. Et je ne peux pas me servir d'une carte de crédit. Il faudra que vous envoyiez la note à mon bureau.

— Très bien, dit Louie en pianotant rapidement sur un clavier d'ordinateur, puis en tendant une clé à Jase. Votre suite est au dernier étage. On y accède par l'ascenseur privé au bout du couloir sur votre gauche. Il faut appuyer sur le bouton « penthouse ».

Jase agita ensuite la tête en direction des boutiques.

— Pourriez-vous m'arranger un crédit avec les magasins ? Il faut que je la rhabille.

— Aucun problème, monsieur. Je leur dirai de mettre vos achats sur votre note.

— Je vous remercie, Louie, lui dit Jase en souriant.

— C'est moi qui vous remercie, monsieur, fit Louie, avec un sourire qui, quoique léger, se refléta dans ses yeux.

— Comment as-tu réussi ce tour de passe-passe ? voulut savoir Maddie alors qu'ils parcouraient le petit couloir.

— Quoi donc ?

— Nous avoir une chambre sans réservation, surtout ici. On n'a même pas de bagages !

— Je sais, dit-il en poussant un gros soupir. Ça ne va pas arranger ma réputation.

Maddie ne put retenir un éclat de rire.

— Je suis sérieuse !

— J'ai rendu service à Louie il y a à peu près six mois, lui dit-il alors qu'il appelait l'ascenseur. Quelqu'un volait les clients en s'introduisant dans leurs chambres pour piller les coffres-forts. La police était venue deux fois, et le personnel se montrait discret. Mais, si les vols avaient continué, ça aurait fini par se savoir, les journaux s'en seraient emparés et la réputation du Donatello en aurait durablement souffert. Louie a donc contacté mon bureau pour nous demander de nous en occuper. Il s'est avéré que le voleur était l'un des détectives de l'hôtel.

Les portes coulissèrent, et ils pénétrèrent dans la cabine tapissée de miroirs. Alors qu'elle entamait son ascension, le silence se fit. Plus de Mozart, plus de murmures de clients, aucun bruit de machinerie. Pour la première fois depuis qu'ils avaient quitté le bureau de Jase, Maddie s'autorisa à penser au fait qu'elle et lui allaient se retrouver seuls.

Elle le voyait se refléter à l'infini dans les miroirs de la cabine. Peut-être était-ce pour cela qu'il lui paraissait envahir tout l'espace. S'il avait été détendu et souriant en parlant avec Louie, il ne l'était plus du tout. Sa tension se lisait dans ses mâchoires serrées et ses épaules tendues, et aussi dans la manière dont il crispait ses doigts sur la main courante. Et pourtant, même ainsi, il était encore plus sexy qu'avant, malgré les marques de sa bagarre du matin sur son visage.

De toute sa vie, songea-t-elle tandis qu'un frisson la parcourait, elle n'avait jamais rencontré d'homme aussi excitant que lui… Si elle voulait, elle pourrait faire les deux pas qui les séparaient et le toucher de nouveau, comme elle l'avait fait dans la nuit. Elle pourrait nouer ses bras autour de son cou, glisser ses mains sur lui…

Ce besoin qu'elle avait de lui refaire l'amour avait quelque chose de choquant. De terrifiant. Elle qui avait toujours eu l'esprit pratique, et méfiant, elle aurait bien mieux fait de s'inquiéter du danger qu'elle courait — et que courait aussi sa sœur, peut-être. Mais non, elle ne pouvait penser qu'à lui en cet instant, comme si elle devenait une autre femme en la présence de Jase Campbell.

Pire encore, elle n'avait aucune envie de revenir à ce qu'elle était avant de le rencontrer. Ce qu'elle voulait, c'était qu'il la touche, qu'il la caresse. Partout.

Et le regard qu'il lui lança soudain lui donna la certitude qu'il avait deviné ses pensées.

— Maddie ?

Il avait dit cela d'une voix basse et hachée.

— Oui ? répondit-elle, la gorge soudain sèche.

— Je m'étais promis qu'en arrivant dans la chambre je te laisserais dormir, mais je ne vais pas le faire. Dès qu'on y sera, je vais te faire l'amour.

Elle se demanda un instant si son cœur n'avait pas cessé de battre et, quand elle retrouva sa voix, elle murmura d'un ton mutin :

— Pourquoi attendre ?

En un éclair, il appuya sur le bouton arrêt qui stoppa l'ascenseur entre deux étages. Alors que la cabine s'immobilisait en tressautant, Maddie sentit la chaleur grimper. Puis Jase la poussa contre la cloison et se pressa contre elle.

Une vague de désir la submergea au contact de ce corps si dur, et elle s'arqua contre lui quand il infiltra une jambe entre les siennes.

La bouche à quelques millimètres de la sienne, il souffla :

— Je voulais t'amener ici pour déjeuner, mais tu avais l'air si fatigué que j'ai préféré le parc en me disant que, comme ça, je pourrais peut-être me retenir de te caresser…

— Ça n'a pas marché, dit-elle en lui passant les bras autour du cou.

— Non. Je te désire trop…

Il lui prit la bouche, et elle se cambra plus contre lui. Même sa bouche s'était faite plus dure, plus exigeante. Comme s'il pensait qu'elle avait une saveur qu'il n'avait pas encore goûtée.

Ses mains couraient partout sur elle, elles caressaient, pressaient, modelaient. Quand il glissa ses doigts sous sa jupe et la remonta, elle crut qu'un brasier se refermait sur elle.

Il tomba à genoux, lui ôta sa petite culotte et la jeta de côté. Le simple fait de voir la dentelle voler et atterrir par terre suffit à exciter encore plus Maddie.

Elle s'agrippa à la main courante de cuivre tandis qu'il lui écartait davantage les cuisses. Et quand il posa la bouche sur elle, sur son sexe gonflé de désir, elle sursauta violemment, saisie d'une foule de sensations plus délicieuses les unes que les autres. D'abord elle s'enflamma, et puis elle frémit.

Et elle voulait pourtant encore plus. Cambrant les hanches, elle se projeta encore un peu plus vers lui, tout son corps tendu vers la satisfaction du désir qui montait en elle et menaçait de la submerger. Le bout de sa langue faisait des merveilles, éveillait en elle des sensations totalement inconnues, comme si soudain son corps ne lui appartenait plus. Et quand, sans cesser de lui faire l'amour avec sa bouche, il insinua un doigt dans son sexe brûlant elle cria. Puis tout s'évanouit autour d'elle, et elle ne fut plus qu'une fulgurante boule de plaisir à l'état pur.

Jase sut exactement quand l'orgasme la saisit et, quand il l'emporta, il l'entendit crier son prénom. Alors, redoublant ses caresses, il l'envoya plus haut encore, et encore.

Quand elle s'affaissa sur le sol de la cabine, toutes forces envolées, il quitta à regret son sexe si chaud, si délicieux, qu'il avait eu tant de plaisir à déguster, mais il allait la déguster d'une autre manière, et cette perspective le transportait. Il la fit lentement glisser sur le sol, presque tremblant tant le désir qui l'animait était fort, puis il s'allongea sur elle et la pénétra, plongeant enfin au cœur du seul endroit où il aurait voulu passer le reste de sa vie.

Le brutal accès de plaisir lui arrêta presque le cœur. Il s'immobilisa un instant, tant il voulait le faire durer. Mais elle enroula bras et jambes autour de lui, rouvrit les yeux et le regarda. Emplissant sa vision, son esprit, son univers. Ensemble, ils commencèrent à se mouvoir en rythme, vite, presque avec désespoir.

— Encore.

Avait-il dit le mot ? Etait-ce elle qui l'avait fait ?

Ce seul mot devint un battement dans sa tête alors qu'il plongeait en elle encore et encore, les emmenant plus haut chaque fois, jusqu'à ce qu'ils atteignent la cime ensemble et s'envolent.

Peu à peu, Jase émergea et retrouva un peu de lucidité. Les odeurs furent les premières à pénétrer son esprit embrumé. Des odeurs de corps nus, le sien, celui de Maddie, l'odeur du sexe. Il avait la bouche sur sa gorge et le souvenir de son goût le hantait encore. Sous lui, il percevait le battement effréné du cœur de Maddie. Il avait une main enfouie dans ses cheveux, même s'il ignorait comment elle était arrivée là.

C'était arrivé si vite.

Il ouvrit les yeux et affronta une vérité qu'il connaissait déjà. Il avait fait l'amour à Maddie dans une cabine d'ascenseur du Donatello. Et il était toujours sur elle. Par-dessus tout ça, il n'avait aucune envie de bouger.

Il fit toutefois l'effort de relever la tête. Elle avait les yeux ouverts, le visage empourpré, et la bouche encore gonflée et humide. Du coin de l'œil, il aperçut leur reflet dans le miroir. Leurs vêtements étaient chiffonnés, leurs cheveux ébouriffés. A les voir, on aurait cru qu'ils venaient de survivre à une catastrophe naturelle.

Il prit une des mèches de cheveux de Maddie entre ses doigts. Il n'avait pas été doux avec elle, ni maintenant ni dans le parc, quand il l'avait plaquée contre ce rocher.

— Je t'ai malmenée, lui dit-il. Est-ce que ça va ?

— Bien, plus que bien, même, répondit-elle en le dévisageant un instant. Je suis bien plus résistante que j'en ai l'air. Et toi, ça va ?

Quelque chose dans son ton apaisa un peu la culpabilité qui le tenaillait.

— Bien mieux que bien, dit-il en souriant. Je n'avais pas fait un truc pareil depuis mes seize ans.

— Et moi, je n'ai… jamais fait un truc pareil !

Dans un grognement, il se remit à genoux et fit de son mieux pour arranger la tenue de Maddie avant de s'occuper de la sienne. Puis il se leva et l'aida à faire de même.

— Je crois qu'on ferait mieux de rejoindre la suite avant l'acte deux, dit-il. Louie pourrait se dire que l'ascenseur est en panne et appeler la maintenance. Et, si jamais on se faisait prendre, il ne me rendrait plus jamais de service.

Il appuya sur un bouton, et la cabine reprit son ascension.

Ce fut le bruit de la pluie qui réveilla Maddie, une pluie torrentielle, souvent accompagnée d'éclairs au ranch. Elle allait devoir trouver un prétexte pour lézarder encore une heure sous sa couette avant d'aller à son atelier, pendant que Cash s'occuperait des bêtes. Elle enfonça la tête dans l'oreiller et s'efforça de retrouver son rêve.

Mais le parfum n'allait pas. Ce n'était pas celui de l'assouplissant à la lavande qu'elle utilisait pour ses draps. Celui-ci était plus fort, plus masculin.

Jase.

Elle ouvrit les yeux, se redressa, et découvrit qu'elle se trouvait au beau milieu d'un lit. Seule. Les couvertures avaient été soigneusement ramenées sur elle. Or, la dernière fois qu'elle se souvenait avoir vu le lit, il était défait et les couvertures traînaient par terre.

Tout bien réfléchi, Jase et elle avaient aussi été par terre. Elle se frotta les yeux et s'efforça de s'éclaircir les idées. Puis elle regarda encore le lit. Il avait dû l'y déposer. Comme c'était délicat de sa part !

Depuis combien de temps était-il levé ? Le trait de

lumière qui filtrait sous les rideaux tirés la rassura. Alors, elle comprit que c'était le crépitement de la douche qu'elle avait pris pour de la pluie battante. La dernière chose dont elle se souvenait, c'était qu'il était au téléphone, d'abord avec Dino, et puis quelqu'un d'autre à propos de recel. C'était là qu'elle avait dû sombrer.

Une sonnette tinta.

Ce n'était pas le portable de Jase, se dit-elle en tournant les yeux vers la table de nuit où il l'avait laissé.

La sonnette tinta de nouveau.

Elle sortit du lit et enfila le peignoir que Jase avait eu la prévenance de poser au pied du lit.

A la porte, elle regarda par le judas et vit une femme en tailleur noir.

— Oui ?

— Bonjour, je m'appelle Sabrina Michaels et j'apporte les paquets qu'a commandés M. Campbell aux boutiques du Donatello.

Maddie ouvrit et la jeune femme lui sourit.

— Si ma sélection vous pose le moindre problème, faites-le moi savoir, je vous prie. M. Campbell a été très précis, mais je suis à votre disposition pour vous montrer autre chose. Vous pouvez me joindre par le standard.

Sitôt la jeune femme remerciée et la porte refermée, Maddie ne put résister. Impossible d'attendre que Jase sorte de la douche ! Elle emporta les sacs dans le salon et les posa sur la table basse. Très précis, avait dit Sabrina. Il avait dû l'appeler pendant qu'elle dormait.

Dans le premier, elle trouva un jean et une chemise en chambray bleue, qu'il avait certainement commandés pour lui-même. Dessous, elle trouva un foulard noir et des lunettes de soleil. Un déguisement ? Elle prit le deuxième sac et en sortit une paire de sandales en cuir crème. Elle passa un doigt sur le cuir souple, soulagée. Les sandales avaient beaucoup d'allure tout en ayant des talons bien plus bas que les chaussures bleues de Jordan. Avec ça, elle pourrait enfin marcher librement dans Manhattan !

Elle trouva aussi une veste légere de la même teinte crème. Et, au lieu d'une jupe assortie, un pantalon.

Un pantalon !

Elle le serra contre son cœur avec reconnaissance. Il s'était souvenu qu'elle lui avait dit être bien plus à l'aise en pantalon.

Cet homme était une perle.

Le troisième sac révéla une petite culotte de dentelle, un soutien-gorge et une nuisette de soie noire. Elle sourit. Aucun doute, si Jase avait commandé un pantalon, c'était pour lui faire plaisir à elle, et s'il avait pris cette nuisette, c'était pour se faire plaisir à lui ! Elle se promit de l'enfiler ce soir.

Ce soir…

Après la nuit torride qu'ils venaient de passer, elle repensait de nouveau à faire l'amour à Jase. Il y avait vraiment quelque chose qui ne collait pas chez elle. Peut-être que la pollution avait affecté ses synapses…

Jamais encore elle n'avait développé une relation intime avec un homme qu'elle connaissait à peine. Et même pas du tout, si elle repensait à leur première nuit.

Jase était différent des autres. Et à son contact elle devenait différente aussi. Jamais elle n'aurait pensé se comporter comme elle se comportait avec lui.

Et ce n'était pas seulement une histoire de sexe. Pas quand elle le regardait et que quelque chose se passait en elle. Une émotion.

Soudain, elle se souvint qu'elle n'avait que trois semaines devant elle. Trois semaines avec lui. Résolue, elle se leva et partit vers la salle de bains. Son envie de lui refaire l'amour était décidément trop pressante.

Il allait sûrement adorer qu'elle le rejoigne sous cette douche…

- 12 -

Jase se contempla dans le miroir. Jamais encore il n'avait passé autant de temps dans une salle de bains. Il s'était douché, rasé, et avait même utilisé le sèche-cheveux.

Lamentable.

Maddie avait besoin de dormir. Et il ne se faisait aucune confiance pour la laisser le faire s'il la rejoignait.

Même quand elle avait sombré dans le sommeil, il n'avait pas pu s'arrêter de la regarder. Il l'avait soulevée, couchée, et lui avait caressé les cheveux.

C'était là que c'était arrivé, pendant qu'il lui caressait inlassablement les cheveux. Quelque chose qu'il sentait naître en lui l'avait bouleversé, et ce quelque chose n'avait rien à voir avec son envie de lui refaire l'amour.

Dans un effort pour comprendre de quoi il s'agissait, il l'avait encore regardée. Elle mettait à dormir la même intensité qu'elle mettait en toutes choses. Elle était résistante, forte, passionnée. Mais, en la regardant ainsi, il avait surtout un désir fou de la protéger. De la chérir.

Il développait des sentiments qui allaient bien plus loin que ceux d'un amant occasionnel, comprit-il alors. Des sentiments qui dépassaient de loin tous ceux qu'il avait jamais éprouvés jusqu'alors.

Ils avaient des choses à faire, des gens à voir, se dit-il en se secouant. Il se passa la main dans les cheveux [illegible] llait sortir de la salle de bains quand Maddie en ouvrit [illegible]

La gorge sèche, Maddie fixa les épaules nues de Jase, la serviette qu'il avait nouée sur ses hanches.

Le silence s'étira entre eux.

— J'ai encore envie de toi, finit-elle par dire.

— Moi aussi, mais il faut qu'on aille chez ta mère.

— Je sais. Les vêtements que tu as commandés sont là. Et il faut que je me douche aussi.

Même si ce n'était pas cela qu'elle voulait en entrant dans la salle de bains…

— O.K., fit Jase, en lui enlevant son peignoir et en laissant tomber sa serviette avant de la soulever dans ses bras.

— Que fais-tu ?

— La bonne vieille méthode.

Sur ce, il entra dans la cabine de douche et ouvrit grand le robinet.

Maddie poussa un hurlement quand un flot d'eau glacée leur tomba dessus.

— Une douche froide, il n'y a rien de mieux ! s'esclaffa-t-il.

— C'est horrible !

— Je t'aurais crue plus résistance que ça !

— Je te revaudrai ça, cria-t-elle en claquant des dents.

— J'y compte bien !

Il lui prit la bouche en riant encore, puis il tourna le robinet d'eau chaude et sortit de la cabine.

— Et dépêche-toi, on a mille choses à faire ! lui dit-il avant de refermer la porte.

Maddie enfilait ses sandales neuves quand le portable de Jase sonna. Il le cala sous son menton et écouta en finissant de boutonner sa chemise neuve. Il la laissa pendre sur son jean et fourra son revolver derrière lui dans sa ceinture.

Cet homme était vraiment efficace. En tant qu'agent de sécurité, en tant qu'amant, en tant qu'ami. Et il semblait capable de passer de l'un à l'autre sans effort apparent. Il referma son portable et lui repoussa une mèche de cheveux derrière l'oreille.

— D.C. est en train d'embarquer, il sera à Santa Fe dans la soirée. Entre Cash et lui, Jordan ne craindra rien.

Si elle l'avait déjà pensé, ça la réconforta de l'entendre de sa bouche.

— Prête ?

— Oui.

Ils avaient décidé de commencer par l'appartement de sa mère afin d'y récupérer l'agenda. Mais, ce qui importait le plus aux yeux de Maddie, c'était surtout de voir le cadre dans lequel vivait sa mère.

— Il y a de fortes chance pour que, qui que nous cherchions, il ait déjà mis l'appartement à sac, l'avertit Jase. En tout cas, c'est ce que j'aurais fait. Il doit savoir à présent que l'attentat a échoué.

— Et alors ?

— Il faut qu'on prenne des précautions. J'ai déjà demandé à Dino de poster un de nos hommes à l'entrée, afin de s'assurer que personne ne regarde ou nous suit. Mais il va falloir faire vite. On quittera le taxi à quelque distance, et je le paierai pour qu'il nous attende en face de l'immeuble, comme ça on pourra s'en aller très vite. Tu vas porter le foulard et les lunettes que j'ai commandés.

Il s'interrompit et la regarda avec un petit sourire mêlé d'inquiétude.

— Je suppose qu'il n'y a pas moyen de te demander d'attendre ici pendant que je m'en charge ?

— Tu supposes bien, répondit Maddie.

— Je m'en doutais, dit-il en lui prenant le bras pour sortir de la suite.

Ils avaient parcouru la moitié du couloir quand son portable sonna. Il vérifia qui l'appelait et répondit.

Il ne dit rien et se contenta d'écouter pendant un bon moment. Puis il rangea son téléphone dans sa poche.

— C'était Dino. Il a du nouveau quant à Michèle Tan.

— Ah ?

— Il y a un mois, trois jours après le cambriolage, en fait, elle a déposé sur son compte un chèque de cent mille dollars. Elle l'a retiré en espèces deux jours plus tard.

— Dino est capable de pirater les systèmes informatiques bancaires ? lui demanda-t-elle.

— Bien sûr, dit-il en souriant. Il est meilleur dans le domaine technique. Mais, comme c'était un chèque, il n'a pas pu savoir qui l'avait émis.

— Je vois.

— Plus intriguant encore, il s'avère que Michèle est la petite-fille de Cho Li.

— Beau travail, murmura Jase dans l'ascenseur de l'immeuble où habitait Eva Ware.

— Merci, ça m'a paru le plus facile.

Et c'était vrai. Elle les avait fait passer devant le portier en baissant la tête et en faisant semblant d'être Jordan. Ça leur avait également fait gagner beaucoup de temps. Or, Jase ignorait le temps dont ils disposaient. Quiconque était derrière tout cela était intelligent, et préparé. Les gens préparés, il le savait, avaient toujours un plan de secours.

Il jeta un coup d'œil à Maddie. Elle était restée silencieuse dans le taxi, comme si elle essayait de se faire aux dernières nouvelles concernant Michèle et Cho. C'était compréhensible. Même lui se posait des questions. Les deux personnes qu'ils suspectaient le moins étaient brutalement passées en tête de liste.

Il était certain que Jordan ignorait la parenté de ces deux-là. Elle lui en aurait parlé, ou du moins elle l'aurait mentionnée dans les notes qu'elle avait faites pour Maddie. Eva l'avait-elle su ? Ou soupçonné ? L'agenda le leur apprendrait peut-être.

Cependant, il avait dans l'idée que ce qui préoccupait Maddie allait bien plus loin que cela.

— Es-tu déjà allé chez Eva ? lui demanda-t-elle en sortant de l'ascenseur.

— Non, jamais.

— Une fois qu'on aura trouvé l'agenda, j'aimerais bien prendre le temps de jeter un coup d'œil à tout l'appartement.

Comme il ne répondait pas tout de suite, elle reprit :

— Je sais que tu veux faire vite, mais ce ne sera pas long. Je voudrais juste… me faire une idée de son cadre de vie.

Jase pensa au portier, apparemment robuste. Mais il avait passé la cinquantaine, et il ne pourrait le faire venir dans la seconde. Il se rappela alors que Dino avait posté un homme dehors, un professionnel, cette fois.

— D'accord, dit-il.

Elle ouvrit avec la clé que lui avait confiée Jordan et hésita un instant avant de passer le seuil. Puis elle regarda simplement autour d'elle. Jase avait déjà remarqué sa capacité à rester immobile pendant qu'elle absorbait ce qui l'entourait. Peut-être était-ce une qualité spécifique aux artistes.

L'entrée donnait sur un petit couloir haut de plafond. L'appartement était situé dans un des plus anciens buildings de Manhattan, mais ses lambrissages avaient été parfaitement restaurés. Sous un tapis oriental moelleux, on distinguait un parquet luisant de cire.

Jase tenta de se mettre à la place de Maddie. Elle était déjà allée dans l'atelier de sa mère et avait pu mesurer le côté professionnel de sa personnalité. Mais ici, c'était plus personnel, plus intime.

D'abord, le plus important. Il ouvrit la penderie et vit le carton là où Jordan leur avait dit l'avoir posé.

— Jusqu'à présent, tout va bien, marmonna-t-il.

Il écarta les vêtements que portait Eva le soir de sa mort et trouva son sac. Dedans, il trouva l'agenda de cuir.

Comme celui de Maddie, il était bourré de bouts de papier, de cartes professionnelles et d'articles découpés dans les journaux. *Telle mère, telle fille,* songea-t-il en le lui tendant.

Elle caressa la couverture du bout des doigts avant de le glisser dans son propre sac. Puis, main dans la main, ils commencèrent la visite de l'appartement. Au bout du couloir se trouvait la cuisine. Le soleil de fin de journée faisait étinceler le chrome des robinets et les plans de travail en marbre noir. A leur droite, une arche donnait sur une petite salle à manger, mais Maddie l'attira sur leur gauche.

Là, la lumière était plus tamisée, mais il put voir, sur le mur face à eux, une cheminée de brique flanquée de deux bibliothèques vitrées. Il y avait aussi un bureau tout de suite à droite, surmonté d'une pile de carnets à croquis. Celui du haut était ouvert, un crayon était posé dessus.

Maddie se dirigea vers le bureau alors qu'il cherchait un interrupteur. La lumière se fit, et les yeux de Jase furent aussitôt attirés par un portrait à l'huile posé sur le manteau de cheminée.

Il y vit d'abord Eva, assise dans un fauteuil sculpté, en pantalon gris souris, veste de même teinte et pull rose. Ses longs cheveux blonds étaient rassemblés en une unique natte qui lui retombait sur une épaule. Près d'elle, une toute jeune Jordan se tenait debout dans une robe rose. Ses cheveux étaient retenus en arrière par un gros nœud rose et bouclaient sur ses épaules.

C'était un portrait de famille. La mère et la fille. Il tourna les yeux vers Maddie, et vit qu'elle étudiait aussi le tableau. Imaginait-elle ce qu'il aurait pu être si elle y avait figuré, de l'autre côté de sa mère ?

Un accès de colère le prit par surprise et l'obligea à la rejoindre pour lui prendre la main. Pourquoi, bon sang, deux personnes saines d'esprit qui s'étaient aimées, qui avaient aimé leurs filles, avaient-elles décidé de les couper l'une de l'autre ?

— Tu devrais figurer dans ce portrait. Ils ont été stupides de vous séparer, lui dit-il avec feu.

— Je me plais à penser qu'ils nous aimaient tant qu'ils n'ont pas pu se séparer de nous deux.

Cette philosophie le poussa à la regarder.

— Crois-tu que c'est pour cela que ton père t'a gardée ?

— C'est ce que j'aime croire, lui dit-elle en se rapprochant du tableau. C'est bizarre.

— Quoi donc ?

— Mon père n'a jamais fait faire de portrait de famille. En revanche, pour mon onzième anniversaire, il a fait venir un photographe au ranch, en insistant pour que la photo soit en extérieur, près des écuries. Je montais Brutus, le cheval qu'il venait de m'offrir. On ne s'est pas particulièrement habillés pour l'occasion, et Papa a posé debout près de moi. Plus tard, il a fait encadrer la photo et l'a gardée sur sa commode, dans sa chambre. Jordan la verra forcément.

— Elle avait l'air d'avoir dans les onze ans, là.

— C'est ça qui est bizarre. Drôle de coïncidence, qu'ils aient décidé tous les deux de faire faire un portrait officiel quand nous avions le même âge.

— Penses-tu que vos parents gardaient le contact ?

Elle poussa un soupir.

— Peut-être que c'est juste ce que j'aimerais croire. Il n'y aucune explication à ce qu'ils ont fait. Aucune raison.

— S'il y en a une, tu la trouveras, dit Jase en lui passant un doigt sur la mâchoire, si forte, si déterminée.

Il allait dire autre chose quand il fut interrompu — par un raclement de métal contre du métal.

— Qu'est-ce que c'est ? s'enquit Maddie tout bas.

— On a de la compagnie, répondit-il sur le même ton.

Il lui fit signe de reculer dans le couloir et éteignit la lumière, puis se plaqua contre le mur de l'autre côté. De là, il avait une vision partielle de la porte alors qu'elle s'ouvrait. Dans la pénombre, il aperçut une silhouette fantomatique qui se déplaçait dans l'entrée. Il ou elle alla directement au placard, l'ouvrit et en sortit le même carton qu'eux tout à l'heure. Il reconnut l'intrus.

Il alluma la lumière, avança dans le couloir et lança :

— Puis-je vous être utile, Michèle ?

Maddie suivit Jase dans le couloir et vit Michèle Tan lâcher le sac d'Eva, dont le contenu s'éparpilla par terre.

— Je…, fit Michèle en se plaquant une main sur le cœur.

— Que faites-vous ici ? l'interrogea Maddie, éberluée.

Sans mot dire, Michèle tomba à genoux et entreprit de tout remettre dans le sac.

— Répondez, s'il vous plaît, insista Jase.

— Je suis venue voir si je trouvais l'agenda de Mme Ware, marmonna Michèle.

Ses mains tremblaient. Maddie passa devant Jase, s'accroupit près de Michèle et lui prit les mains.

— Pourquoi pensiez-vous qu'il pourrait être ici ? Et comment avez-vous eu la clé ?

Michèle releva la tête et répondit d'une voix plus forte :

— Mme Ware m'a donné la clé. Souvent, en arrivant au travail, elle se rappelait qu'elle avait oublié un croquis à la maison, et elle me demandait de venir le chercher.

C'était crédible, songea Maddie en pensant aux carnets sur le bureau.

— Elle vous faisait donc confiance ?

— Bien sûr !

— Pourquoi avez-vous pensé que son agenda pourrait être là ?

Michèle évita ses yeux et s'assit sur ses talons, mains jointes sur les genoux.

— Je savais que vous vouliez le trouver, et j'étais en train de rentrer chez moi quand je me suis souvenue avoir entendu Jordan dire qu'elle avait rapporté ici toutes ses affaires après l'accident. Comme c'est sur ma route, j'ai décidé de m'y arrêter pour vérifier.

Menteuse, se dit Maddie.

— Je ne crois pas, intervint Jase d'une voix si dure qu'elle provoqua un frisson en Maddie. Je crois que vous nous avez espionnés quand nous parlions à Jordan au téléphone.

— Non !

— Si. Et puis, quand je vous ai appris qu'on était retenus au commissariat, vous y avez vu l'occasion rêvée de vous en emparer avant nous.

Elle secoua encore une fois la tête.

— Jase, dit Maddie, ne vois-tu pas qu'elle est accablée ?

— Et elle a de quoi ! Qu'y a-t-il de si important dans cet agenda pour que vous veniez ici en douce le voler ?

— Rien, dit Michèle en les regardant en face. Je ne voulais pas le voler, j'essayais juste d'aider.

— Vous aider vous-même, peut-être ? reprit Jase. Vous étiez inquiète à propos d'une chose qui peut être dedans.

— Non ! Pourquoi le serais-je ? Je n'ai rien à cacher.

— Jase, fit Maddie en insufflant une note d'avertissement dans son ton, avant de s'adresser à Michèle : Nous savons que vous avez déposé cent mille dollars sur votre compte trois jours après le cambriolage, et c'est en gros la valeur de ce qui a été volé.

Les yeux de Michèle s'écarquillèrent sous le choc, puis s'emplirent de larmes.

— Vous ne pensez pas… non. C'est impossible.

Elle jouait peut-être la comédie, songea Maddie.

— Alors, d'où vous est venu cet argent ?

Michèle ouvrit la bouche, la referma, l'ouvrit encore :

— Je ne peux pas vous le dire.

Voyant que Jase ne disait rien, Maddie insista :

— Il va bien falloir. Nous savons déjà que Cho Li est votre grand-père.

Michèle baissa la tête et se mit à pleurer.

Moins de deux heures plus tard, sous le porche de l'immeuble d'Eva, Jase et Maddie regardaient deux policiers faire monter Michèle dans une voiture pie.

Elle n'avait plus dit un mot pendant qu'ils appelaient Dave Stanton et qu'ils attendaient la police. Maddie non plus.

Stanton avait envoyé chercher Cho et se chargerait lui-même de l'interrogatoire de Michèle. Il avait invité Jase et Maddie à venir regarder.

— Je n'aime pas cela, murmura Maddie en voyant démarrer la voiture de police.

Il y avait plusieurs choses qui ne plaisaient pas non plus à Jase, dont le fait qu'ils étaient restés bien trop longtemps dans l'appartement, suffisamment pour que quelqu'un les repère et prépare quelque chose. Il avait un mauvais pressentiment.

Il avait insisté pour que Maddie remette foulard et lunettes de soleil, mais c'était un piètre déguisement. Il inspecta la rue, vit un taxi garé de l'autre côté de la rue et constata que c'était le chauffeur à qui il avait demandé de les attendre.

— Viens, dit-il en l'entraînant par le bras, la voiture est là-bas.

Toutes les places de parking de la rue étaient occupées, et il y avait deux voitures en double file. La circulation était minime, mais il s'arrêta et regarda des deux côtés. Son pressentiment ne s'était pas apaisé.

Une voiture avançait au pas dans leur direction, à gauche. Jase fit passer Maddie de l'autre côté afin de lui faire un rempart de son corps. La voiture passée, il dit :

— Allons-y.

— Je n'arrive pas à croire qu'elle ait volé Eva Ware Creations. Et toi ?

— Un bon enquêteur garde l'esprit ouv…

Un rugissement de moteur l'interrompit net et il soudain conscience d'un mouvement sur leur droite. Il eut juste le temps d'enregistrer que c'était une berline crème, comme celle qui avait écrasé Eva.

Maddie tourna la tête, et il la sentit se figer. Les pleins phares de la voiture les aveuglèrent.

Plus le temps de penser. Pas le temps de paniquer. Il laissa ses réflexes agir à sa place. Il passa un bras autour de Maddie et la souleva.

Le hurlement de moteur se rapprochait, les phares aussi. Jase bondit tout en pivotant sur lui-même pour amortir la chute de Maddie, et ils tombèrent sur le capot du taxi. Il fit rouler Maddie et la maintint tandis qu'ils atterrissaient de l'autre côté du taxi, sur le trottoir. Cette fois, ce fut son épaule qui prit durement l'impact, mais il tint Maddie serrée contre lui un instant.

— Ça va ? lui demanda-t-il.

— Oui. Et toi ?

Il la posa près de lui et se leva, mais il ne vit que les feux arrière de la voiture avant qu'elle ne tourne au coin.

Allongée sur le trottoir, Maddie essayait à toutes forces de comprendre ce qui venait de se passer, malgré son étourdissement. Elle avait le corps engourdi.

On avait essayé de les écraser, Jase et elle.

Quand elle avait tourné la tête au bruit de moteur, les phares étaient si proches qu'elle n'avait même pas pu voir la marque sur la calandre.

Quelque part dans sa torpeur, elle reconnut la voix de Jase. Quelqu'un d'autre parlait aussi, avec un accent.

— J'ai vu une partie de la plaque, mais pas tout, parce que vous tombiez sur mon capot.

— Quel genre de voiture ? entendit-elle dire Jase.

— Une berline claire, une Mercedes, répondit la voix à l'accent.

— Avez-vous pu voir le chauffeur ?

— Il avait une veste avec une capuche relevée.

C'était vraiment arrivé, alors. Quelqu'un avait presque réussi à les assassiner. Sans les réflexes de Jase, ils auraient tous les deux fini par terre dans la rue. Couverts de sang. Morts.

Et le chauffard s'en était tiré. Encore une fois.

Le salaud.

La fureur lui donna l'énergie de se relever. Jase et elle se tombèrent dans les bras, et elle comprit qu'elle ne voulait pas le perdre. Jamais.

- 13 -

Debout dans une antichambre, Maddie, Jase et l'inspecteur Stanton regardaient par le miroir sans tain la pièce où se trouvait Michèle. Assise à une table, la tête baissée, l'air aussi tendu que bouleversé. Mais l'inspecteur avait eu beau l'interroger pendant une heure, elle n'avait pas dévié de ce qu'elle avait dit à Jase et Maddie.

— Elle est plutôt têtue, dit Stanton. Elle nie même avoir les codes de sécurité du magasin.

— Cho les lui a peut-être donnés, dit Jase.

— Exact. Elle refuse aussi de parler de l'argent.

— C'est le montant, et le timing, qui l'incriminent, ajouta Maddie.

— Vrai, on dirait qu'elle a eu besoin d'argent liquide très vite.

— Mon associé essaye de trouver le nom de celui qui a émis le chèque, intervint Jase. Et j'attends des nouvelles de quelqu'un qui connaît beaucoup de receleurs par ici.

— En tout cas, dit Stanton à Maddie, vous avez meilleure mine qu'en arrivant.

— Merci, dit-elle en lui souriant. J'aimerais bien savoir qui était au volant de cette voiture.

— On y travaille. J'ai envoyé deux agents faire du porte-à-porte. Le salaud vous a forcément attendus. Comme il l'a probablement fait pour votre mère. Grâce à votre taxi, nous savons à présent qu'il s'agit d'une Mercedes récente.

— Tu penses que ça pourrait être le même que pour

ma mère ? demanda-t-elle à Jase qui venait de lui prendre la main.

— Il y a des chances, les descriptions de voitures correspondent.

— Je suis d'accord, intervint Stanton. Les tueurs ne sont pas toujours très malins et, comme il s'en est tiré la première fois, il a dû penser la même chose aujourd'hui.

— Une chose qu'on sait avec certitude, c'est que ce n'était pas Michèle qui conduisait, reprit Maddie.

— Oui, mais elle avait peut-être un complice, lui dit Stanton. Nous n'avons pas encore retrouvé Cho Li.

Elle secoua la tête avec véhémence.

— Je ne vois vraiment pas Cho écraser quelqu'un, fit-elle. Je parierais même qu'il n'a pas son permis.

— Nous verrons bien, déclara Stanton en les regardant tous les deux. Demain matin, j'irai chez Eva Ware Creations avec un mandat de perquisition, et j'interrogerai tout le monde à propos du vol. Rien de tel que des suspects avérés pour délier les langues.

Maddie se retourna vers Michèle.

— Je crois qu'elle se tait par loyauté vis-à-vis de son grand-père. Je n'aurais jamais dû parler de lui.

— Vous ne le suspectez pas de la tentative d'assassinat, mais vous le soupçonnez pour le cambriolage ? s'étonna Stanton.

— Je n'en ai pas envie, répondit-elle. Ils ne me semblent pas plausibles, comme cambrioleurs.

— Pas besoin d'être pro quand on a les codes, persifla l'inspecteur. Et elle, elle avait les clés d'Eva Ware.

— Elle parlera peut-être quand vous la mettrez face à Cho, dit Jase. Ou lui, en voyant qu'elle est soupçonnée.

Maddie se tourna vers les deux hommes.

— Même si tous les deux ont volé Eva Ware Creations, je ne vois ni l'un ni l'autre écraser Eva.

— Le fric modifie bien des comportements, dit Stanton.

— Ce qui me tracasse, dit Jase, pensif, c'est que ni l'un ni l'autre n'avaient de motif pour engager une tueuse.

— Les deux choses n'ont peut-être aucun rapport, hasarda Stanton.

— Peut-être. Mais quelque chose me dit qu'elles sont reliées.

— Moi aussi, avoua Stanton dans un gros soupir.

Il y eut un coup frappé à la porte, et un jeune officier en tenue passa la tête.

— J'ai peut-être quelque chose pour vous, monsieur. Une berline Mercedes crème, dont la plaque contient les trois numéros signalés, est enregistrée au nom de Mme Eva Ware.

Un silence de plomb se fit dans la pièce.

Puis Stanton mit en mots ce qu'ils pensaient tous :

— Alors, Eva Ware a peut-être été écrasée par sa propre voiture.

Maddie plongea la main dans son sac.

— J'ai les clés, dit-elle. Jordan m'a dit qu'Eva garait sa voiture dans un garage dans un bâtiment qui se trouve juste derrière chez elle.

Assise en tailleur par terre, le dos appuyé à un des canapés de la suite, Maddie revint une fois encore sur la dernière semaine de sa mère telle qu'elle était minutieusement consignée dans son agenda. Après avoir posté deux agents en tenue près de la porte du garage et vérifié que la Mercedes s'y trouvait, Stanton les avaient renvoyés chez eux.

Cependant, l'excitation qu'elle avait éprouvée en rentrant au Donatello et en se plongeant dans l'agenda s'était progressivement atténuée.

Pendant leur absence, Dino avait laissé quelques objets pour eux à la réception. Des vêtements pour tous les deux, l'ordinateur portable de Jase et les dossiers financiers qu'il avait pu rassembler sur tous les employés d'Eva Ware Creations. Rien n'en sortait, à part les cent mille dollars apparus puis disparus du compte de Michèle.

Eva se servait d'une sténo toute personnelle, principalement des initiales, assez faciles à décrypter. Et elle n'avait eu que très peu de rendez-vous. Il y avait un S.M. et une réunion du personnel les lundis matin à 9 heures. Un déjeuner avec J. le mercredi midi. Jordan, pensa Maddie en dessinant l'initiale du bout du doigt. Eva était-elle si prise par son travail qu'elle devait inscrire ses rendez-vous avec sa fille dans son agenda pour lui consacrer un peu de temps ? Elle repensa aux relations qu'elle avait avec son père, et en fut triste pour sa sœur.

— Tu as trouvé quelque chose ?

Elle leva les yeux sur Jase. Assis par terre comme elle de l'autre côté de la table basse, il avait étendu les jambes.

— Juste qu'Eva programmait un déjeuner avec Jordan tous les mercredis.

Il sourit.

— Elles sortaient déjeuner, et Jordan sortait toujours des billets de spectacle pour une séance en matinée, ou elle poussait sa mère à aller faire du shopping avec elle. Elle pensait qu'Eva passait bien trop de temps à travailler, et elle insistait pour qu'elle prenne le mercredi après-midi de liberté avec elle. Elle arguait qu'une visite au musée ou voir une pièce pourraient stimuler sa créativité.

— Jordan ressemble beaucoup à mon père. Il passait son temps à me dire que je travaillais trop.

— Avait-il raison ?

— A l'époque, je ne pensais pas. Je me demande si c'est à cause du travail d'Eva qu'ils se sont séparés.

— Tu ne trouveras peut-être jamais la réponse.

— Mais, si j'ai assez de pièces, je pourrais peut-être rassembler le puzzle.

Il lui sourit.

— Pour ce soir, ce puzzle-là me suffit, dit-elle en reportant son attention sur l'agenda.

— La patience est indispensable quand on veut trouver toutes les pièces d'un puzzle.

Ce soir, elle se contenterait volontiers de deux pièces allant ensemble. Il fallait bien commencer par le commencement.

La semaine suivant le cambriolage, Eva avait noté J.C. à 17 heures le mercredi. C'était Jase qui le lui avait confirmé. Le lendemain, il partait en mission.

Deux fois par semaine, les lundis et jeudis, elle avait noté E.P. à 17 heures. Selon ses habitudes, Maddie se dit que ce devait être Entraîneur Personnel à sa salle de sport. Pour le moment, Maddie n'avait décelé aucune initiale concernant un employé de sa société, ni aucun des Ware bénéficiaires du testament.

Un peu partout sur les pages se trouvaient de petits dessins, le début d'idées, supposa-t-elle. Certains étaient plus élaborés un peu plus loin. D'autres étaient hachurés.

Eva devait se servir des pages peu remplies pour y jeter des idées — ou peut-être pour s'aider à comprendre d'éventuels problèmes. Sur une intuition, elle retourna en arrière et remarqua que les gribouillis avaient augmenté après le cambriolage.

Qu'est-ce que ça signifiait, exactement ?

Découragée, elle leva les yeux sur Jase. Il triait tous les papiers qu'Eva avait insérés dans son agenda. Ils n'avaient rien découvert d'autre dans son sac que ce qu'en avait fait tomber Michèle plus tôt.

Régulièrement, Jase notait quelque chose sur son bloc. Elle-même faisait la même chose de son côté. La liste de Jase était plus longue que la sienne, mais n'était-il pas un enquêteur expérimenté ? Il leva les yeux sur elle, puis sur la pizza qu'ils avaient rapportée en douce à l'hôtel.

— Tu en veux encore ?

— Vas-y.

Il prit la dernière part, la plia en deux d'une main et mordit dedans. De l'autre main, il continua à examiner les morceaux de papier.

Elle baissa les yeux sur les pages ouvertes devant elle. C'était la quatrième fois qu'elle y revenait. Elle avait dû manquer quelque chose…

La seule chose inhabituelle était que, la veille de sa mort, Eva avait rayé E.T. et l'avait remplacé par un autre griffonnage. Celui-ci lui disait vaguement quelque chose. Peut-être était-ce une révision d'un dessin précédent.

Frustrée, elle tapota de son crayon sur la page.

— Je n'arrive à rien. Si Eva avait vu Michèle ou Cho au travail pour leur parler de ses soupçons, elle n'aurait pas eu à le noter sur son agenda. A part ses rendez-vous confirmés, elle s'en servait pour esquisser des idées de créations.

— Même chose avec les bouts de papier, dit Jase en brandissant une publicité découpée dans un magazine.

Dans la marge, Maddie vit ce qu'elle pensa être le dessin d'une boucle d'oreille.

Elle plissa les yeux et prit le papier.

— Quoi ?

— Le dessin, dit-elle en le posant sur la page qu'elle étudiait. Il y a le même ici, qu'elle a dessiné dans la case de 17 heures la veille de sa mort.

Jase vint s'agenouiller près d'elle.

— Ce n'est pas un dessin, je pense, dit-il. C'est le logo du club qui fait la publicité. L'araignée d'Or.

Maddie parcourut rapidement le texte publicitaire. C'étaient des citations de journaux vantant les vertus de L'araignée d'Or comme étant le night-club le plus branché de Manhattan, celui où « il fallait être vu ». Puis elle le vit. Le texte avait pour trame un dessin similaire à ceux qu'Eva avait griffonnés dans son agenda, ainsi que dans la marge.

Sourcils froncés, Maddie retourna à la page de la nuit du cambriolage. Ensuite, elle suivit du doigt chacune des pages jusqu'à trouver ce qu'elle cherchait. Une semaine après le vol, Eva avait gribouillé la même toile d'araignée.

— J'ai cru tout d'abord que c'était une idée pour un bijou, mais peut-être pas, en fin de compte, dit-elle.

Jase partit vers la table où était répandu le contenu du sac d'Eva.

— Je n'arrive pas à retrouver où, dit-il, mais je crois bien avoir déjà vu ce dessin quelque part.

Maddie l'observa. L'énergie qu'il paraissait soigneusement contenir n'était plus loin de la surface.

— Tu penses que ça a peut-être un sens ?

— Peut-être, fit-il en feuilletant le carnet à croquis. Rien ici, ajouta-t-il avant de ramasser quelque chose sur la table. Eh bien voilà !

Il la lui jeta. Maddie attrapa la boîte d'allumettes et son cœur manqua un battement quand elle l'examina.

— L'araignée d'Or…, dit-elle en regardant Jase.

— Je crois que nous tenons un indice, déclara Jase en se mettant à faire les cent pas. Et j'ai toujours dans l'idée que je l'ai vu auparavant, ailleurs que sur les allumettes. J'ai vu tout un tas de croquis épinglés au mur quand on était dans l'atelier. Ta mère aurait-elle pu voir un logo comme ça et essayer d'en faire un bijou ?

— Je… l'ignore. Il faudrait demander à Jordan.

— Non, répondit-il en tombant à genoux près d'elle pour lui prendre les épaules. Je te le demande à *toi*. Tu ressembles bien plus à ta mère que tu ne l'imagines.

— Je ne pense pas, fit-elle, prise de panique.

— Vous créez toutes les deux des bijoux. Vous avez, dans une certaine mesure, le même pouvoir de concentration.

— Cela ne veut pas dire que je la connais.

— O.K., concéda-t-il, même s'il n'était pas d'accord.

Elle connaissait de mieux en mieux sa mère, mais son problème, c'était qu'elle n'était pas très à l'aise avec tout ceci. Il reprit ses notes et les lui montra.

Maddie étudia les gribouillis qu'elle avait faits en marge, sans même en être consciente. Certains étaient des croquis sur lesquels elle travaillait depuis quelque temps.

— Je fais parfois ça quand un problème me perturbe, avoua-t-elle dans un soupir.

— Oui, et ta mère avait visiblement la même habitude. Alors, je veux ton avis. Ta mère aurait-elle vu quelque chose ressemblant au logo de ce club, et l'aurait-elle emprunté pour en faire le point de départ d'un bijou ?

— Non.

— Donc, ses griffonnages ont une autre raison. Je ne peux pas imaginer Eva en pilier de boîte de nuit, donc je pense qu'elle a dû tomber sur ce logo plusieurs fois, qu'elle a commencé à y réfléchir ou à s'en inquiéter. Tu me suis, jusque-là ?

Maddie revit le bureau jonché de carnets de croquis, témoins de ce que sa mère faisait en rentrant chez elle le soir au lieu d'aller faire la fête dans des night-clubs. D'ailleurs, elle-même n'avait pas non plus de vie nocturne. Elle passait le plus clair de ses soirées à travailler.

— Demain matin, reprit Jase, je vais demander à Dino de se renseigner sur ce club. Et je veux aller chez Eva Ware Creations avant tout le monde, même la police. Je suis persuadé que j'a vu ce logo quelque part à l'atelier, ce matin. Je vais aussi en informer Stanton. Il pourrait également se renseigner sur L'araignée d'Or. Ça pourrait bien secouer un peu le cocotier, conclut-il en souriant.

— Tu tiens *vraiment* à provoquer une réaction, hein ?

— Un peu, que j'y tiens, reprit-il, tout sourire évanoui.

Il refréna la colère qui bouillonnait en lui depuis qu'il avait aperçu la voiture fonçant sur eux.

— Je *veux* mettre la main sur le salaud qui a failli t'écraser et qui a tué ta mère.

Ces simples mots provoquèrent en lui l'image qu'il refoulait depuis des heures — Maddie allongée sur cette chaussée, couverte de sang. Morte.

Il l'écarta sans ménagement, mais, sous sa rage, naquit quelque chose de plus déterminé, de plus glacial.

— Moi aussi, dit Maddie. Des idées ?

— Pas encore, à mon grand dam. Je tire à blanc pour l'instant. Pour l'instant. Le travail d'enquête a ceci de bon qu'il consiste à rassembler des pièces qui ne semblent pas aller ensemble et qui, à la fin, s'intègrent parfaitement.

Son portable sonna. Il le sortit, vit que c'était Stanton et l'inclina pour que Maddie puisse entendre.

— Allô !

— Je n'arrive nulle part avec Michèle Tan, et Cho Li n'est pas encore rentré chez lui.

— Est-ce qu'il lui serait arrivé quelque chose ? dit Maddie.

— J'en doute. Un des agents en poste a discuté avec le portier. Selon lui, Cho passe la nuit dehors deux ou trois fois par semaine.

— Peut-être qu'il a une petite amie, hasarda Jase.

— Je pense. Mes hommes vont me l'amener dès qu'il pointera son nez. Les nouvelles sont meilleures du côté de la voiture d'Eva Ware. Le pare-chocs, le capot enfoncés et le morceau de tissu retrouvé dessus suggèrent que c'est bien avec elle qu'on l'a écrasée. J'espère avoir les résultats du labo demain matin. Il n'y a pas de gardien, et le garage ne peut être ouvert qu'avec une carte magnétique. En avez-vous trouvé une dans ses effets ?

— Non, pas plus que de double de clé, dit Jase.

— Donc, quelqu'un de proche a pu saisir l'occasion de les voler toutes les deux, supputa Stanton. Une caméra filme tous ceux qui entrent ou qui sortent du parking, et je devrais avoir les cassettes demain. Quelque chose, de votre côté ?

— Avez-vous déjà entendu parler d'un night-club nommé L'araignée d'Or ?

— Je ne crois pas, non.

— Eva y a fait plusieurs fois référence dans son agenda, et je vais mettre Dino dessus.

— J'ai un ami aux mœurs, je vais lui demander aussi.

En remettant son téléphone dans sa poche, Jase dit à Maddie :

— Mon instinct me dit que ça va commencer à bouger assez vite demain. C'est pour ça que je veux arriver au magasin avant tout le monde.

— Comment puis-je t'aider ?

— Selon ce qui se passe dans la matinée, on va peut-être devoir improviser sur place, dit-il en repensant au rôle de gentil flic qu'elle avait joué avec Michèle. Tu crois que tu pourras suivre mon exemple ?

— Bien sûr, fit-elle, menton relevé.

Il lui posa un baiser sur la bouche, rapide, même s'il mourait d'envie de s'y attarder.

— Essayons une autre tactique, dit-il en lui tendant un bloc-notes de l'hôtel. Tu es bonne, pour croquer les visages ?

— Les visages ? fit-elle, surprise.

— Oui. Je voudrais que tu fasses un croquis de tous ceux qui pourraient avoir accès aux codes de sécurité d'Eva Ware Creations.

Elle commença par dessiner rapidement le visage d'Adam. Sur la feuille suivante, elle attaqua Cho. Son crayon volait littéralement sur la page, et Jase s'émerveilla de son talent de portraitiste. Concentrée, elle se mordillait la lèvre inférieure, comme il avait souvent vu Jordan le faire devant son ordinateur.

— J'ai des photos de tout le monde dans le dossier que m'a donné Jordan, lui fit-elle remarquer en dessinant.

— Ça ruinerait l'expérience. Tu ressembles beaucoup à ta mère quand tu dessines.

— Oh !

Sa main s'immobilisa un instant, puis se remit à courir sur les pages. Ses dessins étaient des caricatures aussi intelligentes que perspicaces. Elle avait réussi à saisir l'ego d'Adam, le pompeux d'Arnold Bartlett, la sérénité de Cho, l'empressement et l'innocence apparente de Michèle.

— Où as-tu appris à faire ça ? lui demanda-t-il.

— Au lycée. Je travaillais pour le journal des élèves.

— Essaye Carlton et Dorothy, dit-il, avant de préciser devant son air interloqué : Si Adam a accès aux codes, ils l'ont aussi, théoriquement.

Quand elle eut terminé, il aligna les dessins sur deux rangées et commenta :

— Si Michèle et Cho, ou Arnold, avaient volé le magasin et qu'Eva s'en était doutée, ils auraient perdu leur emploi, et le scandale aurait fait la une des journaux.

— Mais si ça venait de la famille, embraya Maddie en alignant Adam, Dorothy et Carlton, alors, le scandale aurait été bien plus retentissant. Eva a peut-être eu peur que son affaire ne s'en remette pas.

Le silence se fit tandis qu'ils étudiaient les deux rangées de dessins.

— On en revient toujours aux mêmes suspects, dit-elle. Quelqu'un de la famille ou un employé.

— La question est : qui a le plus à perdre ? fit Jase.

— Et si le meurtre d'Eva est relié au vol, qui aurait pu gagner sur les deux tableaux ?

Jase lui sourit et empila les dessins.

— Assez pour ce soir, dit-il. Parfois, le meilleur moyen de faire la lumière sur un problème, c'est de laisser passer une bonne nuit dessus. Allons, viens.

- 14 -

Jase prit la main de Maddie et l'emmena dans la chambre. En arrivant au lit, il dit :

— Je ne t'ai pas beaucoup laissée dormir, cette nuit.

— Je crois que j'ai contribué au manque de sommeil, lui répondit-elle en souriant.

Quand elle tendit les mains vers lui, il les prit et les porta à ses lèvres.

— Quelque chose se passe entre nous, Maddie. Quelque chose que je ne comprends pas vraiment.

Même si, au fond de lui, il savait très bien ce qui était en train de se passer. Il était en train de tomber amoureux de Maddie Farrell. Et ça lui faisait peur.

Il vit le trouble dans ses yeux quand il prononça ces mots, et cela le soulagea.

— Tu le perçois aussi ?

— Oui, un peu, répondit-elle. Mais je crois que ce n'est pas forcément le bon moment pour se poser trop de questions. En ce moment, on se promène sur des montagnes russes, tant émotionnellement que physiquement, et je ne suis pas sûre que…

L'impatience le saisit, qu'il refréna.

— Nous sommes grands, Maddie. Nous sommes adultes.

Elle serra ses mains un peu plus fort.

— Jase, ce que nous éprouvons maintenant…

— Est réel, l'interrompit-il.

— Peut-être. Mais ça pourrait s'effacer une fois la crise terminée.

Jase savait l'importance de déséquilibrer un adversaire, aussi se contenta-t-il d'embrasser une autre fois sa main.

— Tu as peut-être raison. Attendons, et nous verrons bien.

Cependant, il était bien certain que ça n'allait pas être le cas. Ne lui restait plus qu'à en convaincre Maddie.

— On doit se lever tôt. Je crois qu'on devrait se mettre au lit.

— J'ai cru que tu ne le demanderais jamais ! s'exclama-t-elle en riant, les mains déjà sur son T-shirt pour le lui enlever.

Mais il avait décidé d'y aller progressivement et, même quand ils tombèrent sur le lit et se déshabillèrent l'un l'autre, il continua à lui mordiller la bouche, à la goûter, à la taquiner. Il voulait, non, il avait besoin de la savourer, chose qu'il ne s'était pas autorisé à faire auparavant.

Elle avait un goût familier à présent, puissant, entêtant, enivrant. Et pourtant, chaque fois que leurs bouches se rencontraient, il se passait quelque chose de nouveau.

Ses mains bougeaient plus vite que lui, et il perçut l'énergie qui irradiait d'elle, il l'entendit murmurer son nom et comprit que l'incendie était imminent, qui allait les dévorer. Pourtant, il lutta pour garder le contrôle.

— Tu n'as pas besoin de me ménager, murmura-t-elle. De me conquérir. Je suis déjà toute à toi.

Mais, si, il voulait la séduire. Même s'il ne savait pas trop si c'était pour lui ou pour elle.

— Je te veux, dit-elle encore en lui prenant le visage entre ses mains.

Ces trois mots lui coupèrent le souffle. Il sentit sa tête tourner, son cœur s'accélérer. Et il la regarda. Dans le clair de lune, elle avait la peau pâle, délicate, les cheveux teintés d'or. Il en enleva les épingles et y glissa les doigts.

— Jase…

— Je veux juste te regarder, te toucher.

D'un doigt, il suivit son front, sa joue, sa mâchoire, sa gorge, où une veine palpitait follement. Il continua sa caresse, sur sa poitrine, son ventre, ses cuisses, puis il substitua sa bouche à son doigt. Le désir pulsait en lui. Peu à peu, il se perdit dans la respiration de plus en plus difficile de Maddie, ses gémissements, puis son extase en murmurant encore son prénom.

Imprégnée de sensations, Maddie se sentit flotter. Ce n'était pas ce qu'elle avait attendu, pas ce qu'elle avait cru vouloir. Même quand la bouche de Jase revint sur la sienne, il y eut tant à absorber. La saveur de ses lèvres était différente, et elle l'envoûta mieux qu'un vin millésimé. Complètement séduite, elle fit courir ses mains sur lui, apprenant ses secrets comme il apprenait les siens. Là où elle le touchait, il tremblait. Là où elle le goûtait, il frémissait.

— Maddie, murmura-t-il en se faisant une place entre ses jambes et en la pénétrant.

Son visage, ses yeux emplirent sa vision, son monde.

Même alors, ils se murent lentement en se regardant, ils grimpèrent de plus en plus haut, ensemble. Quand ils arrivèrent tout près de l'extase, il posa sa bouche sur la sienne et, ensemble, ils basculèrent.

Jase tenait Maddie serrée contre lui, sa tête sur son torse, ses jambes encore emmêlées aux siennes. Il avait une main au creux de son dos et l'autre derrière sa tête, la maintenant en place. La régularité de sa respiration lui apprit qu'elle s'était endormie. Toutefois, son esprit à lui refusait de lâcher prise.

Plutôt que de lutter contre l'insomnie, il préféra le laisser revoir tout ce qu'ils avaient appris dans la journée. Son instinct lui disait que Maddie avait eu raison sur toute la ligne, et que l'agenda d'Eva leur avait donné un indice essentiel.

Ce même instinct lui soufflait que le temps leur manquait. L'assassinat d'Eva avait été soigneusement planifié et exécuté. L'embauche d'un tueur à gages de même. Mais celui qui avait essayé d'écraser Maddie avait pris un gros risque en se servant de la même voiture.

Un tueur poussé à prendre des mesures désespérées était bien plus dangereux qu'un tueur méthodique et patient.

Maddie poussa un soupir et se cala mieux contre lui.

2 h 53, lui apprit le réveil. S'il ne devait pas dormir, autant travailler. Au lieu d'attendre à demain pour en charger Dino, il pourrait lancer une recherche sur L'araignée d'Or et peut-être découvrir ce qui avait tant inquiété Eva la dernière semaine de sa vie.

Seulement, il n'avait aucune envie de bouger.

Tant qu'ils étaient au lit ensemble, il pouvait assurer sa sécurité.

Et elle était à lui. Elle l'avait été dès l'instant où elle avait grimpé par erreur dans son lit. Nulle erreur là-dedans ; elle avait été sienne depuis le début. Cette certitude s'installa paisiblement en lui. Il y avait tant de choses qu'il voulait lui dire, qu'il avait besoin de lui dire. Mais l'heure n'était pas à cela. Pas seulement parce qu'un tueur l'avait encore dans sa ligne de mire, mais aussi parce que la vie de Maddie avait viré au chaos.

Toute la question, à présent, serait de savoir combien de temps il serait capable d'attendre avant de régler les choses avec elle.

Maddie réprima un bâillement tandis que Jase l'entraînait sur la 50e Rue. Il l'avait réveillée à 6 h 30 en lui demandant de se préparer. L'amant attentif de la nuit s'était mué en garde du corps responsable. Il avait déjà pris sa douche et téléphonait à Dino alors qu'elle bataillait pour ouvrir les yeux et avaler le café qu'il avait fait monter.

Ce ne fut que lorsque le taxi les déposa à deux rues de la boutique que la caféine commença à faire son effet sur son esprit, et elle prit la mesure des derniers mots que Jase avait prononcés. Il avait demandé au taxi de ne pas les déposer devant Eva Ware Creations parce que la boutique était certainement surveillée.

Le fait qu'elle fût toujours une cible acheva de la faire passer d'un état semi-comateux au plein éveil. Soudain, elle fut pleinement consciente de son environnement. Des immeubles de pierre brune flanquaient la rue, tels des soldats alignés. Des gens allaient et venaient en dépit de l'heure matinale. Une jeune femme en short promenait son chien. Une autre en tailleur descendit d'un taxi devant eux. La pression de la main de Jase sur son bras se resserra, et elle comprit qu'il passait sa main sous sa veste pour empoigner son revolver.

Mais, alors que sa gorge se desséchait, le taxi démarra. Jase accéléra l'allure et l'attira dans une allée sombre.

— On va entrer par-derrière, souffla-t-il. Je tiens à m'assurer que personne ne t'attend. Je veux aussi faire le tour des lieux sans être dérangé. Je suis certain d'avoir vu ce logo hier, ici.

Devant la porte de service, Jase lui fit écran de son corps en pianotant le code de sécurité et en ouvrant la porte.

— Tu penses vraiment qu'on nous attend ? murmura-t-elle.

Il tourna vers elle un regard de glace.

— Je joue la sécurité avant tout. Je ne l'ai pas assez fait hier, dans le parc. J'ai modifié les codes de sécurité après le cambriolage, mais Arnold Bartlett le connaît, et sans doute Jordan aussi. Il n'y a pas moyen de savoir si Eva l'a communiqué à d'autres personnes.

Elle ne répondit rien alors qu'ils se faufilaient dans une pièce servant à la fois de rangement et de salle de repos. Elle suivit Jase qui passait devant l'ascenseur et prenait l'escalier. Ils grimpèrent au premier étage et sortirent dans le hall des bureaux, désert à cette heure-ci. Apparemment satisfait, Jase l'emmena vers la porte de l'atelier. Puis il stoppa net et tendit l'oreille. Maddie dut compter jusqu'à dix avant de l'entendre elle aussi — un léger battement. Même assourdi, elle reconnut le bruit d'un marteau sur du métal, et ça venait de l'atelier.

Jase lui fit signe de rester en retrait, puis il sortit son arme et ouvrit la porte.

— Cho ? dit-il.

Surpris, celui-ci fit pivoter sa chaise. Le petit marteau tomba en cliquetant par terre quand ses yeux virent l'arme.

Ce furent le choc et la peur que Jase découvrit d'abord sur les traits de Cho, et son instinct lui dit que Maddie avait eu raison à son propos. Quoi qu'il se passât ici, Cho n'avait rien à y voir. Dès qu'il baissa son revolver, Maddie se précipita dans la pièce.

— Cho, mais que faites-vous ici ?

— Je viens souvent de bonne heure pour rattraper le travail, expliqua Cho en se levant. Hier, j'ai pris du retard à cause des cameramen.

Elle lui fit signe de se rasseoir et fit de même dans le fauteuil de sa mère. Prêt à la voir jouer encore une fois le rôle du flic gentil, Jase laissa la porte ouverte derrière lui et alla se placer de l'autre côté, entre deux fenêtres. De là, il pouvait garder un œil sur Madison Avenue et la 51e Rue, tout en étant prêt si quelqu'un pénétrait dans la pièce.

— Vous n'avez pas encore parlé à la police ? reprit Maddie.

— La police ? Pour quoi faire ? s'étonna Cho en les regardant tour à tour.

Maddie lui dressa un rapide tableau de ce qui s'était passé dans l'appartement de sa mère, et plus tard, au commissariat. Pendant ce temps, Jase passa la pièce au peigne fin, cherchant ce qui lui titillait l'esprit depuis la veille au soir. La fameuse toile d'araignée.

Il jeta un coup d'œil à la rue et passa au bureau d'Adam. Comme la veille, il y appuya une hanche afin de pouvoir y jeter un coup d'œil tout en continuant à avoir Cho et Maddie en vue. Ce fut à ce moment qu'il le vit du coin de l'œil. Sur l'étagère d'Adam trônait une photo encadrée du logo de L'araignée d'Or.

Parcouru d'un sentiment d'excitation, il alla reprendre son poste entre les fenêtres. Au lieu de paraître inquiet quant aux ennuis de sa petite-fille, Cho paraissait de plus en plus détendu à mesure du récit de Maddie.

— La police connaît votre lien de parenté, et c'est le timing qui cloche, expliquait-elle. L'argent est arrivé sur son compte trois jours après le cambriolage, et elle refuse de dire qui le lui a donné ni la raison pour laquelle elle en avait besoin.

— C'est moi qui lui ai donné cet argent, répondit paisiblement Cho. Michèle est très fière. Elle était terriblement gênée de devoir me demander mon aide.

— Où avez-vous eu cet argent ? voulut savoir Jase.

— Eva me l'a prêté, répondit Cho en le regardant. Michèle en avait besoin très vite, et il m'aurait fallu du temps pour le retirer de mon fonds de retraite. J'aurais dû vendre des actions à perte. J'ai tout dit à Jordan quand Eva est morte. Vous récupérerez cet argent.

De fait, songea soudain Jase, ils n'avaient pas eu le temps de parler à Jordan des ennuis de Michèle. Cependant, le fait que Cho lui en ait parlé ne rendrait son histoire que plus crédible.

— Pourquoi Michèle avait-elle un besoin d'argent aussi pressant ? s'enquit Maddie.

— Comme je vous l'ai dit, Michèle est très fière, répondit Cho en secouant la tête. C'est pour cela qu'elle a tenu à ce que notre lien de parenté reste secret. Elle était déterminée à n'obtenir ce poste que pour sa valeur personnelle. En intégrant le personnel, elle habitait toujours dans un foyer, mais, dès qu'elle a signé son contrat à durée indéterminée, elle a décidé de se trouver un appartement. Comme elle était bien payée ici, elle a préféré acheter. Il lui fallait trente mille dollars pour le premier versement et, au lieu de venir me demander mon avis, elle a préféré emprunter.

— Pas à une banque, devina Jase.

— Elle a essayé, mais en vain. Alors, un de ses amis lui a parlé d'un endroit où ils étaient plus compréhensifs avec les jeunes qui débutent une carrière prometteuse, poursuivit Cho. Je suppose que dans ce pays on les appelle des usuriers. Elle dit qu'elle a bien lu le contrat et qu'on lui avait donné un montant mensuel à rembourser. Ce qu'elle a fait. Mais, il y a un mois, on lui a dit que ce qu'elle payait ne couvrait même pas les intérêts du prêt et que sa balance actuelle était de cent mille dollars. Michèle est peut-être fière, mais elle n'est pas idiote. Elle a compris qu'elle était tombée dans un piège, et qu'elle avait des problèmes. C'est là qu'elle est venue me demander mon aide.

— Est-ce qu'elle savait qu'Eva vous avait prêté cette somme ? demanda Maddie après l'avoir dévisagé un instant.

— Non. Eva a retiré l'argent de son compte le jour où nous en avons parlé et elle m'a fait un chèque. Michèle n'aurait jamais dû le savoir. Ça l'aurait encore plus embarrassée de savoir qu'Eva était impliquée.

Maddie jeta un coup d'œil à Jase par-dessus son épaule, puis se retourna vers Cho.

— Je crois que c'est pour cela qu'elle refuse de parler à la police, elle veut vous protéger.

— Mais de quoi ?

— Elle doit croire que vous avez volé la boutique et que c'est comme ça que vous avez eu l'argent.

Cho réfléchit un bon moment.

— Peut-être, finit-il par dire.

— Il va falloir que vous alliez au commissariat tout leur expliquer, dit Jase alors qu'un mouvement sur Madison Avenue attirait son attention.

Deux hommes sortaient d'un taxi. Il reconnut Tony et Carter, deux de ses hommes. S'ils arrivaient, alors Adam n'allait plus tarder.

Il se retourna. Cho rangeait son bureau. Sur une intuition, il prit la photo encadrée sur le bureau d'Adam et alla la lui montrer.

— Savez-vous quelque chose à propos de cette photo ?

— Oui. C'est un logo qu'a créé Adam pour un nightclub. C'est aussi l'endroit où Michèle est allée payer pour son emprunt. J'ai insisté pour l'accompagner le jour où elle leur a remis les cent mille dollars.

La fenêtre du couloir donnait sur un escalier de secours, et ce fut par là que Jase regarda Cho partir. Il avait déjà appelé Stanton pour lui résumer brièvement l'affaire et pour lui dire que Cho se rendait au commissariat.

L'inspecteur lui avait alors rapporté ce qu'il avait appris de L'araignée d'Or par son ami des mœurs. Puis il avait appelé Tony et Carter et avait eu la confirmation qu'Adam arrivait.

Il transmit l'information à Maddie et ajouta :

— Mes gars sont ici sous prétexte de filmer Adam dans l'atelier avant l'ouverture du magasin. C'est le moment de vérifier s'il a le nouveau code d'accès. Ou s'il va devoir attendre Arnold.

— Il y a quelque chose dans tes yeux, lui dit-elle. Comme de l'excitation. Une autre pièce du puzzle ?

— Pas encore, mais je sens que je ne suis pas loin.

— Parce qu'Adam a dessiné le logo de ce club ?

— Oui. Ça prouve qu'il est en relation avec le propriétaire du club, un certain John Kessler ou alors avec le club en soi. D'après Stanton, les mœurs enquêtent sur ce type depuis pas mal de temps, mais ils n'arrivent pas à rassembler assez de preuves contre lui. Il a des relations influentes, aussi bien sur le plan social que politique. L'araignée d'Or est le dernier endroit à la mode, mais la boîte sert probablement de couverture à un système d'usure très sophistiqué. C'est dans son club que Kessler pêche ses clients et, jusqu'à présent, il se tient à l'écart de l'officine d'usure. Les deux victimes qui ont porté plainte ont disparu, et il semble qu'il choisisse ses clients avec soin. Des jeunes qui ont des emplois mobiles et qui ont accès à l'argent.

— Ce n'était pas le cas de Michèle.

— Elle travaillait ici. Elle n'aurait eu aucune difficulté à mettre la main sur cent mille dollars en bijoux, et elle aurait peut-être été acculée à le faire. C'est d'ailleurs ce qu'ils ont dû penser quand elle a pu les payer. Et si leur *modus operandi* est d'encourager leurs jeunes clients à voler là où ils travaillent, pas étonnant que la police n'ait encore pas pu les coincer. Les victimes ne risquent pas d'avouer leur forfait.

— Michèle peut témoigner. Elle n'a rien volé.

— Exact, dit-il en regardant un taxi s'arrêter au bout de l'allée. Stanton va la pousser à le faire s'il a la preuve que Cho a dit vrai. Pendant ce temps, il va les mettre en garde à vue tous les deux afin d'assurer leur protection.

— Et qu'en est-il d'Adam ? voulut savoir Maddie. Il est en relation avec L'araignée d'Or. La question reste de savoir pourquoi. Pourquoi voler des bijoux, ou emprunter à des usuriers ? Jordan m'a dit qu'il dispose de fonds en fidéicommis, et son père dirige une banque.

— Bonne question. Cependant, il colle avec le profil des victimes de Kessler, lui fit remarquer Jase. Tout ce qu'on a dit de Michèle s'applique par excellence à lui. Il pourrait même être « l'ami » qui lui a parlé de Kessler. Ajoute que ces deux dernières années il a vu en Jordan une menace pour son avenir professionnel ici. Eva morte, il pensait probablement hériter de son poste, mais alors il découvre non seulement ton existence, mais aussi que tu es créatrice, toi aussi. Enfin, et ce n'est pas fini, avec Jordan et toi hors course, il est en position d'hériter infiniment plus d'argent, selon les termes mêmes du testament de ta mère. Il est sous la coupe de sa mère, mais il a mauvais caractère et tendance à se rebeller. Tu peux parier que Stanton va le cuisiner sur sa relation avec Kessler.

Un homme sortit du taxi et descendit l'allée. Jase et Maddie le regardèrent.

— C'est Adam, murmura-t-elle.

Ils le virent pénétrer sans problème par la porte de service.

— Ça répond à une question, fit Jase. Il a le code. Donc, il pourrait programmer un cambriolage n'importe quand.

— Ou il pourrait juste dérober une pièce ou deux par-ci par-là en priant pour que personne ne s'en aperçoive.

Jase la regarda en souriant.

— Excellente théorie. T'ai-je dit que j'adore la façon dont fonctionne ton esprit ?

Puis il ouvrit la fenêtre et l'enjamba pour atterrir sur l'escalier de secours.

— Que fais-tu ?

— On file d'ici.

— Par là ?

— Viens, dit-il en lui tendant la main. Pendant que deux de mes meilleurs agents occupent ton cousin, on va aller en reconnaissance chez lui.

— Pourquoi ?

— On pourrait peut-être y trouver une autre pièce du puzzle. Et je veux que tu sortes d'ici, j'ai déjà couru un risque en t'y amenant. Ne regarde pas en bas, lui dit-il alors qu'elle enjambait elle aussi la fenêtre.

— C'est déjà fait, dit-elle en luttant contre le vertige.

— Tu vas y arriver ?

— Tu me cherches ?

— Non, dit-il en souriant. Allez, viens, il faut faire vite. Tu peux courir, dans ces chaussures ?

— Bien sûr.

Il se mit à descendre rapidement l'escalier branlant, et Maddie le suivit, la main agrippée à la rambarde. Chaque marche émettait un craquement sinistre, et elle fut étonnée que personne ne soit encore venu voir ce que signifiait ce boucan. Quand Jase atteignit le premier palier, tout l'escalier vibra et elle s'accrocha encore plus à la rampe.

— Tiens bon, c'est presque fini, lui dit Jase, déjà à genoux, en faisant coulisser l'échelle.

Puis il se mit à la descendre. Une fois en bas, il lui tendit les bras. *Ne pense pas à ton vertige,* se dit-elle. *Pense à autre chose.* Elle se représenta Jase en bas de l'échelle, prêt à la rattraper si elle glissait et entama sa descente.

— Laisse-toi tomber, je vais t'attraper, dit-il au bout d'un moment.

Elle hésita à peine un quart de seconde, et lâcha tout.

Deux bras forts se refermèrent sur elle et la plaquèrent contre le corps dur de Jase.

Ils tanguèrent quelques instants, puis reprirent leur équilibre.

— Prête ?

Elle se retourna vers lui. Et le sentiment d'angoisse qui la traversa soudain avait moins à voir avec le fait qu'elle était peut-être en danger de mort qu'avec l'homme qui se tenait devant elle. Elle n'était pas sûre d'être prête pour ce qu'elle commençait à éprouver pour Jase Campbell, mais elle allait se préparer. Elle mit sa main dans la sienne et répondit :

— Prête.

Et ils coururent ensemble vers le bout de l'allée.

- 15 -

Vingt minutes plus tard, Jase et Maddie gravissaient l'escalier de l'immeuble où habitait Adam.

— Tu m'as donné une toute nouvelle perspective sur le manque de sécurité dans les résidences de New York City.

Jase la regarda. Elle n'avait fait aucun commentaire quand il les avait fait pénétrer dans le bâtiment par l'issue de secours. Une alarme avait bien retenti, mais il l'avait très vite entraînée dans la cage d'escalier avant que quelqu'un ne vienne voir.

— Celle-ci a une excellente sécurité, du moins devant. Un portier et un concierge derrière son bureau.

C'était d'ailleurs pour cela qu'il avait choisi de passer par-derrière.

— Peux-tu pénétrer partout aussi facilement ?

— Ça dépend. Là, j'étais pressé et j'ai eu de la chance.

Il savait d'expérience qu'il ne fallait jamais compter sur la chance. Il avait pu héler un taxi sur la 5e Avenue, et en changer deux fois avant d'arriver chez Adam. Pour autant qu'il le sache, ils n'avaient pas été suivis, mais il ne pouvait toutefois pas se débarrasser de l'impression qu'il avait omis un détail.

Au troisième étage, il poussa la porte du palier. Devant la porte 457, il fit signe à Maddie de se mettre en retrait et frappa fort. Il compta jusqu'à dix, puis frappa encore.

Rien.

Alors, il sortit une petite boîte de sa poche revolver et

entreprit de crocheter le verrou. Moins de deux minutes plus tard, il ouvrait la porte et se plantait sur le seuil. Il passa le salon en revue. Quelque chose le gênait, mais il ne perçut aucun bruit, aucun mouvement, aucune présence. Rien ne bougeait, à part des grains de poussière dans un rai de soleil matinal.

Il fallait faire vite, se dit-il en entrant dans le petit vestibule. Alors, un vague mouvement suffit à lui faire tourner la tête. Résultat, il reçut le coup sur le côté de la tête plutôt qu'à l'arrière.

— Cours, Maddie ! eut-il le temps de proférer avant qu'une douleur atroce ne lui tire un voile sur les yeux.

Puis il perdit connaissance.

Pétrifiée, Maddie vit Jase s'écrouler sur le sol. Puis une main empoigna son bras et la fit entrer de force dans la pièce. Même à cet instant, elle fut incapable d'arracher son regard de Jase. Du sang perlait à sa tempe.

Une bourrade dans le dos la projeta sur la forme inerte de Jase. Alors, une bouffée de rage la sortit de sa paralysie momentanée, et elle fit face à son assaillant. Elle se serait jetée sur lui si elle n'avait pas vu le revolver braqué sur elle.

— Dorothy ? fit-elle en fixant un regard ahuri sur la femme impeccablement vêtue qui se tenait à présent devant elle.

La mère d'Adam portait un tailleur bleu roi, dont la teinte contrastait avec le rouge du sang qui gouttait du tisonnier qu'elle avait à la main.

Maddie dut lutter contre l'hystérie qui montait en elle. Il fallait qu'elle se concentre, qu'elle réfléchisse, qu'elle trouve un moyen de secourir Jase. Cash l'avait entraînée aux tactiques d'autodéfense. La première des règles était de distraire l'adversaire. Pour l'instant, elle allait gagner du temps, laisser parler la femme.

— Que faites-vous ici ? lui demanda-t-elle.

— Adam m'a téléphoné.

Dorothy fit deux pas en avant, et Maddie recula d'autant. Elles étaient sorties du vestibule à présent, plus loin de Jase. C'était bien. Mais, dans la lumière plus vive, ce qu'elle perçut dans le regard de l'autre femme lui fit froid dans le dos et menaça de la pétrifier une fois encore.

— Il vous a vus vous échapper par l'escalier de secours, reprit Dorothy. Je lui parlais encore sur mon portable quand la police est venue l'arrêter pour l'interroger. C'est à vous qu'il le doit. N'essayez même pas de nier.

Elle avait une voix calme, composée, qui ne rendait que plus dangereuse l'arme qu'elle avait en main. Tout en gardant Maddie en joue, elle se déplaça en biais vers la cheminée, où elle raccrocha le tisonnier sur son valet. *C'est déjà ça,* songea Maddie.

— J'ignore de quoi vous parlez, dit-elle.

— Ne faites pas l'innocente, jeta Dorothy en se rapprochant.

Cette fois, Maddie ne bougea pas. Il était important de ne pas le faire, si elle voulait s'emparer du revolver.

— Je sais très bien ce que vous mijotez, reprit Dorothy. Votre ami dirige une entreprise de sécurité. Jase Campbell. Adam a reconnu le nom dès que vous l'avez présenté.

— Il est également le colocataire de Jordan, précisa Maddie. Et un excellent ami.

— Mais ce n'est pas pour ça que vous êtes allée avec lui chez Eva Ware Creations. Avant de mourir, Eva a dit à Adam qu'elle l'avait embauché pour enquêter sur le cambriolage. Et j'ai compris hier en vous voyant avec lui que vous aviez l'intention de tout remuer une fois encore. Tout ça dans le seul but de flanquer Adam dehors, de lui faire quitter Eva Ware Creations. C'est pour ça qu'il faut que vous mouriez, comme il fallait qu'Eva meure.

Meure. Ce seul mot pénétra le brouillard dans lequel flottait Jase. Puis il se souvint. L'individu caché hors de vue dans le vestibule. Maddie était en danger. Combien de temps était-il resté inconscient ? Juste histoire de voir, il tenta d'ouvrir les yeux et de surmonter une vague de douleur. Il distingua deux femmes debout dans un rai de lumière à peut-être dix mètres de lui.

Dorothy Ware braquait un revolver sur Maddie. Colère et peur l'envahirent. Il les repoussa et résista au besoin de se lever. Pas question d'être étourdi et de chanceler. Lentement, prudemment, il releva la tête du sol. La douleur perça sa tempe, mais sa tête ne tourna pas.

Maddie perçut deux mouvements en même temps. Jase avait relevé la tête et Dorothy haussé légèrement son arme. *Pas de panique. Gagne du temps.*

— Est-ce pour cela que vous avez embauché cette tueuse à gages ? demanda-t-elle toujours aussi calme.

La surprise traversa le regard de Dorothy.

— Je ne sais absolument pas de quoi vous parlez. J'ai toujours préféré régler moi-même les problèmes.

— Vous ne m'avez toujours pas dit la raison de votre présence ici, reprit Maddie en s'interdisant de regarder le revolver.

De sa main libre, Dorothy désigna un sac posé sur l'accoudoir du canapé.

— Adam m'a demandé de venir récupérer les bijoux.

— Les bijoux ?

— Mon fils n'est pas complètement stupide. Il savait qu'il ne s'en tirerait pas avec un deuxième cambriolage. Alors, il a rapporté des pièces une par une. A la fin, il les vendra comme il a vendu les autres. Il ne pouvait pas se permettre de les laisser ici, maintenant que la police l'a à l'œil.

Un frisson glacé parcourut Maddie. Dorothy parlait des actes de son fils avec le même détachement que si elle parlait du temps qu'il faisait. *Ne panique surtout pas. Continue à gagner du temps.*

— C'est Adam qui a cambriolé le magasin ? Mais pourquoi ? Il est riche.

— Plus maintenant, soupira Dorothy. C'est un joueur invétéré, et il n'a pas encore réussi à surmonter cette addiction. Il a fini par vider ses comptes placés, et Carlton refuse de l'aider. Il prétend qu'il ne peut pas parce que l'argent s'est fait rare à la banque. Et puis il est encore contrarié qu'Adam n'ait pas voulu embrasser la carrière bancaire. Il pourrait être à un poste très important, à présent. Alors, Adam a dû emprunter ailleurs.

— A un taux plus élevé ?

Ainsi, Jase avait eu raison.

— Oui. Heureusement, je siège au comité d'administration du Musée d'art moderne de la ville en compagnie d'un homme qui aide les gens dans la même situation qu'Adam.

— John Kessler ?

— Comment le savez-vous ? fit Dorothy, interloquée.

— Cet homme est un usurier, lui apprit Maddie.

— Absurde. Il a aidé Adam quand son père et moi ne le pouvions pas. Bien sûr, je fais ce que je peux pour l'aider à rembourser, mais je ne pourrai pas le faire éternellement. Je lui ai dit de se conduire en homme et de s'occuper seul du problème. Et, pour une fois dans sa vie, il s'est débrouillé seul comme un grand.

La fierté dans son ton suffit à congeler le sang de Maddie dans ses veines.

— Il a volé quelques babioles à Eva Ware Creations pour régler sa dette une fois pour toutes, poursuivit Dorothy. Tout aurait été pour le mieux si Eva n'avait pas tout compris. Quand elle l'a mis en face de ses accusations et qu'elle a découvert qu'il continuait à jouer, elle l'a menacé. Même s'il a des défauts, Adam est un Ware, tout de même !

— L'a-t-elle menacé de le dénoncer à police ?

— Bien sûr que non ! Adam est son parent. Elle lui a dit qu'elle allait régler sa dette additionnelle, mais qu'il devait démissionner de chez Eva Ware Creations.

Pour la première fois, Maddie perçut comme de l'émotion dans sa voix.

— Elle voulait flanquer Adam à la porte ! Adam, dont le rêve était de diriger Eva Ware Creations un jour. Je ne pouvais en aucun cas permettre cela. C'est pour cela que j'ai dû la tuer. C'est pour cela que je dois vous tuer.

Par-dessus l'épaule de Dorothy, Maddie vit Jase bondir sur ses pieds et plonger. Plus tard, elle se remémora la scène comme une succession de mouvements hachés, comme sous un spot pivotant. Dorothy voulut se retourner, mais Jase était encore trop loin pour l'atteindre, aussi elle-même agit-elle sans réfléchir et lança-t-elle une manchette sur le bras qui tenait le revolver. L'arme tira dans le sol.

Les oreilles encore bourdonnantes de la détonation, Maddie s'empara du bras de Dorothy et la déséquilibra d'un coup de pied bien placé dans les chevilles.

Jase acheva de la faire tomber et s'assit sur elle tandis qu'il lui entravait les mains avec un lien de plastique. Puis il sortit son portable, composa le numéro de Dave Stanton et le tendit à Maddie.

— C'est Stanton, parle-lui, lui dit-il. Il va m'engueuler et j'ai un mal de tête épouvantable.

Il lui sourit.

— Cette prise, c'est encore un truc que t'a appris ton copain Cash ?

— Oui.

— Il me plaît décidément beaucoup, cet homme-là.

Il fallut beaucoup de charme, de force de persuasion et d'arguments, mais, à peine trois heures plus tard, Jase laissa Maddie l'emmener jusqu'à sa chambre. L'arrêt aux urgences avait été dû à l'insistance de Maddie. Stanton les y avait rejoints et les avait interrogés tous les deux dans la salle d'attente.

Pendant qu'il était radiographié, palpé, examiné, pansé et qu'on lui prescrivait vingt-quatre heures de repos total, elle était restée près de lui.

C'était à ce moment-là qu'elle lui avait posé la question qui l'ennuyait lui aussi :

— Tu ne penses pas que tout soit terminé, n'est-ce pas ?

— Difficile à dire, avait-il répondu. C'est pour ça que je n'ai pas encore téléphoné à D.C. Je ne tiens pas à ce qu'ils baissent la garde à Santa Fe tant que nous n'en saurons pas plus.

Selon Stanton, Carlton Ware avait été profondément choqué en apprenant l'implication de sa femme et de son fils dans le meurtre et le cambriolage. Sa réaction avait sonné juste aux oreilles de l'inspecteur. Carlton était en déplacement pour une conférence, mais il avait envoyé une armée d'avocats au commissariat. Cependant, les preuves irréfutables s'accumulaient. Les caméras du parking avaient pris une image très nette de Dorothy derrière le volant de la Mercedes d'Eva le soir de la mort de celle-ci. Dino avait réussi à pénétrer le système de la banque d'Eva, et trouvé sur son compte un retrait de deux cent cinquante mille dollars l'avant-veille de sa mort. Ces deux cent cinquante mille dollars avaient dû servir à régler la dette qu'avait de nouveau contractée Adam depuis le cambriolage. L'informateur de Jase lui avait également appris que l'un des receleurs qu'il connaissait lui avait fait une description précise d'Adam.

— Je ne crois pas que Dorothy ait embauché la tueuse de Central Park, lui dit Maddie. Je ne pense pas qu'elle aurait pu simuler la surprise que j'ai lue dans ses yeux quand je lui en ai parlé.

— Je n'en suis pas certain non plus, répondit-il. Peut-être que c'était ton cousin.

— Le plus terrible dans tout ça, c'est que sa mère aurait été fière de lui s'il l'avait fait.

Ils étaient arrivés à la chambre, et Maddie le guida vers le lit. Il la laissa le border, lui caler ses oreillers, mais, quand elle voulut s'éloigner, il lui prit le poignet et l'attira sur lui.

— Jase, le gourmanda-t-elle. Le médecin a dit « repos absolu ». Il est possible que tu aies une commotion cérébrale.

— Et il est aussi possible que je n'aie pas de commotion cérébrale.

— De toute façon, il faut que tu te reposes.

D'une main, il la maintint en place. De l'autre, il attira sa tête vers lui et lui effleura les lèvres des siennes.

— Reste avec moi.

Elle se nicha contre lui, et sa tension s'apaisa un peu.

— On va se reposer, le prévint-elle.

— Pour le moment, dit-il en souriant.

Il se mit sur le flanc et la regarda. Et il lui revint tout à coup à la mémoire qu'ils avaient la même position la première fois qu'il avait ouvert les yeux et qu'il l'avait vue. Il repoussa une mèche de ses cheveux derrière son oreille.

— J'ai attendu bien longtemps pour t'avoir de nouveau dans mon lit, Maddie.

En voyant son regard s'affoler, il prit conscience de sa propre tension.

— On n'a pas besoin de parler tout de suite, murmura-t-elle.

La patience. Il avait pensé pouvoir en faire preuve. Il s'était promis de le faire. Mais il ne pouvait plus.

— Je sais que tu as énormément de problèmes en tête.

Ta tante vient d'être arrêtée pour meurtre et tentative de meurtre, ton cousin pour vol. Tu as juste commencé à prendre tes marques chez Eva Ware Creations et obtenir quelques réponses à tes questions. On n'a même pas eu le temps de fouiller l'appartement de ta mère, ni même son bureau, pour essayer de trouver si elle et ton père avaient gardé le contact durant toutes ces années.

— J'ai une petite idée sur ce point-là. On pourra y revenir plus tard. Pour le moment, tu as besoin de repos.

— Je peux attendre pour te faire l'amour, Maddie. Mais j'ai besoin de régler quelque chose. J'ai cru que je pourrais te laisser du temps, mais il faut que je te le dise. On a tous les deux pensé que faire l'amour cette fameuse première nuit avait été une erreur. Mais ça n'en était pas une. Il y a quelque chose en toi qui a rendu cela juste… depuis le début.

Quand il fit une pause et qu'elle se contenta de le regarder sans répondre, l'impatience eut raison de ses résolutions.

— Je t'aime, Maddie.

L'espace d'un instant, ces mots planèrent entre eux alors que la tête de Maddie se mettait à tourner encore plus que sur l'escalier de secours. *Jase l'aimait ?*

Il lui agrippa les épaules.

— Je te veux ici, dans mon lit. Et pas seulement cette nuit, pas seulement les trois semaines à venir. Je te veux dans mon lit en permanence.

En permanence ? N'était-ce pas là le mot auquel elle avait eu peur de penser ? Peur d'espérer ?

Elle garda le silence, et Jase commença à prendre une mine paniquée.

— Je sais que nous venons d'univers différents, reprit-il. Mais nous arriverons à bâtir un pont entre eux. Je pense qu'une fois les conditions du testament remplies tu voudras garder un pied chez Eva Ware Creations. Et qui sait comment réagira Jordan à la vie au ranch ? Peut-être que Dino et moi pourrions ouvrir une succursale à Santa Fe. Je suis sûr qu'on trouvera une solution.

Il bafouillait, se rendit-elle compte. Jase ne bafouillait jamais.

— Attends, dit-elle en lui posant une main sur la bouche. Je crois que c'est mon tour de parler.

Elle lui sourit et lui encadra le visage de ses mains. Elle avait eu peur de ce moment, mais à présent toute son angoisse l'avait quittée. Soudain, elle savait avec certitude ce qu'elle désirait. Ce qu'elle voulait.

— Je t'aime, moi aussi. Construisons ce pont.

Et elle posa sa bouche sur la sienne.

Pour un baiser empli de promesses et de joie. Un baiser pas juste bien, mais parfait.

Epilogue

— Ça n'aurait pas pu attendre demain ? s'enquit Maddie une fois qu'ils furent entrés dans l'appartement d'Eva Ware.

— Je me suis reposé au moins quatre heures.

— Ah, parce que pour toi, ce qu'on a fait dans ton lit, c'était du repos ?

Il lui adressa un immense sourire.

— Je ne peux plus me passer de toi, Maddie Farrell. Tu es une vraie drogue pour moi ! Et puis, le médecin aurait dû me prescrire de faire l'amour : je me sens infiniment mieux maintenant.

A la vérité, il se sentait merveilleusement bien depuis qu'elle lui avait avoué son amour. Il flottait tellement sur un petit nuage qu'il avait envie de le crier au monde entier. Avant de partir, il avait voulu téléphoner à son frère, mais le téléphone de D.C. était sur répondeur. Tout comme celui de Jordan. Mais ça n'avait pas suffi à l'inquiéter. S'il y avait eu un vrai problème au ranch, D.C. aurait trouvé le moyen de le joindre, lui.

— Et puis, tu m'as dit que tu avais eu une petite idée, reprit-il. Je sais ce que c'est de ne pas pouvoir vérifier une intuition sans plus tarder. Toi, tu ne te reposeras pas vraiment tant que tu ne sauras pas si elle est bonne.

Elle ouvrit la marche et s'immobilisa sur le seuil de la bibliothèque de sa mère. La nuit s'annonçait, aussi actionna-t-elle l'interrupteur. Ils se retrouvèrent face au portrait de famille.

— Je me trompe peut-être, dit-elle. Au fond, je ne la connais toujours pas.

— Si, dit-il en lui prenant la main. Bien mieux que tu ne le penses.

— Tu as déjà dit ça, et ça m'a poussée à y réfléchir. Je veux croire que mes parents sont restés en contact toutes ces années, qu'ils s'intéressaient à la fille qui n'était pas avec eux. Mais c'est peut-être un vœu pieu.

— Ou ça peut être vrai. Tu ne sauras pas tant que tu ne suivras pas ta petite idée. Quelle est-elle ?

— Eh bien, ma mère et moi, on se servait du même style d'agenda, et j'ai cette boîte au ranch, une boîte que m'a donnée mon père quand j'étais petite. Pour y conserver des photos, des souvenirs, n'importe quoi de précieux à mes yeux. Je me demandais si ma mère avait la même.

— Pas bête. Par où veux-tu commencer ?

— Ici, peut-être… Mais ce serait une perte de temps, je pense. J'ai toujours conservé la mienne sur une étagère de mon armoire.

— Allons-y.

La chambre d'Eva ouvrait sur la bibliothèque. Maddie agrippa la main de Jase alors qu'ils se dirigeaient vers l'armoire.

— Ce n'est peut-être pas là. Elle aurait pu l'emporter chez Eva Ware Creations.

Au moment où il ouvrit la porte, il entendit Maddie retenir son souffle. Il y avait deux boîtes sur l'étagère, au-dessus des vêtements rangés sur leurs cintres. Sur l'une figurait une étiquette, Impôts. Sur l'autre, aucune. La deuxième boîte était rouge.

— Cette boîte rouge… c'est exactement la même que celle que m'a donnée mon père, souffla Maddie. Impossible que ce soit un hasard.

Sans un mot, Jase prit la boîte et l'emporta dans la

bibliothèque. Puis ils s'assirent sur l'un des deux canapés de cuir et il la posa entre eux. Maddie souleva le couvercle.

La boîte était pleine de photos et de lettres de Mike Farrell. Maddie les prit une par une. La plupart relataient des événements marquants de sa vie — anniversaires, maladies, remises de diplômes…

— Tiens, c'était ma première exposition de bijoux, fit-elle en tendant une photo à Jase.

— Ces photos ont été beaucoup manipulées, Maddie. Regarde les coins écornés. Ta mère les regardait souvent.

Elle tourna les yeux vers lui.

— Mais elle n'a jamais téléphoné, jamais écrit, elle n'est jamais venue nous voir. Mon père a suivi à la lettre la décision qu'ils avaient prise quelle qu'elle fût. Je ne comprends pas.

Jase prit une enveloppe dans la boîte et l'examina plus attentivement.

— Celle-ci est adressée à ton père, et n'a jamais été postée.

— Ouvre-la.

Ce qu'il fit, et ils lurent ensemble.

15 mai.

« Cher Mike,

» Ça me fait bizarre de t'écrire après toutes ces années. Toi, entre tous, sais à quel point je suis peureuse. J'ai peur de prendre le téléphone. Et, si tu ne réponds pas à cette lettre, je comprendrai.

» Je regrette l'arrangement que nous avons fait il y a tant d'années. Tu m'avais dit que ce serait le cas, et tu avais raison. Simplement, j'étais incapable de le voir à l'époque. Bien sûr, me tenir au courant de la vie de Maddie au travers de photos m'a bien aidée. J'ai visité son site Web, et ses créations sont magnifiques.

» Je n'ai pas été aussi bonne pour t'envoyer des photos de Jordan, mais au moins as-tu celles de ses compétitions

hippiques. Et quand tu envoyais des cadeaux, j'ai veillé à ce qu'elle les ait, même si je ne lui ai pas dit qui les envoyait. C'est à présent une jeune femme talentueuse très douée pour les affaires. J'ai de la chance de l'avoir près de moi. Tu avais raison sur ce point… et sur bien d'autres aussi. Je te dois énormément.

» Assez d'atermoiements. Je t'écris parce que je me demande s'il ne serait pas temps de réunir les filles. Ça fait plus d'un an que cette idée me travaille. Elles ont toutes les deux terminé leurs études, elles sont jeunes et indépendantes. Qu'en penses-tu ? J'ai tellement peur qu'elles me détestent pour ce qui est arrivé.

» Et peut-être qu'après toutes ces années, tu es heureux que les choses se passent comme ça. Fais-le-moi savoir, et je me plierai à ta décision.

» J'espère que cette lettre te trouvera en bonne santé.

» De tout mon cœur,

Eva. »

Jase patienta pendant que Maddie relisait la lettre.

— Elle l'a écrite mais ne l'a pas envoyée, dit-elle enfin. De toute façon, il ne l'aurait pas reçue puisqu'il est mort le 12 mai. Mais moi, je l'aurais eue et je l'aurais ouverte, probablement.

— Peut-être a-t-elle changé d'avis… ou téléphoné à ton père.

— Possible, soupira-t-elle. Tant de gens ont appelé après sa mort.

— Et, si elle avait demandé à parler à Mike, tu lui aurais répondu qu'il était mort.

— Oui, acquiesça-t-elle en regardant de nouveau la lettre. Ça soulève plus de questions que de réponses. *J'ai tellement peur qu'elles me détestent pour ce qui est arrivé.* Pourquoi l'aurions-nous détestée ? Parce que ça avait été son idée, de nous séparer ?

— Peut-être, dit Jase en lui reprenant la lettre pour la reposer sur les autres dans la boîte.

Il lui prit la main.

— Donc, réfléchit Maddie à voix haute, il y a un an, elle a pensé à nous réunir, et quand mon père est mort, elle aurait changé non seulement d'avis mais de testament ? Pourquoi attendre d'être morte pour nous réunir ?

— Tu n'auras peut-être jamais toutes les réponses, Maddie. Mais j'ai peut-être une théorie sur le timing. Tu as découvert à quel point Eva était prise par son travail. Mais, à l'époque où elle a écrit cela, Jordan travaillait chez Eva Ware Creations depuis à peu près un an, et elle insistait pour qu'elles passent du temps ensemble, toutes les deux. Eva commençait à connaître sa fille en tant qu'adulte, et peut-être qu'elle a eu envie de te connaître aussi. Et puis, quand ton père est mort, elle a eu peur de vous perdre toutes les deux en vous révélant ce que Mike et elle avaient fait.

— Alors, elle se serait arrangée pour qu'on se retrouve après sa mort ?

— Ça me paraît logique, dit-il en effleurant ses lèvres des siennes. Tu sais, il nous manque encore beaucoup de réponses. Vous êtes toutes les deux nées à Santa Fe, et peut-être que des gens, là-bas, se souviennent encore de ta mère, même à peine. Je parie que Jordan essaye de se renseigner sur ce point.

— Il faut qu'on lui téléphone, qu'on la tienne au courant. Et aussi qu'on sache pourquoi elle n'a pas allumé son téléphone depuis un bon moment. Mais, à présent que Dorothy et Adam ont été arrêtés, elle ne devrait plus courir aucun danger, non ?

— En effet, mais je vais quand même demander à D.C. de rester encore quelques jours avec elle.

Maddie sortit son portable, mais avant de composer le numéro, elle se tourna vers Jase.

— Quelles que soient les questions ou les critiques que

je puisse avoir à propos de ma mère, elle a fait au moins une bonne chose en rédigeant son testament.

— Laquelle ?

— Elle t'a fait venir dans ma vie. Et je lui en serai éternellement reconnaissante.

Jase attira Maddie sur ses genoux pour l'embrasser.

Lui aussi, il serait éternellement redevable à Eva de lui avoir apporté Maddie.

CARA SUMMERS

Au jeu de la volupté

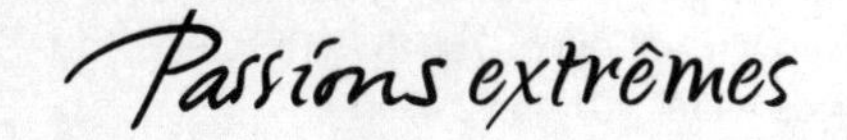

éditions HARLEQUIN

Titre original : TWIN SEDUCTION

Traduction française de EMMA PAULE

Ce roman a déjà été publié en juillet 2010

83-85, boulevard Vincent-Auriol, 75646 PARIS CEDEX 13.
Service Lectrices — Tél. : 01 45 82 47 47
www.harlequin.fr

Prologue

Ware House

Jordan jeta un vague coup d'œil au manoir de Long Island en claquant la portière du taxi derrière elle. Plus lugubre que jamais sur ce fond de ciel gris, la bâtisse paraissait receler son lot de mystères. Jordan avait toujours pensé, d'ailleurs, qu'elle aurait pu servir de décor à la littérature gothique qu'elle affectionnait dans sa prime jeunesse.

Au moins, la demeure familiale n'avait pas changé. Au contraire de tout le reste ou presque dans sa vie, en l'espace d'une semaine.

Submergée par une onde de douleur, elle frotta un poing contre sa poitrine. « Tu as survécu, jusqu'ici. Tu parviendras à endurer le reste. »

Sept jours auparavant, deux policiers s'étaient présentés chez elle, porteurs d'une effroyable nouvelle. Sa mère, la célèbre créatrice de bijoux Eva Ware, avait été tuée par un chauffard alors qu'elle traversait la rue devant chez elle.

Une semaine s'était écoulée depuis ce sinistre jour, et elle luttait encore pour l'accepter. Eva devrait être avec elle en ce moment même. Elles venaient toujours à Ware House ensemble. Mais sa mère n'était pas là. Elle ne serait plus jamais là.

Jordan ferma les yeux et s'obligea à prendre une profonde inspiration. Elle ne pouvait se permettre de s'effondrer maintenant, alors que tant de choses l'attendaient. Elle considérait comme son devoir de veiller à l'héritage de sa mère.

Un coup d'œil à sa montre lui confirma qu'elle était en avance d'une bonne demi-heure pour l'ouverture du testament. Ce qui lui laissait le temps de rassembler ses pensées, et surtout ses forces. Elle entreprit d'arpenter l'esplanade dallée devant la maison.

« Tu peux y arriver. »

N'avait-elle pas survécu à l'identification du corps, à la morgue, et aux préparatifs de l'enterrement ? Son oncle Carlton et sa tante Dorothy lui avaient d'ailleurs apporté leur aide.

Elle avait été très surprise, et reconnaissante, quand ils l'avaient contactée : d'aussi loin qu'elle se souvienne, elle n'avait jamais remarqué la moindre trace de cordialité entre sa mère et son oncle.

D'après ce que lui avait dit sa mère, leur querelle remontait à la mort de leur grand-père. Il leur avait tout légué à parts égales — Ware Bank, Ware House, ses actions, ses bons au porteur et ses liquidités. Carlton avait insisté pour que sa sœur investisse sa part dans la banque, mais elle avait tenu bon et tout consacré à sa récente entreprise de création de bijoux.

De l'avis de Jordan, sa décision s'était révélée très sage, puisque Eva Ware Creations était l'une des bijouteries les plus sélectes et les plus courues de New York. Eva avait essayé d'amadouer son frère en déménageant et en lui laissant l'usage exclusif de Ware House. Carlton, Dorothy et leur fils Adam y vivaient toujours, mais Carlton avait la rancœur tenace. A tel point que, chaque fois qu'elles y venaient, sa mère et elle, l'accueil était si glacial qu'elles louaient une chambre dans un hôtel proche afin de passer la nuit hors de cette atmosphère sinistre.

En dépit de ces différends, son oncle et sa tante lui avaient été d'un grand secours dans la préparation des funérailles. Dorothy Ware étant particulièrement à l'aise dès qu'il s'agissait d'organiser des réceptions, l'enterrement de sa mère avait fini par en être une. Des milliers de gens étaient venus rendre un dernier hommage à la célèbre créatrice de bijoux.

Cependant, la seule personne qui comptait aux yeux de Jordan n'avait pu y assister. Jase Campbell, son colocataire et meilleur ami.

Tous deux s'étaient connus au cours de sa première année à la Wharton School de l'université de Pennsylvanie. Elle avait rencontré Jase, plus âgé de quelques années, alors qu'ils se retrouvaient, par hasard et en même temps, en train de visiter un appartement à louer hors du campus. Au lieu de tirer à pile ou face pour savoir qui le louerait, ils avaient décidé de le partager et étaient très vite devenus amis. Un an plus tôt, quand Jase avait quitté la Marine pour monter une société de sécurité à New York, ils avaient repris leurs habitudes de colocation. Cela faisait presque un mois qu'il était au fin fond de l'Amérique du Sud sur une affaire de prise d'otages. Elle n'avait même pas pu le joindre par téléphone.

Il ignorait donc qu'Eva était morte.

Et il ignorait aussi l'énorme changement intervenu dans la vie de Jordan. Elle avait désormais… une sœur.

Edward Fitzwalter III, juriste depuis longtemps au service de sa mère, l'avait appelée le lendemain des funérailles pour lui apprendre *la* nouvelle, la laissant sous le choc. Même à présent, elle avait envie de se pincer pour savoir si la semaine écoulée n'avait pas été un cauchemar dont elle émergerait tout juste.

Elle avait une sœur dont elle n'avait jamais entendu parler ! Maddie Farrell. Et cette même sœur serait là aujourd'hui pour l'ouverture du testament de leur mère.

Chaque fois qu'elle y pensait, elle avait comme une boule dans l'estomac, et les nerfs en émoi. Elle n'avait eu que deux jours pour assimiler la nouvelle et, même si elle s'enorgueillissait de son efficacité et de son adaptabilité, elle n'était pas certaine d'y être réellement parvenue.

Comment faisait-on en découvrant qu'on avait une sœur — une sœur jumelle — élevée dans un ranch du Nouveau-Mexique par un père qu'on n'avait jamais connu non plus ? Un père qu'on ne connaîtrait jamais, puisqu'il était mort l'annnée précédente ?

Tout cela paraissait digne d'un mélodrame. Elle avait commencé par ne pas croire ce que lui disait Fitzwalter, et elle l'avait harcelé jusqu'à ce qu'il lui montre le certificat de naissance. Madison et elle étaient effectivement nées à Santa Fe. Elle était l'aînée de presque quatre minutes.

Fitzwalter lui avait également montré un acte de mariage. Eva Ware avait épousé Michael Farrell onze mois avant leur naissance à toutes deux.

Sitôt la véracité des dires de Fitzwalter établie, elle avait entré « Madison Farrell » sur Google et commencé à monter un dossier sur cette sœur inconnue. Dossier qui s'était considérablement épaissi en moins d'une heure de recherches. Sa sœur se faisait appeler Maddie. Outre le fait qu'elle possédait un ranch, elle avait monté une entreprise de création de bijoux à Santa Fe. Et, à l'exception de la coupe de cheveux, elle lui ressemblait trait pour trait.

Comment serait-elle, en réalité ? Auraient-elles quoi que ce soit en commun ? A voir son site Web, Maddie avait hérité du génie maternel en matière de joaillerie. Elle-même tenait-elle de leur père son talent en affaires ?

Jordan soupira. Au lieu de répondre à ses questions, ses recherches n'avaient fait qu'en susciter d'autres. Pourquoi leurs parents les avaient-ils séparées, Madison et elle ? Pourquoi étaient-ils restés chacun de leur côté pendant toutes ces années ? Pourquoi sa mère avait-elle prétendu que son père était mort peu après sa naissance ? Sa sœur aurait-elle des réponses à lui apporter ?

Repoussant ses frustrations, elle fit volte-face et leva les yeux vers la maison. Elle avait toujours du mal à croire que sa mère ne serait pas présente. D'autant que, dès le matin, elle avait suivi leurs vieilles habitudes, sauté dans un train depuis Manhattan, et ensuite dans un taxi. Elle avait même fait la halte coutumière à l'auberge de Linchworth pour y louer leur suite habituelle.

Ainsi, s'était-elle dit, Madison et elle auraient un endroit où se réfugier et discuter tranquillement après la lecture du testament. Car, même si son oncle et sa tante l'avaient grandement soutenue lors des funérailles, elle ne croyait pas à un miracle en matière d'hospitalité familiale. Cela dit, n'avait-elle pas loué cette suite parce que sa mère et elle l'avaient toujours fait, et qu'elle avait des difficultés à accepter sa disparition ?

Et puis, comment Maddie Farrell réagirait-elle face à ces nouveaux parents ? Dire que la famille n'était pas très soudée tenait de la litote. Jordan voyait rarement son oncle ou sa tante, et si elle voyait régulièrement son cousin Adam, c'était uniquement parce qu'ils travaillaient ensemble chez Eva Ware Creations.

Le rugissement d'une voiture de sport remontant l'allée attira son attention. « Tiens, quand on parle du loup… », se dit-elle en voyant Adam freiner juste devant la maison.

Elle lui fit un petit signe de la main et gravit l'escalier. Elle avait encore du temps devant elle — cela dépendrait de la rapidité avec laquelle Lane viendrait ouvrir la porte.

Il l'avait à peine entrouverte qu'un bruit de portière claquée résonna derrière elle.

— Jordan, attends… Je veux te parler.

Adam Ware paraissait contrarié. Mais, depuis deux ans qu'elle travaillait dans les mêmes bureaux que lui, elle ne l'avait guère vu que mécontent.

Il la rejoignit d'un bond alors que Lane finissait d'ouvrir la porte en grand.

— Bon sang, à quoi est-ce que tu joues encore ?

Jordan mit sa propre irritation en sourdine et adressa un sourire à son cousin.

— Je suis ici pour l'ouverture du testament de ma mère, lui dit-elle avant de se retourner vers le majordome. Bonjour, Lane.

Le majordome, qui lui avait toujours rappelé Michael Caine, s'inclina imperceptiblement et s'effaça.

— Mademoiselle Jordan, monsieur Adam, la famille s'est réunie dans la bibliothèque avec M. Fitzwalter.

— Ma sœur est-elle arrivée ? s'enquit Jordan.

— Pas encore.

— Ta *sœur* ! ricana Adam. C'est justement d'elle que je veux te parler.

Il l'entraîna vers une porte ouverte sur la gauche.

Jordan réprima un soupir et fit appel à toute sa patience. Depuis l'instant même où elle avait rejoint Eva Ware Creations, Adam s'était systématiquement opposé à toutes ses stratégies marketing. Il avait travaillé seul avec sa mère tandis qu'elle terminait ses études, et il était bien persuadé que, le jour venu, il hériterait de la direction de la société. Et, pour une raison qu'elle ne s'expliquait toujours pas, sa propre présence chez Eva Ware Creations avait rendu Adam paranoïaque.

Elle avait tenté une approche rationnelle, mentionné le fait que leurs talents respectifs couvraient des domaines différents, que, s'il apportait ses dons de designer à la société, elle lui offrait ses compétences commerciales. Mais rien de ce qu'elle avait pu dire ou faire n'avait paru calmer son cousin.

Eva avait vu dans leurs frictions une sorte de rivalité fraternelle et s'était remise au travail. Cependant, chaque fois qu'elle approuvait une suggestion de Jordan, Adam paraissait se sentir encore plus menacé.

La pièce dans laquelle l'avait entraînée Adam était meublée

d'antiquités de l'époque victorienne. Une fois qu'ils furent entrés, Adam lui fit face. Malgré la faible clarté, il était extraordinairement beau. Il avait la carrure athlétique de son père et la teinte de cheveux châtain doré de sa mère.

— Je veux une explication, dit-il d'un ton furieux.

— Une explication ? A quoi ?

— Je veux savoir à quoi tu joues avec cette sœur que tu t'es inventée. Mon père m'a dit qu'il avait reçu un coup de téléphone de Fitzwalter, selon lequel tu ferais surgir quelqu'un que tu prétends être ta sœur.

— J'ai reçu le même appel de Fitzwalter, lui répondit Jordan très calmement. Je pense que le crédit de son apparition devrait revenir à mes parents. Fitzwalter pourra te montrer le certificat de naissance, si tu y tiens. A la demande spécifique de ma mère, il a contacté Madison et lui a demandé d'être ici le jour de l'ouverture du testament.

— Pourquoi ? Pourquoi faire apparaître cette deuxième fille maintenant ?

Excellente question, se dit Jordan.

— Je n'en sais pas plus que toi.

— Je veux savoir ce que ça signifie.

Jordan le dévisagea un moment. Il y avait presque de la panique dans ses yeux.

— Cela signifie que tu as une cousine dont tu n'as jamais entendu parler, reprit-elle.

— Ce n'est pas de ça que je parlais ! s'exclama-t-il avec irritation. Je veux savoir si l'existence de cette *personne* va affecter ma position chez Eva Ware Creations.

— Très peu, à mon avis.

Il n'était pas le seul à se poser ce genre de question, et il devait probablement formuler tout haut les inquiétudes de ses parents. Elle soupçonnait une énorme pression de leur part sur les épaules de son cousin, surtout de sa mère, pour qu'il prenne un jour les rênes d'Eva Ware Creations.

— D'après ce que j'ai pu apprendre, reprit Jordan,

Maddie a assez à faire avec le ranch et sa propre entreprise de création de bijoux de Santa Fe.

— Elle crée des bijoux ? s'exclama Adam, stupéfait.

— Va donc voir son site Web, répliqua-t-elle en consultant ostensiblement sa montre, avant de se diriger vers la porte. Ma sœur ne va plus tarder à arriver, et je pense que nous ferions mieux de rejoindre les autres.

Elle allait regagner le vestibule quand Adam lui saisit le bras et l'obligea à se retourner vers lui.

— Tu n'en sais pas plus que ça ?

— Non, dit-elle sèchement.

Elle se dégagea et suivit Lane dans le couloir jusqu'à la bibliothèque, dont il leur ouvrit grand les portes. Un parfum d'encaustique et de roses lui monta aux narines dès qu'elle pénétra dans la pièce au côté de son cousin.

Trois des murs de l'immense pièce étaient tapissés de rayonnages emplis de livres, et quatre fenêtres à vitrail aussi hautes qu'étroites occupaient le quatrième. Fitzwalter s'était installé derrière un bureau. Les fauteuils de cuir rouge avaient été disposés en deux rangées semi-circulaires face à lui.

Cho Li, l'assistant de toujours de sa mère, avait pris place dans la deuxième rangée, et il retourna à Jordan le sourire chaleureux que celle-ci venait de lui adresser.

Son oncle Carlton et sa tante Dorothy avaient déjà pris place à la droite de l'homme de loi, et Adam les rejoignit directement. Il se pencha vers sa mère et lui adressa quelques mots. Jordan songea qu'il devait lui rapporter leur bref entretien.

Comme toujours, elle fut frappée par la beauté de son oncle. Et par son impassibilité. C'était un homme au verbe rare. Sa mère avait toujours prétendu qu'il avait pour seule préoccupation la Ware Bank, fondée par leur aïeul, et dont les succursales avaient essaimé sur tout Long Island. Vu qu'elle-même n'avait qu'Eva Ware Creations en tête, cela leur faisait au moins un point commun ! songea Jordan.

Le regard que son oncle dirigea sur elle était froid et impénétrable, et elle se demanda ce qu'il avait pensé de l'apparition de sa sœur dans le tableau. Et Dorothy ? Sa tante était encore plus indéchiffrable que son mari.

Jordan prit un siège à la gauche de Fitzwalter.

— Il est 14 heures. Je pense que nous pourrions commencer, dit Dorothy sur le ton détaché qui lui était coutumier.

Comme toujours, elle avait l'air de sortir d'une prise de vue pour la couverture de *Vogue*. Cependant, Jordan nota qu'elle avait les mains serrées, crispées sur son sac de couturier.

Fitzwalter ôta ses lunettes quand son téléphone portable sonna, et le porta à son oreille.

— Oui ?

Il écouta un instant, coupa la communication et les regarda tous.

— Mlle Madison Farrell va se joindre à nous sous peu. Sa voiture vient d'arriver.

Jordan sentit croître sa tension nerveuse. D'un côté, elle avait envie de se précipiter à la porte pour accueillir sa sœur. De l'autre, elle luttait encore pour accepter ce que lui avait appris Fitzwalter, ce qu'elle avait constaté de ses propres yeux quand il lui avait montré son certificat de naissance.

« Sa sœur… » D'ici à quelques secondes, elle allait faire la connaissance de sa *sœur.* Combien de fois s'était-elle laissée aller à imaginer cet instant ? Tout deviendrait bientôt réel.

La pendule égrena les secondes ; de l'autre côté du bureau, les Ware fixaient la porte de la bibliothèque dans le plus grand silence. Soupçonnaient-ils tous la même chose qu'Adam — qu'elle faisait apparaître une sœur inconnue comme par magie ? Qu'elle avait toujours été au courant de son existence ?

Une soudaine bouffée de colère la fit sauter sur ses pieds et se tourner face à la porte. La paranoïa d'Adam, elle s'y était faite, à la longue, mais tout cela virait au ridicule. Sa sœur était sur le point de pénétrer dans une pièce à l'atmosphère glaciale et pour le moins hostile. En pensée, elle se représenta Maddie entrant dans la maison, suivant Lane le long du couloir donnant sur la bibliothèque. Son propre état de nerfs n'était rien, comparé à ce que devait éprouver sa jumelle en cet instant. Elle avança vers les doubles portes.

Quand elles furent ouvertes, Jordan se figea et, soudain, il n'y eut plus que Maddie et elle dans la pièce. Elle avait eu beau imaginer mille fois leur rencontre, rien ne l'avait préparée à cet instant de reconnaissance, d'affinité mutuelle, qui la frappa comme un coup à l'estomac. Elle dut chercher son souffle, comme si elle venait de gravir une colline au pas de course. C'est une chose de voir une photo sur un site Web, c'en était une autre bien différente de se retrouver face à un reflet identique de soi-même.

Enfin, *presque* identique.

Maddie Farrell avait les mêmes yeux bleu-violet, les mêmes traits et la même teinte de cheveux, mais elle les coiffait différemment. Jordan gardait les siens à hauteur de menton alors que Maddie les portait tressés en une longue natte, comme leur mère. Combien de fois Jordan avait-elle tenté de persuader Eva d'adopter une coiffure plus moderne ?

Tout comme elle l'avait fait à de nombreuses reprises ces derniers jours, elle repoussa la douleur occasionnée par l'image de sa mère. Maddie et elle n'avaient pas non plus le même goût en matière de vêtements. Cependant, le style champêtre du pantalon et de la veste en denim brodée de sa sœur lui plut.

Elle ne sut pas combien de temps elles restèrent là, face à face, à se regarder. A tâcher d'appréhender l'incroyable réalité.

Tout ce que lui avait dit Fitzwalter était exact. Elle avait bien une sœur jumelle. Et cette sœur était là.

Jordan se précipita et lui prit les mains. Ce qu'elle vit alors dans les yeux de Maddie — curiosité, excitation, anticipation — ne fut que le reflet de ses propres sentiments. Une fois encore elle perçut le lien qui les unissait, et son état de nerfs s'apaisa. Tout allait bien se passer. Quoi qu'il puisse advenir.

Brutalement submergée de joie, elle murmura dans un souffle :

— Bienvenue…

Puis elle se tourna vers les autres :

— Oncle Carlton, tante Dorothy, Adam, Cho, je vous présente ma sœur, Madison Farrell.

Cho se leva et s'inclina.

— C'est un grand plaisir pour moi de rencontrer l'autre fille d'Eva.

Un long silence régna dans la pièce avant que Carlton Ware ne se lève.

— Tu vas devoir nous excuser, Madison, déclara-t-il. Le choc provoqué par le décès brutal de ma sœur, ajouté à la nouvelle qu'elle avait une deuxième fille dissimulée toutes ces années à Santa Fe… Eh bien, nous essayons toujours d'assimiler tout cela. Jusqu'à ce que tu pénètres dans cette bibliothèque il y a quelques instants, je ne suis pas certain qu'aucun d'entre nous ait vraiment cru à ce que nous avait dit Edward. A présent, Dorothy, Adam et moi-même tenons à te souhaiter la bienvenue à Ware House.

Jordan lui adressa un sourire de reconnaissance. C'était peut-être un homme de peu de mots, mais parfois on pouvait compter sur lui. Puis elle serra la main de Maddie, l'entraîna vers leurs sièges et chuchota :

— Quand cette histoire de testament sera finie, il va falloir qu'on parle, toutes les deux…

- 1 -

Le ciel était encore d'un noir d'encre lorsque la limousine s'immobilisa devant le terminal J.F.K. à 6 heures du matin. Quand Jordan voulut également en descendre, sa sœur Maddie lui jeta un regard surpris. En croisant le regard de sa jumelle, Jordan eut la même impression bizarre de connexion instantanée qu'elle avait éprouvée la première fois qu'elle l'avait vue.

— Jordan, dit Maddie en souriant, je suis parfaitement capable d'aller toute seule prendre l'avion pour retourner à Santa Fe.

— Je sais, dit Jordan en passant la première les portes tournantes. Tu dois te dire que je suis une obsédée du contrôle, et aussi un moulin à paroles, mais j'ai encore des choses à te dire. Je t'accompagne jusqu'au contrôle de sécurité.

Dans la suite de la petite auberge de Linchworth, où elle avait emmené sa sœur en sortant de Ware House, elles avaient passé quasiment toute la nuit à parler. Et, quand Maddie avait finalement cédé au sommeil, Jordan avait réentendu en boucle, dans son esprit, la voix d'Edward Fitzwalter lisant les termes du testament extraordinaire d'Eva Ware.

Eva avait laissé une somme confortable à Cho Li, son assistant. A son frère Carlton, elle avait laissé toutes ses parts et actions de la Ware Bank. Des dispositions tout à fait raisonnables.

Puis Fitzwalter en était arrivé au passage qui allait bouleverser intégralement leurs vies à toutes les deux, Maddie et elle.

« Le reste de mes biens, autrement dit mes actions, mes titres, l'argent liquide, Eva Ware Creations, ma part de Ware House et mon appartement de New York, je les laisse à mes deux filles, Jordan et Maddie, afin qu'ils fassent l'objet d'un partage équitable. Toutefois, j'y mets une condition. Elles doivent échanger leurs places et vivre la vie l'une de l'autre pendant trois semaines consécutives — et ininterrompues — dont le premier jour commencera dans les soixante-douze heures suivant l'ouverture de ce testament. Si elles refusent de remplir la condition énoncée précédemment, ou si elles ne respectent pas le délai des trois semaines, mes cinquante pour cent de Ware House reviendront à mon frère Carlton. Tout le reste, y compris mon entreprise et mon appartement, devra être vendu, et le profit réparti équitablement entre tous mes parents survivants. »

Sa première réaction avait été le choc. Même son oncle Carlton avait été stupéfait. Dorothy avait glissé quelques mots à Adam, et celui-ci avait bondi de sa chaise pour aller planter les mains sur le bureau et déclarer à Fitzwalter qu'il y avait sûrement une erreur quelque part. Qu'Eva avait toujours voulu que son neveu prenne sa succession.

Seulement, il n'y avait pas d'erreur. Sa mère avait effectivement voulu que Maddie et elle échangent leurs places pendant trois semaines, et Jordan avait persuadé sa sœur d'accepter. Elles allaient échanger leurs vies, tout comme l'avaient fait les deux filles dans *La Fiancée de Papa*, ce vieux film des studios Disney.

Au début, Maddie s'était montrée réticente, et Jordan ne pouvait pas le lui reprocher. Le moins qu'on puisse dire, c'était qu'échanger leurs existences allait être compliqué.

Cependant, Jordan lui avait expliqué qu'obéir aux termes du testament était la seule façon de sauvegarder l'œuvre à laquelle leur mère avait consacré sa vie : Eva Ware Creations. Elles ne pouvaient en autoriser la vente.

Au pied de l'escalator menant aux postes de sécurité, elle attira Maddie un peu à l'écart.

— Je sais que je t'ai un peu forcée à accepter tout ça.

— Tu ne m'obliges pas à faire ce que je ne veux pas faire, lui répondit très sérieusement Maddie. Eva Ware a été mon idole depuis presque toujours, ajouta-t-elle avant de se rembrunir légèrement. Papa le savait, et il ne m'a jamais rien dit.

— Maman n'a jamais rien dit non plus. J'y ai réfléchi des heures durant.

— Je sais que j'ai été un peu réticente au départ, dit alors Maddie en plantant ses yeux dans les siens. Mais je comprends qu'on ne puisse laisser vendre ce qu'elle nous laisse. J'éprouve la même chose vis-à-vis du ranch.

Sa sœur lui avait confié les difficultés récentes du ranch. Depuis la mort de Mike Farrell, un an plus tôt, elle se battait pour maintenir la propriété à flot et, dernièrement, plusieurs incidents avaient perturbé le cours des choses, là-bas. Clôtures arrachées, vandalisme, et même une tentative d'empoisonnement de ses chevaux. Maddie soupçonnait un agent immobilier qui la pressait de vendre d'être derrière ces incidents.

— Cet échange, ce n'est que pour trois semaines, reprit Maddie en prenant les mains de sa sœur.

— Tu me promets d'être prudente, de ne pas quitter le travail trop tard le soir ? demanda Jordan en lui serrant les mains.

— Je te le promets. Je ferai attention et je quitterai la boutique à l'heure de la fermeture, répondit Maddie.

Il y avait eu un cambriolage à la boutique de Madison

Avenue un mois plus tôt, et la police enquêtait toujours. De plus, Maddie ignorait tout des risques de la vie à Manhattan.

— Je me sentirai mieux quand Jase sera rentré d'Amérique du Sud, fit remarquer Jordan.

— Et moi, je m'inquiète vraiment de te savoir seule au ranch, repartit Maddie. Je respirerai mieux quand je serai sûre que mon voisin Cash et mon contremaître seront rentrés du marché aux bestiaux.

L'une des choses qu'elles avaient apprises l'une de l'autre, durant le bref laps de temps qui s'était écoulé depuis leur rencontre, c'était que chacune avait un homme comme meilleur ami.

Cash Landry avait toujours fait partie de la vie de Maddie ; il était comme un frère pour elle — et, parfois, un peu trop protecteur. Jordan lui avait décrit sa relation avec Jase Campbell dans des termes similaires.

— Cash sera peut-être rentré après-demain, quand tu y partiras, dit Maddie, pleine d'espoir.

— Au fait, tu as ton billet de retour ?

— Je l'ai, répondit Maddie en souriant.

Jordan prit une grande inspiration, puis relâcha son souffle.

— On peut y arriver.

En voyant l'expression des yeux de sa sœur, elle crut profondément que c'était réalisable.

— Ne t'inquiète pas, lui dit Maddie. Tout ce que je vais avoir à faire, c'est vivre dans ton appartement et aller travailler dans une bijouterie. Toi, tu vas devoir survivre trois semaines dans un ranch.

— J'apprends vite. Ça va aller.

— Il faut que j'y aille, dit Maddie en lui lâchant les mains.

L'espace d'une seconde, Jordan perçut la perte de contact.

— Tu as les notes que j'ai prises pour toi ?

— Juste là, répondit Maddie en tapotant son sac à bandoulière.

— J'ai les tiennes. Et puis, on se téléphonera. A la moindre question, appelle-moi, d'accord ?

— O.K.

Elles se firent face en même temps, s'étreignirent, et restèrent enlacées un moment.

— Je t'aime, murmura Maddie.

— Moi aussi, répondit Jordan.

Et, en le disant, elle comprit que c'était la vérité.

Maddie s'engagea sur l'escalator, et Jordan la suivit des yeux jusqu'à ce qu'elle disparaisse.

Jordan jeta un dernier coup d'œil à son placard, en ferma la porte et consulta sa montre. 15 heures. Des yeux, elle fit le tour de la salle de bains en cochant mentalement sa liste. Sa valise était prête et, au pied du lit, elle avait posé quelques objets à y ajouter. Il lui restait presque une heure avant l'arrivée de la limousine.

Juste assez de temps, donc, pour que son état de nerfs empire ! Elle se mit à faire les cent pas sans pouvoir réprimer les questions qui la harcelaient. Avait-elle bien fait de pousser sa sœur à accepter cet échange de vies ? Elle se planta devant la fenêtre et contempla le flot ininterrompu de voitures, en contrebas. Ce n'était pourtant pas son genre de s'interroger sur ses décisions.

Peut-être, mais Maddie et elle n'étaient pas les adolescentes insouciantes de *La Fiancée de Papa*. Elles étaient des adultes ayant de sérieuses responsabilités. Elle ne savait rien de la gestion d'un ranch, et Maddie lui avait avoué avoir de graves ennuis financiers. Pendant son séjour au ranch, elle avait bien l'intention d'étudier la question et de tenter de trouver une idée pour venir en aide à sa sœur.

Le plus facile serait indubitablement de se faire passer

pour elle lors de l'exposition de bijoux qui devait avoir lieu sous peu à Santa Fe. Elle avait même fait l'emplette d'une pince à cheveux afin de faire comme si elle avait réuni sa chevelure en chignon, car elle savait que des acheteurs potentiels préféreraient discuter avec Maddie Farrell la créatrice plutôt qu'avec une Jordan Ware totalement inconnue d'eux.

Cet aspect-là de l'échange, elle était certaine de pouvoir l'assumer pleinement. Et Cho Li serait d'un grand secours à Maddie chez Eva Ware Creations. Seulement, sa sœur risquait d'être perdue dans une ville comme New York !

Non qu'elle fût inquiète pour sa sécurité : l'expression du visage d'Adam, quand Maddie l'avait remis à sa place, était un souvenir qu'elle ne risquait pas d'oublier. Cependant, vivre à New York ne ressemblait en rien à ce que connaissait Maddie.

Si seulement leur mère leur avait laissé un peu plus que trois jours avant d'avoir à échanger leurs vies… Elle aurait pu habituer sa sœur au rythme effréné de la ville. Là, Maddie allait devoir se débrouiller seule.

Et elle, elle se sentait un peu coupable à ce sujet-là. Depuis l'instant même où elle avait vu sa sœur sur le seuil de la bibliothèque de Ware House, elle avait éprouvé un besoin étrange de la protéger. Etait-ce parce qu'elle était l'aînée ? Elle ne trouvait aucune explication rationnelle à ce lien qui l'unissait à Maddie.

Jordan se remit à faire les cent pas. Avait-elle le choix ? Si elles n'échangeaient pas leurs places, Eva Ware Creations serait vendu et l'argent réparti entre les autres Ware, Maddie et elle.

Et ça, c'était impossible à ses yeux. Le travail de la vie de sa mère détruit ? Non ! Maddie et elle avaient fait la seule chose possible et imaginable.

Elle alla s'asseoir sur son lit. Il lui fallait parler avec quelqu'un. Hélas, Jase n'était pas là.

Elle prit la photo encadrée sur sa table de nuit, celle qu'avait prise Jase lors de sa remise de diplôme. En tenue d'étudiante diplômée, elle s'y tenait au côté de sa mère.

— A quoi pensais-tu ? demanda-t-elle à l'image de sa mère.

Dieu sait que ce n'était pas la première fois qu'elle lui posait cette question, depuis trois jours !

— Et pourquoi as-tu risqué de perdre l'entreprise de ta vie ? Maddie et moi aurions pu refuser cette condition ridicule, tu ne crois pas ?

Au moins avait-elle une théorie sur ce point. En plus d'être une brillante créatrice de bijoux, sa mère avait toujours su déchiffrer les êtres. Elle avait deviné que Jordan serait extrêmement tentée par un séjour de trois semaines dans un ranch. Qu'elle serait curieuse de connaître la vie qu'avait menée sa sœur pendant toutes ces années. Sans compter qu'une visite au ranch serait la seule manière d'apprendre à connaître le père qu'elle n'avait jamais vu.

Mais comment Eva Ware avait-elle pu avoir la même certitude au sujet de Maddie, cette fille qu'elle n'avait plus vue depuis sa naissance, ou presque ? S'était-elle régulièrement tenue informée de la petite fille laissée à Santa Fe ? Son père avait-il fait de même avec elle, Jordan ? A toutes ces interrogations se mêlait un fort sentiment de perte. Car, en un sens, elle avait perdu ses deux parents en l'espace d'une semaine.

— Pourquoi Mike Farrell et toi vous êtes-vous mariés, puis vous êtes-vous séparés ? Et pourquoi nous avez-vous séparées, Maddie et moi ?

Elle ne parvenait pas à comprendre que sa mère ait pu garder si longtemps le secret sur l'existence de sa jumelle. Et, maintenant qu'elle le savait, elle n'avait plus aucun moyen d'exiger des réponses.

Elle lutta contre un certain accablement, se leva et alla mettre dans sa serviette les objets restés au pied du lit. Un guide de Santa Fe et de ses environs, et un dossier contenant les notes que Maddie avait rédigées à son intention, au sujet des gens sur lesquels elle pourrait tomber au ranch ou à Santa Fe.

Elle-même avait fourni les mêmes informations à Maddie, mais elle les avait organisées en deux dossiers avec des photos. A l'image de sa mère, sa sœur prenait des notes sur tout ce qui lui tombait sous la main, serviette en papier, feuille arrachée de son carnet, papeterie fournie par l'hôtel de Linchworth…

Enfin, elle se pencha vers sa bibliothèque et en sortit quelques romans aux couvertures fatiguées, des westerns de ses auteurs préférés — Louis L'Amour, Zane Grey, Luke Short et Larry McMurtry. Elle partait pour Santa Fe afin que perdure et embellisse l'œuvre de sa mère, mais elle n'avait rien dit à sa sœur de sa passion pour les ranchs et les cow-boys.

Elle ne savait pas trop comment avait débuté cet intérêt, mais elle se souvenait encore d'un cadeau surprise du Père Noël quand elle avait six ans. Un ranch miniature complet, avec les bâtiments, les clôtures, les chevaux et, bien sûr, le bétail. Cette année-là, elle avait délaissé la maison de poupée que lui avait offerte sa mère et installé son ranch dans un angle de sa chambre. Combien d'heures avait-elle consacrées à réorganiser son ranch et à s'inventer des histoires sur la vie dans les grandes plaines ? Peu de temps après, sa mère avait cédé à ses supplications et lui avait offert des cours d'équitation.

Seule Eva avait su qu'elle avait toujours rêvé de vivre dans un ranch, un jour. C'était un rêve dont elle n'avait jamais cru qu'il deviendrait réalité.

Pourtant, c'était advenu.

Le téléphone sonna.

— Allô !

— Salut, c'est Maddie.

La panique surgit en elle, incontrôlable. Sa sœur devrait être dans l'avion à destination de New York.

— Tu as changé d'avis ? demanda Jordan. Ecoute, je sais que je t'ai mis la pression…

— Tu ne m'as mis aucune pression, riposta Maddie. Peut-être que tu y as été un peu fort sur la bouteille en me servant…

Son humour apaisa un peu la tension de Jordan.

— Je voulais juste te dire qu'on a été retardés à Santa Fe et que je poireaute à Chicago, lui apprit sa sœur. A cause du mauvais temps, mon vol pour J.F.K. est retardé également.

— N'empêche, c'est bon d'entendre ta voix, dit Jordan.

C'était la vérité. N'avait-elle pas rêvé, quelques instants plus tôt, d'avoir quelqu'un à qui parler ?

— Pareil pour moi. Et toi ? Pas d'arrière-pensées ?

— Aucune. Je suis prête, et la limousine devrait arriver dans une demi-heure.

— On va vraiment y arriver.

Ce n'était pas une question. Jordan sourit alors que ses inquiétudes s'envolaient.

— Oui, on va y arriver.

— Tu te souviens de l'endroit où trouver les clés du ranch ?

— Sous le pot de fleurs du porche.

— Et mes derniers croquis pour l'exposition…

— Dans le coffre-fort.

— Désolée. As-tu également peur d'avoir oublié de me dire quelque chose ?

— Non. Tout ce que tu as à faire, c'est consulter mes notes. Et si tu as des questions, tu m'appelles.

— Exact. Tu sais, j'ai réfléchi. Peut-être qu'Eva savait ce qu'elle faisait. C'est une excellente opportunité pour moi de la connaître, et pour toi de faire de même avec notre père.

— C'est même notre seule chance, dit-elle, le cœur serré.

Cependant, elle savait que, dans les affaires comme dans la vie, il faut parfois jouer avec les cartes qui vous ont été distribuées. Elle était impatiente d'apprendre tout ce qu'elle pourrait au sujet de son père.

— Tu me crois, si je te dis que je suis impatiente de prendre ta place ? lui demanda Maddie.

— Tout à fait, répondit Jordan en souriant. C'est la même chose pour moi.

Cela aussi, c'était la vérité. Et, pour la première fois, elle sut que tout allait se passer merveilleusement bien.

- 2 -

Aussi curieuse qu'excitée, Jordan fit entrer son 4x4 dans l'appentis servant de garage. Ainsi, c'était la maison dans laquelle avait grandi Maddie.

Cela aurait pu être la sienne.

Ces mots, ils lui revenaient comme une litanie depuis qu'elle avait atterri à Santa Fe. Elle aurait pu être élevée ici, au lieu de l'être à Manhattan. Vivre dans les grands espaces qu'elle avait traversés en venant n'aurait pas été un simple rêve, mais son existence même. Et elle aurait grandi auprès de son père.

Eva avait toléré son amour des chevaux mais ne l'avait jamais partagé. A présent, Jordan avait perdu l'occasion de connaître celui qui aurait partagé cette passion. Pourquoi ?

Elle repoussa sa tristesse. L'heure n'était pas au ressassement. Elle espérait bien trouver, ici, toutes les réponses aux questions qu'elle se posait.

Jusqu'à présent, tout lui avait paru différent — le paysage, le ciel, et même l'air. Sur la route venant de Santa Fe, le sable et les rochers s'étendaient sur des kilomètres de part et d'autre du ruban de bitume. La luminosité d'un ciel dépourvu de nuages baignait le paysage, des ondes de chaleur formaient à l'horizon une brume de chaleur tremblotante. Ses lunettes de soleil lui avaient été d'un grand secours contre les éblouissements.

Au début, les collines paraissaient très éloignées, mais elle les avait finalement atteintes et gravi la pente sur une route de plus en plus sinueuse. A sa droite, la roche brune, à sa gauche, la terre disparaissait régulièrement dans de profondes ravines.

L'immensité du paysage qui s'offrait à elle l'avait emplie d'une sorte de respect. Jamais encore elle n'avait vu pareil spectacle, à part dans les films.

Le sommet de la colline passé, la route s'était aplanie et, à mesure qu'elle se rapprochait, elle avait eu quelques aperçus du ranch. La seule construction qu'elle était à même d'identifier fut la maison — en pierre, bois et verre, de plain-pied, gigantesque. A présent, protégée par l'auvent de l'appentis, elle put enfin inspecter à loisir l'extérieur de la bâtisse.

Au loin, sur sa droite, se trouvait un long bâtiment peint en rouge, avec des moulures blanches. Les écuries, devina-t-elle. Maddie devait avoir un cheval. C'était un des nombreux sujets qu'elles n'avaient pas abordés pendant le temps trop court qui les avait réunies. Elle-même avait négligé de dire à sa sœur qu'elle possédait un cheval, dans un haras au nord de la ville. Elle se promit de le lui dire la prochaine fois qu'elles se parleraient au téléphone. Jules César serait ravi que Maddie lui rende une petite visite.

Non loin de l'écurie, un bâtiment d'un étage devait servir de dortoir. Sur sa gauche, et plus près de la maison principale, se trouvait un bâtiment plus petit, de plain-pied également et construit dans le même matériau que la maison. L'atelier de Maddie, sûrement.

Elle laissa courir ses yeux sur les terrains par-delà les bâtisses, qui s'étendaient à l'infini. Plus ou moins plans au début, ils s'élevaient graduellement en d'autres collines. A cet instant, quelque chose palpita en elle. Etait-ce une forme de jalousie, due au fait que sa sœur pouvait dire qu'elle était *chez elle*, ici, et pas elle ?

C'était ridicule… Elle aimait sa vie à New York. Ce devait être de la curiosité. Tant qu'elle serait ici, elle entendait bien la satisfaire pleinement en explorant le moindre aspect de la vie de Maddie, en commençant, dès ce soir, par la maison.

Un coup d'œil à sa montre lui apprit que l'heure était justement venue. Il était 20 heures. Qu'attendait-elle donc ? Elle prit une profonde inspiration, ouvrit la portière du 4x4 et se laissa glisser à terre. La chaleur la frappa comme un coup de poing, et elle perdit l'équilibre alors que ses talons hauts s'enfonçaient dans le sable. Elle plaqua une main sur la voiture, ôta ses chaussures et les jeta dans l'habitacle. Heureusement que Maddie et elle avaient décidé d'échanger aussi leurs garde-robes, car ces escarpins n'allaient pas lui être très utiles dans ce nouvel environnement.

Elle attrapa sa serviette, fit volte-face et se figea. Au loin, les collines qu'elle venait tout juste de franchir s'étaient parées d'une stupéfiante teinte orangée.

Pieds nus, elle alla ouvrir le coffre, en sortit sa valise et se dirigea vers la maison. Le sol était brûlant et caillouteux sous ses pieds, mais au moins pouvait-elle avancer. Au bas des quelques marches du porche, elle s'immobilisa afin d'observer la maison. La porte d'entrée délicatement ouvragée était encadrée par deux immenses baies qui s'étendaient le long de la maison, du sol au plafond. Celui qui avait dessiné les plans de cette maison était un amoureux de ce pays.

Et qui ne le serait pas ? se demanda-t-elle en se retournant une fois encore vers les collines orangées. Il régnait ici une paix tout à fait plaisante. Etait-ce dû au fait qu'elle avait toujours fantasmé sur la vie dans un ranch ? Peut-être, mais un fantasme reste un fantasme. Elle était née et avait grandi en ville, au milieu de la frénésie, du bruit, de l'excitation constante.

Pourtant… il y avait vraiment quelque chose, ici, qui l'attirait, qui la fascinait.

Sa mère avait-elle prévu cela en rédigeant ses dernières volontés ?

« Plus tard… Tu y réfléchiras plus tard. »

Elle atermoyait encore, se dit-elle en gravissant les marches. Cela ne lui ressemblait pourtant pas. La clé était à l'endroit où l'avait cachée Maddie, et elle ne put s'empêcher de pousser un soupir. Pas un seul citoyen de Manhattan digne de ce nom ne laisserait sa clé dans une cachette aussi prévisible. Elle-même avait eu le bon sens de confier son trousseau de secours à Maddie avant qu'elle ne revienne préparer ses affaires.

Elle inséra précautionneusement la clé dans la serrure et la tourna. Tout en poussant la porte, elle se rendit compte qu'une prudence peu habituelle avait présidé à ses moindres gestes, depuis l'instant même où elle avait persuadé Maddie d'accepter les conditions du testament.

Quoi qu'elle puisse découvrir derrière cette porte, quoi qu'il advienne au cours de ces trois semaines, cela allait modifier sa vie.

Du tout au tout.

« Alea jacta est », songea-t-elle en pénétrant dans la maison. Cependant, le sentiment qui la saisit en entrant fut si surprenant qu'elle en vint presque à reculer vers le porche. Car, à l'instant où elle mit le pied dans cette immense pièce au plafond voûté, elle se sentit inexplicablement chez elle.

Deux heures plus tard, plantée devant l'une des immenses baies, dans le spacieux living-room, Jordan regardait les éclairs se succéder au loin. La baie, du sol au plafond, lui offrait une vue sur écran géant, et le spectacle valait largement les feux d'artifice du 4 juillet dans le port de Manhattan.

Il était presque 22 heures, autrement dit 1 heure du matin à New York, et elle n'avait toujours pas sommeil.

Une fois sa surprise initiale passée, elle s'était comportée comme une enfant lâchée dans un magasin de bonbons. Elle s'était promenée de pièce en pièce en s'efforçant de tout assimiler. Il y avait trois chambres — une chambre de maître dont elle devina que c'était celle de Mike Farrell, une chambre d'amis, et une troisième qui était certainement celle de Maddie.

Elle avait enlevé ses vêtements de ville, pris une douche et enfilé des sous-vêtements propres. Les siens. Maddie avait tendance à privilégier le simple coton blanc, mais pas elle. En revanche, elle avait emprunté le peignoir de sa sœur. Puis elle avait passé la plus grande partie du temps dans une pièce chaleureuse et confortable qui servait de bureau et de bibliothèque. Tout ce qu'elle trouvait soulevait de nouvelles questions.

Elle baissa les yeux sur la photo encadrée de Mike Farrell, qu'elle avait prise dans la chambre de Maddie. Sur le cliché, Maddie était juchée sur un cheval. Elle avait l'air d'avoir dix ou onze ans, et le cheval était une pure beauté — il avait une robe noire parsemée de quelques taches blanches. Mike Farrell se tenait debout près d'elle. Un serrement de cœur étreignit Jordan tandis qu'elle étudiait la photo. Mike était beau, dans le style rugueux et solide d'un John Wayne, et il semblait être parfaitement bien dans sa peau. Il avait posé une main sur celle de Maddie, sur le pommeau de la selle. Il y avait un je-ne-sais-quoi dans ce geste qui parlait de camaraderie. Et d'amour. A quelle occasion cette photo avait-elle été prise ?

Sa mère s'était tenue près d'elle la première fois qu'elle lui avait montré son cheval, Jules César. Ses parents, manifestement, avaient tous deux beaucoup aimé leurs filles. Ou du moins celle que chacun avait choisie.

Pourquoi les avaient-ils séparées, Maddie et elle ? Pourquoi Eva et Mike avaient-ils rompu ? Plus les questions tournaient dans sa tête, plus elle était décidée à trouver des réponses.

Où leurs parents s'étaient-ils connus ? Où vivaient-ils quand sa sœur et elle étaient nées ? Ici, au ranch ? Si tel était le cas, il y avait peut-être quelqu'un dans les parages qui se souvenait d'Eva Ware.

Cependant, ce qu'elle découvrit en ouvrant la porte du réfrigérateur, ce fut que Maddie était pleine d'attentions. Même si elle avait eu mille choses à faire et à préparer en vue de « l'échange », elle avait pris le temps de laisser du fromage, du raisin superbement mûr et du vin pour elle. Un chardonnay provenant du même cépage que celui qu'elles avaient partagé le premier soir à l'auberge.

Elle réprima un accès de culpabilité pour n'avoir rien laissé à manger chez elle. C'était Jase Campbell qui s'occupait généralement des courses, et elle n'en avait fait aucune depuis trois semaines qu'il était absent. Elle mangeait dehors, ou achetait un plat à emporter en rentrant à la maison.

Ce genre d'opportunité ne devait pas exister par ici, se dit-elle. Elle ouvrit la bouteille, se servit un verre, en but une gorgée, puis se prépara une assiette de fromage et de crackers, qu'elle emporta devant la baie pour profiter encore du spectacle. Les éclairs se rapprochaient et, pour la première fois, elle entendit le tonnerre dans le lointain.

Heureusement qu'elle n'avait jamais eu peur de l'orage !

Cependant, regarder le show que lui offrait la nature n'allait pas l'aider à se détendre suffisamment pour dormir. Elle but une autre gorgée de vin et décida de passer au plan B. Un film. Elle ignorait s'il s'agissait de Maddie ou de Mike mais, plus tôt dans la journée, en explorant le bureau-bibliothèque, elle avait découvert que quelqu'un, ici, partageait son amour des westerns. Non seulement elle avait trouvé une incroyable collection de romans, mais aussi une autre de films de cow-boys. Elle fit courir ses doigts sur les dos de films de Clint Eastwood, *Pale Rider*, *Impitoyable*, puis sur *Le Vent de la plaine*, avant de se décider pour l'un de ses préférés, *Les Grands Espaces* de William Wyler, avec Gregory Peck. Le film traitait d'une querelle entre ranchs à propos de l'accès à la rivière, essentiel à la survie du bétail, mais il y avait aussi une très belle histoire d'amour.

Pas de meilleur moyen de terminer une journée ! Jordan posa son assiette, son verre et la bouteille sur la grande table basse, alluma une bougie, chercha et trouva la télécommande de la grande télévision à écran plat. Enfin, elle s'installa confortablement sur le canapé de cuir et lança le film. Elle ne put réprimer un sourire de béatitude quand la musique familière du générique emplit la pièce.

L'orage se rapprochait, et elle monta le son avant de tartiner un peu de brie sur un cracker. En quelques minutes à peine, elle fut emportée dans les grandes plaines qui servaient de décor au film.

La tempête se calmait enfin quand Cash Landry arriva sur la route. Le ciel était d'un noir d'encre, la pluie tombait à seaux, la visibilité était quasiment nulle, mais, une heure auparavant, l'orage et ses feux d'artifice s'étaient déplacés vers l'est.

Le problème, c'était que la route était peut-être inondée et qu'il n'y avait aucun moyen de le prévoir. L'heure n'était pas vraiment choisie non plus, mais il devait aller vérifier que tout allait bien pour Maddie. Mac McAuliffe, son contremaître, vivait avec sa famille à plusieurs kilomètres, et donc, depuis la mort de Mike, Maddie vivait seule sur le ranch.

Ce qui ne plaisait pas à Cash. Il aimait encore moins n'être pas joignable pour elle, comme ç'avait été le cas pendant dix jours. Ses parents, puis son père, avaient été des amis proches de Mike Farrell, et Maddie et lui avaient grandi ensemble. Etant plus âgé de trois ans, il avait très tôt assumé le rôle du grand frère et veillait sur elle. En son absence, c'était son propre contremaître, Sweeney, qui s'en était chargé en venant quotidiennement nourrir les chevaux et inspecter le bétail. Quand Sweeney lui avait appris qu'il n'avait pas vu Maddie de la journée, Cash s'était juste accordé le temps d'une douche avant de grimper dans son pick-up et de prendre la route du ranch Farrell.

En vérité, il était inquiet pour elle. Son ranch avait été la cible de vandales ces derniers mois, et la fréquence et la gravité des incidents n'avaient cessé de croître. Au début, il avait imputé les clôtures arrachées aux jumeaux Trainer, vu que l'un des deux, Joey, avait manifestement le béguin pour la jeune femme. Il avait en toute logique pensé que Joey avait fait cela pour attirer l'attention de Maddie, et il était allé voir le garçon. En tête à tête, il lui avait expliqué que le temps était de l'argent pour le ranch, et que Maddie ne pouvait se permettre de voir sa main-d'œuvre courir après le bétail échappé et réparer les barrières.

Cependant, Joey Trainer avait nié toute implication, avec une véhémence telle qu'il l'avait cru. Ensuite, il y avait eu d'autres incidents de diverses sortes. Plus récemment, le cheval de Maddie, Brutus, était tombé malade, et le vétérinaire avait découvert que son fourrage avait été empoisonné. Depuis, Cash avait demandé à Sweeney d'apporter quotidiennement du fourrage depuis son propre ranch.

La dernière clôture arrachée avait permis à une centaine de têtes de bétail de s'échapper, et il n'avait pas eu le temps de les réunir toutes avant de conduire leurs deux troupeaux au marché au bétail.

Pied sur le frein, il obliqua vers le chemin menant au ranch Farrell. En roulant dans la première ornière, il entendit l'eau éclabousser son dessous de caisse et ralentit. Il allait devoir prendre garde, s'il ne voulait pas s'embourber.

Ce qui le préoccupait le plus, c'était que celui qui avait empoisonné le fourrage s'était approché très près de la maison. Beaucoup trop près à son goût. Aussi avait-il décidé de dormir dans l'une des chambres d'amis deux ou trois fois par semaine. Ce n'était pas la solution idéale, mais il avait espéré que sa présence donnerait à réfléchir au saboteur.

Il avait quelques soupçons quant à l'auteur de ces méfaits. Et tout d'abord Daniel Pearson, un agent immobilier qui pressait Maddie depuis des mois pour qu'elle mette le ranch en vente. Si Cash savait que Maddie refusait de se séparer du ranch, Pearson devait se figurer qu'elle finirait par céder sous la pression, et il revenait donc régulièrement à la charge.

Cash était aussi allé voir leurs voisins ranchers afin de savoir s'ils étaient en butte au même genre de problèmes. Ce n'était pas le cas. Seule Maddie était visée. Le pick-up tangua dans une autre ornière, et il ralentit encore. Dix jours loin du ranch lui avaient donné tout le temps de réfléchir, et il avait trouvé ce qui pourrait se révéler une solution au problème, ou du moins une façon de décourager définitivement Pearson.

Maddie et lui pourraient se fiancer.

La première fois que cette idée lui était venue, il devait bien admettre qu'il en avait été lui-même désarçonné. Des fiançailles n'entraient pas dans ses projets à court terme. Ni à long terme, d'ailleurs. Il aimait sa vie telle qu'elle était, et le célibat lui allait comme un gant. Tout comme il était certain que Maddie aimait sa vie actuelle.

Cependant, ce ne serait pas « pour de vrai ». Ce serait juste une ruse destinée à faire cesser les incidents, jusqu'à ce qu'il parvienne à réunir assez de preuves pour débusquer le coupable.

Oh, bien sûr, son père et celui de Maddie avaient rêvé qu'ils se marient et associent les ranchs, mais ce rêve avait été le leur, pas le sien ni celui de Maddie. Leur relation, même durant l'adolescence, quand il obéissait davantage à ses hormones qu'à son bon sens, n'avait jamais pris un tour plus intime. Peut-être parce que, pour lui, elle était toujours sa petite sœur en même temps que sa meilleure amie.

Cependant, de fausses fiançailles entre eux ne surprendraient aucun de leurs voisins, qui penseraient pour la plupart que Jesse Landry et Mike Farrell avaient vu juste. Il n'allait pas être facile de convaincre Maddie, mais il lui en exposerait tous les avantages et la presserait un peu. Au fil des ans, il avait appris que Maddie avait parfois besoin d'être un peu sollicitée. Surtout depuis qu'elle se consacrait presque exclusivement à ses bijoux.

Il se renfrogna alors que les contours du ranch lui apparaissaient. Les lampadaires qui éclairaient habituellement les écuries et la maison étaient éteints, et il ne voyait aucune source de lumière dans la maison non plus. Le courant avait dû être coupé pendant l'orage.

Certes, il y avait de fortes chances pour qu'elle soit endormie, et il ne comptait pas la réveiller. Et pourtant, plus tôt il lui parlerait de cette histoire de fiançailles, mieux cela vaudrait.

Alors qu'il arrêtait sa voiture devant la maison, il aperçut une vague lueur à l'intérieur. Rassuré, il se dit qu'elle avait dû allumer une bougie. Depuis l'enfance, les orages terrorisaient Maddie.

Il ne prit pas la peine de frapper, au cas où elle se serait assoupie, et se contenta de chercher la clé sous le pot de fleurs. Il ne la trouva pas, et son inquiétude revint le tourmenter. Combien de fois il aurait dû lui dire de trouver une meilleure cachette !

Son humeur s'assombrit davantage quand il tourna la poignée et découvrit que la porte n'était pas verrouillée. Il allait falloir qu'il lui touche aussi un mot à ce sujet. Il la vit dès qu'il mit un pied dans le salon, et en fut très soulagé. Elle était étendue sur le canapé, un bras passé sur la tête. La bougie qui brûlait sur la table basse lui permit de voir une assiette de fromage et de raisin entamée, et une bouteille de vin ouverte.

Un sourire lui vint. Elle avait probablement dû exorciser ses peurs à l'aide d'un peu de chardonnay. Ce ne fut que lorsqu'il se rapprocha qu'il remarqua quelque chose de différent en elle. Mais quoi ?

Perplexe, il l'observa plus attentivement à la lueur de la bougie. Peut-être étaient-ce ses vêtements, ou plutôt leur absence, puisque son peignoir s'était ouvert. Dessous, elle portait une sorte de débardeur de soie et dentelle, une culotte de même nature, et ses jambes longues et minces étaient nues, ainsi que ses chevilles délicates. Et puis… Elle avait verni ses ongles d'orteils en rouge.

Un éclair de chaleur le traversa. Eberlué, il tourna les yeux vers la main qu'elle avait jetée sur sa tête. Ses ongles aussi étaient vernis… de cette même teinte de rouge sensuel. Cette fois-ci, l'éclair se renouvela, plus brûlant, alors qu'une image de cette main se promenant sur sa peau nue naissait en lui.

Il secoua la tête pour s'éclaircir les idées. C'était Maddie ! Que lui prenait-il donc ? Il plissa les yeux et les laissa de nouveau courir sur elle. Pour découvrir encore autre chose. Ses cheveux. Elle les avait coupés. La longue tresse qu'il lui avait toujours connue avait disparu. Etalés ainsi sur le cuir du canapé, ses cheveux avaient l'air d'avoir été ébouriffés par une main d'homme.

Il comprit alors qu'il avait *lui-même* envie d'y passer les mains, et les plaqua contre ses cuisses. Seigneur, que s'était-il passé pendant son absence ? Avait-elle brusquement décidé un changement de look ? S'il y avait une autre explication, il n'en avait pas la moindre idée.

Plus incompréhensible encore était la façon soudaine dont son corps réagissait à cette vision. Pourquoi des ongles vernis et une nouvelle coiffure l'affectaient-ils ainsi ?

Quand il détacha finalement ses yeux de ses cheveux, ils s'écarquillèrent en se posant sur ses seins. Elle ne portait pas de soutien-gorge, et il voyait pointer ses mamelons à travers la soie qui les recouvrait.

Un autre éclair de chaleur, plus violent, le frappa de plein fouet, et il se sentit trembler.

Que diable lui était-il arrivé pendant ce voyage au marché ? Il était pourtant le même homme qu'avant de partir, non ? Quelque chose avait pourtant bel et bien changé. Quoi donc ? Il ne se souvenait pas d'avoir déjà réagi avec une telle intensité à une femme. Et encore, il ne l'avait même pas touchée !

Et il n'allait pas le faire. Il était venu voir si tout allait bien pour elle, et c'était le cas. Il allait donc l'emporter dans son lit et, ensuite, aller se coucher dans la chambre d'amis.

Cependant, il hésita un instant encore, en rêvant de pouvoir mieux contrôler ce qui se passait. Puis il avança vers elle et la souleva dans ses bras.

Jordan tenta de s'immerger plus avant dans son rêve. Un rêve dans lequel le beau Gregory Peck venait de se battre en duel pour elle. Conscients que tous les obstacles entre eux étaient désormais levés, ils étaient tous deux rentrés chez elle. Après avoir gravi le perron, il l'avait soulevée et portée pour passer la porte et traverser le salon.

Elle entendait le bruit de ses pas, elle percevait la vigueur de ses bras. C'était la première fois qu'il la touchait, et les sensations qui la traversaient lui faisaient tourner la tête. Elle était très consciente de la fermeté de son torse et de la chaleur de ses doigts contre elle. Au bout d'un instant, son corps s'embrasa.

Chaque détail était si réel… Le col de sa chemise était rugueux sous sa paume, la peau de son cou humide. Et il sentait merveilleusement bon, d'un mélange de cuir, de chevaux et de savonnette. Elle se nicha davantage contre lui. Il fallait qu'elle se rapproche encore plus. Quand il s'immobilisa, elle leva une main vers son visage, s'imprégna des sensations que lui procuraient son menton ferme et ses pommettes hautes. Incapable de résister, elle sema des baisers le long de sa mâchoire. Elle avait trop envie de le goûter… Il fallait qu'elle le fasse.

On aurait dit qu'il avait lu en elle, puisqu'il tourna la tête et effleura ses lèvres des siennes. L'espace d'un instant, elle hésita, et perçut qu'il hésitait aussi. Elle fut tentée d'ouvrir les yeux, d'essayer de savoir ce qu'il pensait. Mais elle le savait, n'est-ce pas ? Et, si elle ouvrait les yeux, il pourrait bien se volatiliser.

Cela, elle ne pouvait le permettre. Il fallait qu'elle le garde ici. Elle resserra les doigts sur son visage, l'attira à elle et murmura :

— Tout va bien. Je veux juste que tu m'embrasses.

Quand il le fit, elle écarta toute autre pensée de son esprit et se laissa aller au plaisir qu'il lui offrait. Il avait la bouche si douce… Différente de ce qu'elle avait imaginé. Sa saveur aussi était différente. Sombre, brûlante, dangereuse, elle explosa contre sa langue avec une telle force qu'elle fut soudain emplie de lui. Son cœur se mit à battre à coups redoublés.

Jamais un rêve ne lui avait semblé aussi réel que celui-ci. Et en même temps la réalité ne lui avait encore jamais procuré un tel plaisir.

Il recula la tête, et elle fut aussitôt prise de panique. C'était trop douloureux.

— Maddie, je…

Elle sentit le nom glisser sur sa peau. Un instant, très fugitif, il pénétra son cerveau, mais son besoin désespéré chassa toute pensée rationnelle.

— Je veux plus…, murmura-t-elle. Fais-moi l'amour.

Il l'embrassa encore en la posant sur le lit et en s'étendant près d'elle. Elle lui mordilla la lèvre inférieure et s'immergea davantage dans son rêve. Cette fois-ci, il lui sembla savourer le désir qu'il éprouvait.

Ils durent interrompre plusieurs fois le baiser pour se débarrasser de leurs vêtements. Chaque fois, leurs lèvres se rejoignaient, plus avides encore. Plus exigeantes. Leurs mains prenaient et donnaient. Le plaisir montait, et un brasier les consumait.

Dans un recoin obscur de son esprit, Cash comprit qu'il ne devait pas faire cela. Il ne devait pas se trouver dans le lit de Maddie, il ne devait pas lui faire l'amour. Elle avait bu du vin, comme en témoignait la bouteille à moitié vide. Et elle avait été terrifiée par la tempête.

Il n'avait jamais été impulsif. Ce n'était pas dans sa nature de balancer toute prudence par-dessus les moulins, mais tout ceci était différent. *Elle* était différente. Et son contrôle des événements avait commencé à lui échapper dès l'instant où, debout au pied du canapé, il avait reçu ce coup à l'estomac.

Aucune femme ne l'avait jamais excité avec une telle rapidité, une telle intensité.

Quand il l'avait embrassée, tout son être en était resté sans voix. Jamais il n'aurait pu imaginer qu'elle avait une saveur si exotique, si enivrante. Chaque fois qu'il y goûtait, il découvrait quelque chose de nouveau. Et, à présent, il ne pouvait s'empêcher d'en vouloir davantage. Ou d'en prendre davantage.

Ses mains avaient une volonté qui leur était propre, elles couraient sur elle, la caressaient, la taquinaient, la réclamaient. Celles de Maddie n'étaient pas en reste, et chaque nouvelle caresse sur sa peau faisait rougeoyer le feu qui le dévorait.

Vite ! fut le mot d'ordre tacite entre eux, comme si, enfants voraces, ils devaient amasser autant de plaisir que possible avant que les adultes ne sonnent la fin de la récréation. N'en pouvant plus de désir, il roula sur elle et la pénétra.

Elle s'enroula littéralement autour de lui et adopta si parfaitement son rythme qu'ils s'élancèrent ensemble vers les cimes. Même quand ils les atteignirent, ils se figèrent, comme pris du désir d'y rester. *Comme s'ils devaient y rester*, et ne plus jamais se lâcher l'un l'autre. Finalement, un plaisir aussi intense qu'explosif les envoya dans les étoiles. Ensemble.

[illegible]

Il ouvrit grand les yeux. [illegible] deux choses. La première était que, conformément à ses habitudes, il ne s'était pas réveillé à l'aube. La deuxième, que Maddie [illegible]

L'empreinte [illegible] qu'il la serrait contre lui, comme s'il avait eu peur qu'elle ne lui échappe à un moment quelconque de la nuit.

Etait-ce pour cela qu'il avait fait ce rêve étrange ? Un rêve où, debout au pied de l'autel, il regardait Maddie remonter l'allée vers lui en robe blanche.

Non ! Ce songe devait avoir été provoqué par sa décision de suggérer à Maddie d'annoncer leurs fiançailles.

A présent qu'ils étaient devenus amants, ces fausses fiançailles paraissaient encore plus plaisantes. Plus logiques, se dit-il. Cependant, une petite voix lui souffla que s'il

- 3 -

Cash émergea peu à peu du sommeil en pensant entendre sonner un téléphone au loin. Très loin. Tout aussi graduellement, des fragments détachés de réalité se firent jour en lui, dont le plus important était qu'il y avait une femme dans son lit. Couchée dos contre son torse. Chaque fois qu'il inspirait, lui parvenait son parfum exotique.

Maddie ?

Tout ce qui s'était passé la nuit précédente lui revint alors d'un coup. Ce lit n'était pas le sien, mais celui de Maddie, et il n'aurait jamais pensé s'y trouver un jour.

Il ouvrit grand les yeux. Le soleil lui apprit deux choses : la première étant que, contrairement à ses habitudes, il ne s'était pas éveillé à l'aube. La deuxième, que Maddie dormait toujours.

Perplexe, il se rendit alors compte qu'il la serrait contre lui, comme s'il avait eu peur qu'elle ne lui échappe à un moment quelconque de la nuit.

Etait-ce pour cela qu'il avait fait ce rêve étrange ? Un rêve où, debout au pied de l'autel, il regardait Maddie remonter l'allée vers lui en robe blanche.

Non ! Ce songe devait avoir été provoqué par sa décision de suggérer à Maddie d'annoncer leurs fiançailles.

A présent qu'ils étaient devenus amants, ces fausses fiançailles paraissaient encore plus plaisantes. Plus logiques, se dit-il. Cependant, une petite voix lui souffla que s'il désirait voir une bague de fiançailles au doigt de Maddie, c'était parce qu'il ne voulait pas qu'elle le quitte. Jamais.

Ridicule ! Maddie et lui étaient amis depuis l'enfance, et elle serait toujours là pour lui, comme il le serait pour elle. Certes, il n'allait pas se raconter des histoires : leur relation venait de changer. Radicalement.

Elle s'étira.

Il resta parfaitement immobile alors qu'elle poussait un soupir et se nichait plus confortablement contre lui. Alors lui vint une autre bouffée de son parfum. Un parfum exotique, différent. Bizarre, mais il ne se souvenait pas avoir jamais connu cette fragrance chez son amie. Sous sa main, il perçut le durcissement d'un mamelon. Aussitôt en érection, il se rendit compte qu'il la désirait encore, avec la même voracité que durant la nuit.

Ce qu'il avait vécu avec Maddie n'avait pas de précédent. N'y aurait-il pas dû y avoir des signes annonciateurs d'un changement dans leur relation ? En ce qui le concernait, il n'en avait détecté aucun.

L'espace d'un instant, il eut envie de l'éveiller en lui mordillant la nuque, mais il savait qu'il ne commençait jamais rien sans le terminer. Il venait déjà de comprendre sa capacité à lui faire perdre tout contrôle de soi, et, avant de refaire l'amour, ils allaient avoir une petite conversation. Histoire de savoir si elle avait voulu cela aussi fort que lui.

Mais, pour le moment, il allait se contenter de la serrer contre lui.

Jordan avait coutume de s'éveiller très vite, comme si on avait allumé la lumière dans la chambre, et là elle fut instantanément consciente de n'être pas seule dans le lit.

Et même absolument pas seule, puisqu'une main était pressée sur un de ses seins et qu'une érection lui titillait le bas du dos. Elle repoussa sa panique naissante et passa mentalement en surrégime. La dernière chose dont elle se rappelait était qu'allongée sur le canapé elle regardait un de ses vieux films préférés avec Gregory Peck et Jean Simmons.

Cependant, la main qui reposait sur son sein était tout à fait réelle. Elle n'avait encore jamais connu, avec aucun homme, ce dont elle avait fait l'expérience au cours de la nuit. Etait-ce pour cela qu'elle s'était persuadée que c'était un rêve ?

Pourtant, elle s'enorgueillissait généralement de ne jamais se bercer d'illusions. Et le sexe érigé contre son dos envoyait définitivement toute idée de rêve aux oubliettes.

Elle ferma les yeux un instant.

« Reprenons. »

Pour une raison ou une autre, elle avait couché avec un inconnu la première nuit qu'elle avait passée chez Maddie. Mentalement, elle cocha toutes les raisons pour lesquelles cela avait pu se produire : elle était stressée, elle avait toujours fantasmé sur les cow-boys, elle avait bu du vin.

Peut-être que, d'ici à une centaine d'années, elle pourrait y repenser et en rire. Seulement, pour l'instant, elle n'avait plus qu'à trouver le moyen de s'en sortir avec dignité et, surtout, de découvrir l'identité de l'homme allongé dans son dos.

Elle enleva la main de son sein, se tortilla un peu en avant, histoire de mettre un peu de distance entre eux, puis elle se retourna, pour se retrouver face à une paire d'yeux gris qui la regardaient. La panique revint. Adieu Gregory Peck, bonjour l'inconnu aux cheveux bruns et plutôt bel homme ! Il avait un visage tout à fait conforme au souvenir qu'en gardaient ses mains, lisse, les pommettes hautes, le menton ferme. Et si le reste de ce qu'elle avait exploré était aussi réel, il était vraiment à tomber.

Et puis, il y avait ce parfum — sombre, irrésistible, juste dangereux ce qu'il fallait.

— Maddie, tu es sûre que ça va ?

« Maddie » ? L'espace d'un instant, elle ne comprit plus rien à rien.

« Réfléchis. »

Maddie ? Mais bien sûr, il la prenait pour sa sœur ! Elle avait été étendue sur le canapé de Maddie, dans le peignoir de Maddie, buvant peut-être un peu trop du vin de Maddie. Mais lui, qui pouvait-il bien être ?

— Veux-tu des excuses ?

— Non, réussit-elle à répondre.

« Peut-être que Maddie en voudrait ! » se dit-elle tout à coup.

— Es-tu protégée ? Je n'ai pas pris de…

— Je prends la pilule.

Grâce à Dieu…

— Tu es sûre que ça va ? répéta-t-il en plissant les yeux.

Oh, ça allait plus que mieux ! Elle était au lit avec un inconnu, un homme avec qui elle avait fait follement l'amour, et avec qui elle avait envie de le refaire, même s'il était persuadé avoir couché avec sa sœur.

Elle parvint à répondre d'un signe de tête.

— Bien, reprit-il. Parce que j'ai quelque chose à te dire.

— Attends, l'interrompit-elle en lui posant un doigt sur les lèvres, bien décidée à lui dire qui elle était vraiment.

L'éclair de chaleur qui la traversa à ce simple contact suffit à la pétrifier.

Il lui prit le doigt et l'ôta de sa bouche.

— Depuis mon départ, j'ai énormément réfléchi à tes problèmes, et j'en suis venu à la conclusion que le meilleur moyen d'y mettre fin serait d'annoncer nos fiançailles.

— Non ! s'écria Jordan avant de sortir du lit, de courir jusqu'au placard et d'y attraper un jean. On ne peut pas se fiancer.

— Et pourquoi ça ?

— Parce que je ne suis pas Maddie, répondit-elle en sautillant sur un pied, puis sur l'autre afin d'enfiler le jean.

Les secondes s'écoulèrent. Elle le vit la détailler attentivement. Jamais encore elle n'avait été plus consciente de la présence d'un homme. Pourquoi celui-ci, précisément ? Elle attrapa un T-shirt dans le tiroir et l'enfila. S'il désirait plus d'informations, pas de problème, mais elle ne tenait pas à discuter nue comme un ver.

— En ce cas, qui es-tu ? finit-il par demander.

Elle se retourna vers lui.

— Je m'appelle Jordan Ware, et je suis la sœur jumelle de Maddie.

Il la détaillait toujours, d'un regard si intense que, l'estomac contracté, elle crut un instant qu'il pouvait lire en elle.

— La jumelle de Maddie…, répéta-t-il.

— C'est exact.

— Maddie n'a pas de jumelle.

Jordan se planta les mains sur les hanches :

— Si, elle en a une. On l'a appris toutes les deux il y a à peine quelques jours. Et pour ce qui est de la ressemblance, tu m'as bien prise pour elle !

Il y eut un autre silence, et elle aurait bien juré avoir vu quelque chose passer dans les yeux de l'homme. De l'acceptation ? De l'amusement ? Les deux ? Quoi que ce fût, il paraissait prendre la situation infiniment plus calmement qu'elle.

— Je me disais bien qu'il y avait quelque chose de différent, dit-il en calant un oreiller derrière sa tête.

— A mon tour, maintenant. Qui es-tu ?

A l'instant même où la question passa ses lèvres, elle le sut. Il devait être…

— Cash Landry.

— Le voisin, acquiesça-t-elle, le moral dans les chaussettes.

Ses genoux se seraient dérobés sous elle si un brutal accès de colère ne l'avait pas fait se redresser de toute sa hauteur.

— Maddie m'avait dit que vous étiez juste amis.

— Nous l'étions. Nous le sommes.

— Ce que nous avons fait cette nuit dépasse de loin les bornes de l'amitié ! s'exclama-t-elle en désignant le lit.

— Tout à fait d'accord.

Incapable de se contenir, elle se mit à faire les cent pas dans la chambre.

— Elle te considère comme son grand frère, et je m'étais dit que votre relation ressemblait beaucoup à celle que j'ai avec Jase.

— Qui est Jase ?

Même s'il n'avait pas bougé d'un iota, elle perçut comme un danger.

— Jase Campbell est mon colocataire. On est amis depuis l'université. Mais il n'y a rien…, expliqua-t-elle en désignant une fois encore le lit. Nous n'avons jamais couché ensemble.

— Maddie et moi non plus.

— Jusqu'à hier soir, objecta-t-elle.

— Peut-être, mais il se trouve que je n'ai pas fait l'amour à Maddie. Je t'ai fait l'amour à toi, et j'ai encore envie de le faire.

— Pas question ! s'écria Jordan en levant les mains, très consciente de la détermination de Cash.

Elle aurait peut-être pu contenir sa panique plus efficacement si elle n'avait pas été à ce point en phase avec lui. A la façon dont il la regardait, il devait lire en elle à livre ouvert.

— Tu pensais que tu faisais l'amour à Maddie, et puis tu l'as demandée en mariage…

— Non. Je lui ai proposé d'annoncer nos fiançailles.

— Tu joues sur les mots ! jeta-t-elle en agitant une main.

Quoi qu'il en soit, cette proposition ne fait qu'empirer la situation. Je connais ma sœur depuis quelques jours à peine, et je trouve le moyen de coucher avec l'homme qui veut se fiancer avec elle ! Bravo, Jordan !

— Où est Maddie ?

— Elle est à New York. On a échangé nos places. C'est une longue histoire.

— J'adore les histoires.

Quand il voulut sortir du lit, la panique s'empara encore de Jordan, et elle se tourna vers la porte.

— Toi, tu restes ici. Moi, je vais aller préparer du café. Ensuite, tu auras ton histoire.

— Bonne idée, dit Cash en se levant et en attrapant son jean.

« Ne regarde pas ! » Mais, avant de sortir de la chambre, elle lui jeta un coup d'œil à la dérobée. Ce qui fut suffisant pour provoquer un afflux de sensations en elle. Chaleur, désir, nostalgie.

Elle perçut son sourire alors qu'elle quittait la pièce.

Cash ferma les robinets et attrapa sa serviette, l'esprit enfin plus clair après dix minutes de douche froide. Dans la même pièce qu'elle, il n'avait pu endiguer les fantasmes et, plus d'une fois, il avait eu envie de la soulever dans ses bras et de la jeter sur le lit.

Il suspendit sa serviette, s'habilla et enfila ses bottes. Il avait fait usage de la salle de bains attenante à l'ancienne chambre de Mike Farrell, afin de ne pas tomber sur elle. Et aussi pour réfléchir.

Des questions sur ce que ne lui avait encore pas dit Jordan Ware, il en avait à foison. Tout d'abord, qui elle était vraiment. Pourquoi Maddie et elle avaient-elles échangé leurs places ? Pourquoi n'avaient-elles appris que récemment leur parenté ?

Ce qui le surprenait le plus, c'était qu'il était enclin à croire à cette gémellité. Cela expliquerait certainement sa réaction de la veille. Cependant, pas une fois il n'avait entendu mentionner l'existence d'une sœur de Maddie. Tout ce qu'on lui avait raconté, c'était qu'elle avait perdu sa mère toute petite.

Il se demanda alors si ses parents avaient connu l'existence d'une sœur jumelle. Même si sa mère était morte quand il avait douze ans, elle avait bien dû être au courant, non ? Et son père aussi. Ils n'en avaient jamais soufflé mot.

Si Jordan Ware disait la vérité, pourquoi tous ces secrets ? Qui avait finalement révélé ce qu'il en était, et pourquoi ?

En sortant de la salle de bains, il entendit couler l'eau dans celle de Maddie. Parfait. Cela lui laissait un peu de temps avant de la revoir.

Il pénétra dans l'immense pièce qui servait à la fois de salon et de cuisine, et fila droit sur la cafetière. Elle était encore à moitié pleine, et Jordan avait eu la prévenance de lui laisser une chope juste à côté. Il l'emplit à ras bord et en but une grande gorgée.

Il aurait dû se rendre compte qu'il ne s'agissait pas de Maddie. Pourquoi son changement de coiffure ne l'avait-il pas mis sur la voie ? Il n'avait jamais vu Maddie coiffer autrement ses cheveux qu'en tresse. Ou alors elle rassemblait ses cheveux longs derrière sa tête et les maintenait par une pince. Elle ne se préoccupait jamais beaucoup de son apparence, probablement parce qu'elle avait grandi entourée d'hommes. En tout cas, elle ne se faisait jamais faire ni manucure ni pédicure.

En revanche, Jordan avait l'air d'accorder une grande attention à son apparence. Elle devait même aller régulièrement chez sa manucure. S'était-il retenu de se poser des questions, la veille au soir, à cause de la façon dont elle lui avait tourné les sangs ?

Peut-être. Difficile d'en être certain, car il n'avait encore jamais fait une telle expérience. L'effet qu'elle avait sur lui le laissait sans voix. Cependant, il entendait bien arriver à comprendre.

Il but une autre gorgée de café en entendant se fermer une porte, puis il pivota et appuya une hanche contre le plan de travail. Pour se préparer ? S'il avait eu la moindre question sur la façon dont elle affecterait ses sens ce matin, la réponse fut évidente quand elle pénétra dans la cuisine et avança vers lui. Son sang se mit à bouillir tandis qu'un désir brutal s'emparait de lui. Un désir élémentaire.

— J'ai essayé de téléphoner à Maddie, mais la ligne est coupée.

Il ne répondit pas sur le moment, trop occupé à s'imprégner d'elle. Dans le rai de soleil, il put noter d'autres différences entre les deux femmes. Maddie avait une présence tranquille, plus contrôlée peut-être. Jordan irradiait l'énergie. Et elle s'était maquillée, alors qu'il n'avait jamais vu Maddie le faire. Si le maquillage de Jordan était subtil, elle avait fait en sorte que ses yeux paraissent plus grands, et passé un rose tendre sur ses lèvres. Quand il se surprit à les fixer trop longtemps, il préféra reprendre une gorgée de café.

— Tu as entendu ce que je viens de dire ?

Il s'obligea à recouvrer ses esprits.

— Le téléphone est coupé, dit-il. J'ai pourtant cru l'entendre sonner, il y a un petit moment. C'est d'ailleurs ça qui m'a réveillé. Le téléphone est très souvent capricieux, après une tempête. Il marche, il ne marche plus… ça dure une journée, généralement.

— Mon portable ne capte pas non plus, dit Jordan en allant se resservir en café.

Son parfum était tout à fait ce dont il se souvenait — fleuri, exotique — et il fit resurgir en lui des souvenirs de la nuit passée. Stupéfait, il se rendit compte qu'il brûlait d'envie de tendre la main et d'effleurer ses cheveux. Et il ne sut s'il devait être déçu ou soulagé quand elle alla se planter de l'autre côté de l'îlot central.

Il prit une grande inspiration. Grandir dans un ranch apprend à s'adapter. Aussi bien aux changements de temps qu'aux variations du prix du bétail. Il allait donc devoir apprendre à gérer l'effet qu'avait Jordan Ware sur lui. Le problème, c'était qu'il avait juste envie d'elle. Point final.

Jordan but une gorgée de café et s'obligea à rencontrer le regard de Cash par-dessus l'îlot de granite. Elle avait eu tort de se rapprocher autant de lui, car il était bien trop désirable. Avec cette haute stature, ce visage taillé à la serpe et ces yeux gris, il donnait un tout nouveau sens au mot *béguin.*

Et le simple fait de penser à lui de cette manière la choqua. Elle n'avait jamais été du genre à avoir le béguin pour qui que ce soit, mais l'idée devenait soudain infiniment séduisante. Elle croyait pourtant s'être reprise en main sous la douche, mais il lui avait suffi de s'approcher de lui pour que ce parfum si précis — savonnette, cuir et chevaux — lui donne envie de lui sauter dessus.

Qu'est-ce qui pouvait bien l'avoir attirée dans ce guêpier ?

Elle entreprit de se remémorer la conclusion à laquelle elle était arrivée sous la douche. Il fallait traiter le problème Cash comme un simple problème commercial, autrement dit le régler et le laisser de côté. Un béguin ne figurait pas dans son planning. Cash Landry et elle n'allaient pas rejouer le petit scénario de la nuit.

— Est-ce que ton portable capte ? demanda-t-elle. Il faut que je parle à Maddie.

Il la regarda par-dessus le bord de sa chope.

— Je n'ai jamais réussi à capter aucun signal au ranch Farrell. Pourquoi tiens-tu tant à parler à Maddie ?

— Pourquoi ? répéta Jordan en posant sa chope pour

faire les cent pas dans la cuisine. J'ai besoin de lui parler de toi et moi, reprit-elle avant d'agiter une main. De nous, si tu préfères. Et de ce que nous avons fait cette nuit.

— Pourquoi ?

Elle prit le temps de s'arrêter, afin de le fusiller des yeux.

— Parce que je viens de coucher avec un homme qui veut se fiancer à elle, tiens !

— Ça, c'est facile à expliquer…

— Je ne veux aucune explication, l'interrompit-elle d'un geste de main. Je veux juste que ma sœur sache que je n'ai pas couché avec toi à dessein. Je pensais rêver. J'ai un faible pour les westerns, et je regardais *Les Grands Espaces…*

— Gregory Peck, Jean Simmons et l'embrouille à propos de l'accès à la rivière.

Elle ouvrit de grands yeux.

— Tu connais ce film ?

— C'était l'un des préférés de Mike — ton père. Maddie ne raffolait pas des westerns, alors il m'a plusieurs fois convaincu de le regarder avec lui.

— Ainsi, c'était mon père qui lisait tous ces romans que j'ai trouvés dans la bibliothèque ?

— Chaque fois qu'il pouvait s'offrir un peu de temps pour lire.

Quelque chose en elle se réchauffa à cette idée. Mais elle se reprit bien vite.

— Je tiens à expliquer à Maddie que c'est parce que je regardais ce film que j'ai cru faire ce rêve.

— De moi qui te faisais l'amour.

— Non ! s'écria-t-elle en se carrant les poings sur les hanches. Je ne rêvais pas de toi. Je rêvais que Gregory Peck me faisait l'amour.

— Je n'ai pas rêvé, Jordan.

— Non, riposta-t-elle en pointant le doigt sur lui. Tu as cru que tu faisais l'amour à ma sœur. Et puis tu l'as demandée en mariage. Ça, il va falloir que je trouve le moyen de le lui expliquer.

— Il me semble que nous avons été tous deux victimes des circonstances.

A ces mots, elle s'emporta :

— Je ne sais pas pour toi, mon cher, mais moi, je déteste me considérer comme une victime.

A sa grande surprise, Cash éclata de rire. Son rire clair et contagieux envahit la pièce et eut l'avantage d'atténuer sa colère. Elle dut même s'interdire de sourire.

— Qu'y a-t-il de si drôle à ça ?

— Nous. Tout. La situation. Et le fait que tu as absolument raison. C'est difficile de t'imaginer en victime de quoi que ce soit.

— Je ne suis pas sûre que Maddie goûte l'humour de cette situation.

— Je te l'ai dit, répondit Cash en reprenant son sérieux. Il n'y a que de l'amitié entre elle et moi. Je ne l'ai jamais touchée, je n'ai même jamais pensé à la toucher comme je l'ai fait avec toi cette nuit.

Ces mots, et la façon qu'il eut de la regarder en les énonçant, la firent frissonner. Déjà, sa concentration s'évanouissait. Aucun homme n'avait jamais eu un tel effet sur elle. Il suffisait à Cash de se trouver dans la même pièce qu'elle pour faire renaître son désir.

— Et je ne pense pas que tu aies à expliquer quoi que ce soit à ta sœur, reprit Cash. Ce qui s'est passé entre nous peut rester entre nous. Inutile d'en informer la terre entière.

Jordan s'intima l'ordre de se reprendre, même si l'idée de n'avoir rien à confesser à sa sœur était diablement séduisante.

— En ce cas, qu'est-ce que c'est que cette histoire de fiançailles ?

— Je vais te l'expliquer. Mais l'important d'abord.

Jordan le vit se redresser et poser sa chope sans cesser de la regarder.

L'espace d'un instant, elle fut certaine qu'il allait franchir la distance qui les séparait. Et s'il le faisait… ses mains se mirent à trembler tant que le café déborda de sa chope.

— Est-ce que tu sais cuisiner ? lui demanda-t-il abruptement.

— Non.

— Heureusement que ce n'est pas mon cas, répondit-il en lui décochant un sourire. Pendant que je nous prépare un petit déjeuner, raconte-moi comment vous avez découvert que vous étiez sœurs, et aussi la raison pour laquelle tu es ici et Maddie à New York. Ça te va ?

Jordan relâcha son souffle, se rendant alors compte qu'elle l'avait retenu pendant quelques instants. Cash sortit du réfrigérateur des œufs et du bacon.

— Ça me va !

Cash la regarda enfourner sa dernière bouchée de nourriture. Elle avait d'abord demandé des toasts sans rien d'autre, mais il avait ignoré sa requête et lui avait servi une assiette d'œufs au bacon. Elle avait préparé une deuxième cafetière, servi le jus d'orange et mis le couvert sur l'îlot central.

Si l'attirance entre eux ne s'était pas atténuée, ils avaient été capables de travailler en harmonie au cours de la préparation du petit déjeuner.

Jordan lui avait narré les trois dernières semaines de sa vie sans aucune trace d'émotion dans la voix. Il s'était promis de ne pas la toucher, mais, quand elle lui parla de la visite des policiers venus l'informer du décès accidentel de sa mère, il avait tendu une main pour la poser sur la sienne, et elle avait aussitôt entremêlé ses doigts aux siens.

Elle n'avait encore pas récupéré sa main, et il baissa

les yeux sur leurs mains jointes. La sienne était délicate et sa peau était plus claire que la sienne. Maddie avait les doigts calleux, mais pas elle. Lui tenir la main semblait… approprié.

Il reporta les yeux sur son visage et l'étudia alors qu'elle buvait un peu de café.

D'après ce qu'il comprenait, elle n'avait pas eu une minute de répit depuis l'instant où elle avait appris la mort tragique de sa mère. Il connaissait Eva Ware de nom, car Maddie lui avait souvent parlé de la créatrice installée sur Madison Avenue. Non seulement Jordan avait dû faire face au choc de la mort de sa mère, mais elle avait organisé les funérailles d'une personnalité, repris les rênes d'une société et fait en sorte que sa toute nouvelle sœur accepte de prendre sa place.

Son admiration pour elle n'avait fait que croître au fur et à mesure de son récit. Son inquiétude pour elle également. Car, pour lui, les termes du testament de leur mère et la décision commune des deux sœurs d'en accepter les conditions pourraient bien s'achever en désastre absolu. Qu'est-ce qui avait bien pu pousser leur mère à les mettre dans une telle situation ? Si quelque chose arrivait à l'une ou l'autre — ou si l'une des deux abandonnait la partie avant le terme des trois semaines —, trois des parents de Jordan récupéreraient la mise. Une mise colossale.

Il savait que Maddie n'y avait pas pensé. Il se demanda si Jordan avait envisagé le risque.

— Donc, Maddie est seule dans ton appartement de New York ?

— Pour autant que je sache, oui. Je n'ai pas été capable de joindre mon colocataire, qui est en mission en Amérique du Sud. Il ne sait même pas que maman est morte, alors ne parlons même pas des termes du testament… S'il rentre bientôt, il va avoir une énorme surprise.

Cash ne put que le comprendre. Jordan avait été une surprise de taille, pour lui.

— Il est comment, ce Jase ?

— Super, répondit Jordan en souriant. Il sait écouter, et il me laisse non seulement lui parler de mes frustrations, mais aussi lui exposer les idées que j'ai envie d'essayer chez Eva Ware Creations. Je ne pourrais rêver plus fabuleux colocataire.

A l'entendre chanter les louanges de ce Jase Campbell, il en eut un sale goût dans la bouche. Serait-il jaloux ? Ridicule ! Toutefois, il souhaita que ledit locataire soit présent dans l'appartement avec Maddie.

— Elle est donc seule ?

Jordan réfléchit un instant.

— Elle ne le sera plus dès qu'elle sera allée à la boutique. Cho Li, l'assistante de ma mère, et Michèle Tan, notre réceptionniste, vont bien s'occuper d'elle. Et puis, je lui ai imprimé tous ces dossiers pour la mettre au courant. J'y ai même ajouté des photos.

— Et le reste de la famille ? Qu'est-ce qu'ils pensent de l'apparition soudaine d'une autre fille ?

— Pas trop de bien, je le crains, répondit Jordan en se rembrunissant. Oncle Carlton s'est montré courtois, comme toujours. Mon cousin, Adam, pourra peut-être donner un peu de fil à retordre à Maddie. C'est un brillant créateur dont le travail faisait l'admiration de maman. J'imagine que c'est pour cela qu'il a toujours pensé être le mieux placé pour diriger un jour la société.

— Donc, il perd tout parce que, par testament, ta mère a fait apparaître comme par magie une autre fille, tout aussi brillante créatrice que lui, et lui a légué la moitié de la société ?

— Oui, répondit Jordan avant de faire une grimace. Enfin, si nous survivons à ces trois semaines.

— Ça dépend de l'ampleur de son ambition, mais il pourrait représenter une sérieuse menace pour Maddie.

— Adam ? Je ne pense pas, répondit-elle après un temps de réflexion. C'est une mauviette. Après la lecture du testament, il a voulu s'en prendre à moi, physiquement, et Maddie l'a proprement renvoyé dans les cordes. Elle saura s'y prendre, avec lui. Elle est futée, et pas du tout le genre à se laisser faire, comme on pourrait le croire au départ, ajouta-t-elle en inclinant la tête. J'ai vraiment dû aligner les arguments pour la persuader d'accepter cet échange. Pour elle, tout devait me revenir, l'argent comme la société.

— Et tu n'es pas d'accord.

— Non. Nous sommes sœurs ! Et le fait que nos parents nous aient séparées très tôt ne change rien à ça.

Si Cash n'avait pas déjà décidé qu'il aimait bien Jordan, cette dernière réponse régla définitivement le problème.

— Maddie a de la chance de t'avoir pour sœur.

— Nous avons de la chance toutes les deux, dit-elle en posant sa chope.

Elle parut enfin se rendre compte que leurs mains étaient toujours unies, récupéra la sienne et croisa les bras.

— A moi de te poser des questions, maintenant. Pourquoi as-tu demandé Maddie en mariage, ce matin ?

— Je savais bien qu'on y reviendrait, dit-il en se passant une main dans les cheveux. Dernièrement, le ranch a été en butte à plusieurs incidents, du vandalisme pour la plupart.

— Maddie m'en a parlé. Des clôtures arrachées, du poison dans le fourrage, ce genre de trucs.

— Peut-être qu'elle n'a pas voulu noircir trop le tableau. Le fourrage empoisonné a failli tuer Brutus, son cheval.

— Brutus ? C'est le nom de son cheval ?

— Ton père lui a offert pour ses douze ans, répondit-il en hochant la tête.

Elle le fixa sans rien dire.

Au bout d'un moment, il lui demanda :

— Qu'y a-t-il ?

— J'ai moi-même un cheval, dans un haras hors de la ville. Il s'appelle Jules César. Tu y crois, toi ?

— Vous êtes jumelles. On vous a peut-être séparées depuis l'enfance, mais ça n'empêche pas d'avoir beaucoup de choses en commun.

— Je suppose, acquiesça-t-elle avant de se rembrunir. Y a-t-il autre chose que je devrais savoir, quant à ce vandalisme ?

— Je pense que la dernière clôture a été arrachée à dessein afin qu'une centaine de têtes de bétail s'éparpillent, juste au moment où le contremaître et moi devions les réunir pour les emmener au marché. On n'a pas pu les récupérer toutes à temps, ce qui se traduit par une perte d'argent pour Maddie. Or, elle ne peut pas se permettre d'en perdre en ce moment.

— Tu ne crois pas à des incidents isolés, n'est-ce pas ? l'interrogea-t-elle après l'avoir dévisagé un instant.

— Tous les problèmes auxquels se heurte Maddie ont eu lieu ces derniers mois, comme par hasard juste au moment où un agent immobilier, Daniel Pearson, la pressait de vendre le ranch. Je trouve ça un peu louche.

Jordan fut d'accord avec lui.

— Maddie m'a dit, reprit-elle, qu'elle avait du mal à assumer la succession de son père, ce que je comprends très bien. Je n'arrive pas à le faire avec celle de ma mère non plus. Cependant, elle ne veut pas vendre. Je lui ai promis d'essayer de trouver une solution pour l'aider.

— Comment ? demanda Cash, les yeux plissés.

— Excellente question, ironisa Jordan avec un petit sourire narquois. Comment une citadine de la côte Est peut-elle s'imaginer résoudre les problèmes de ranch de sa sœur ? Je suis tout de même diplômée en commerce, et je veux l'aider. Il faut d'abord que je voie le ranch, et que j'examine les livres de comptes.

— Je te ferai faire le tour du propriétaire après-demain. Le meilleur moyen, c'est à cheval. Tu penses pouvoir maîtriser Brutus ?

— Oui.

Il la prenait au sérieux. Elle en fut grandement soulagée.

— Pourquoi penses-tu que je puisse arriver à quelque chose ? lui demanda-t-elle, curieuse.

— Pourquoi pas ? Gregory Peck est un citadin, et c'est lui qui trouve la solution à la querelle.

— Exact, répondit-elle en souriant. Maintenant, finis de m'expliquer le pourquoi de ta demande en mariage.

— Dans le coin, tout le monde sait que mon père et le vôtre rêvaient qu'un jour Maddie et moi nous mariions et regroupions les deux ranchs, commença-t-il avant de lever la main pour prévenir toute interruption. Maddie et moi, on a très tôt compris que ce ne serait jamais possible, et notre relation n'a jamais pris l'orientation qu'a prise la nôtre, à toi et moi. Cependant, si nous annoncions nos fiançailles, je pense qu'elles paraîtraient très plausibles à tout le monde. Et, comme Maddie n'aurait plus besoin de vendre, ça pourrait mettre un terme au vandalisme.

— J'ai déjà entendu parler de mariages de convenance, commenta Jordan, pensive. Donc, ce serait comme des fiançailles de convenance ?

— De fausses fiançailles de convenance, oui.

— Tu crois que Maddie aurait dit oui ?

— Peut-être, répondit-il avant de lâcher un soupir. Au bout de très sérieuses séances de bras de fer… figurées, bien sûr.

Jordan lui sourit.

— C'est comme ça que je l'ai convaincue d'accepter l'échange. Tu es un homme bien, Cash Landry.

Le rouge monta aux joues de Cash, mais, avant qu'il puisse répondre, ils furent interrompus par un coup frappé fort contre la porte. Jordan alla ouvrir.

Même si Cash n'aurait pu y trouver une explication rationnelle, il fut soulagé de constater que le nouvel arrivant n'était autre que Sweeney, son contremaître. Cependant, il fut alerté par l'expression de ce dernier, habituellement jovial.

— B'jour, m'zelle Maddie, dit l'homme en enlevant son chapeau avant de se tourner vers lui. Content de vous trouver là, patron.

— Un problème ? s'enquit Cash.

Sweeney fit oui de la tête sans le lâcher des yeux.

— J'ai terminé avec le bétail, et je venais voir si Mlle Maddie allait bien, comme vous me l'avez demandé. Quand je suis passé devant le studio, j'ai remarqué que la porte était entrouverte. Alors j'y suis rentré.

— Que se passe-t-il ? lui demanda Jordan.

— Je ferais mieux de vous montrer, dit Sweeney.

- 4 -

Jordan dut presque courir pour rester à hauteur des deux hommes. L'expression du plus vieux avait fait courir un frisson glacé dans son dos. Le grand soleil ne suffit pas à chasser la chair de poule qui hérissait ses avant-bras.

On avait pénétré par effraction dans le studio de Maddie ? Pourquoi ? Et qui ? Avait-on volé quelque chose ?

Après les événements de ces dernières semaines, elle pensait avoir réussi à se blinder, mais lorsqu'elle vit l'atelier dévasté elle ne put s'empêcher de pousser un cri et de vaciller sur ses jambes.

Les étagères qui avaient dû longer les murs étaient arrachées, les cartons qu'elles soutenaient renversés. Des myriades de pierres précieuses et des fils d'argent jonchaient le sol, surmontés de petits morceaux de papier. Les croquis de Maddie ? Le cœur dans la gorge, Jordan se souvint que sa mère accrochait toujours ses derniers croquis sur le mur au-dessus de son poste de travail. Maddie saurait-elle les remplacer ?

Elle se pencha et ramassa une turquoise de la taille d'un poing de bébé. Un coup d'œil alentour lui permit de constater que d'autres pierres — grenats, lapis, œils-de-tigre, certains plus gros que la turquoise — avaient été éparpillées de la même façon. Ces pierres devaient avoir une valeur certaine.

— Pourquoi n'ont-ils pas pris les gemmes ? s'étonna-t-elle.

— Bonne question.

Elle ne s'était pas rendu compte que Cash était tout près d'elle. Il lui serra gentiment l'épaule.

— Respire à fond.

Elle fit ce qu'il lui conseillait. Ses poumons la brûlèrent. Elle alla chercher son sang-froid au plus profond d'elle-même. Puis elle cilla rapidement et avança dans la petite pièce. Cash la suivit de près.

Elle imagina la réaction de sa mère si une chose pareille était arrivée à son atelier. Alors, la colère monta en elle, féroce. Même si des cambrioleurs avaient pénétré dans le grand salon d'Eva Ware Creations quelques semaines plus tôt, ils n'avaient pas tout détruit.

Elle reprit une grande inspiration et dit à voix basse :

— On ne peut pas la laisser voir ça.

— Elle n'aura pas à le faire, lui répondit posément Cash. Je vais appeler ma gouvernante. Mary connaît Maddie depuis qu'elle est toute petite. Elle va réunir ses copines pour tout remettre en place. Son mari remplacera les étagères en un rien de temps. Tout peut être réparé.

— D'accord. On n'a pas besoin de lui en parler.

— Si. Elle a le droit de savoir, Jordan. Comme nous, nous avons besoin de savoir si un incident du même genre est arrivé à New York.

— Tu penses qu'elle est en danger ? demanda-t-elle, parcourue par un frisson de peur.

— Je ne sais pas quoi penser. Mais les termes du testament de ta mère me déplaisent fortement.

Elle le regarda, reconnaissante de son attitude. Dans la plupart de ses relations, y compris celle qu'elle avait eue avec sa mère, c'était elle qui, généralement, prenait les décisions.

Elle se retournait vers les débris éparpillés quand une pensée la frappa.

— L'exposition de bijoux, celle qui commence demain à Santa Fe… Peut-être que c'étaient ces pièces-là qu'ils voulaient ! s'écria-t-elle, prise de panique. Je lui ai dit que je m'y ferais passer pour elle. Mais si les bijoux…

Cash fit courir les mains sur ses bras.

— Ils sont au coffre-fort. Elle y conserve toujours tous ses bijoux terminés.

Jordan fut submergée d'un tel soulagement que ses genoux menacèrent une fois encore de lâcher. Elle se souvint alors que Maddie le lui avait dit. Elle n'allait pas s'effondrer maintenant. Pas question. Délibérément, elle parcourut des yeux la pièce dévastée. L'auteur de ce saccage voulait de toute évidence terroriser sa sœur.

Derrière elle, Cash alla parler à son contremaître, qui était resté à l'extérieur.

— Retourne au ranch. Informes-en Mary et Steven. Ensuite, dis-leur que j'appellerai dès que le téléphone sera rétabli. Si tu pouvais m'emballer quelques affaires et me les apporter, je t'en serais reconnaissant. Je vais rester ici tant qu'on n'aura pas compris ce qui se trame.

— O.K., patron.

Toujours concentrée sur le désastre, Jordan entendit s'éloigner Sweeney. Elle imagina sa sœur installée à son poste de travail, puis elle observa de nouveau l'ensemble du studio. La cruauté qui avait présidé à ce vandalisme suffit à rallumer sa colère.

Alors que des vagues de fureur la parcouraient, Cash lui prit les épaules.

— Allez, viens. Sortons d'ici.

Elle lui fit face, des éclairs dans les yeux.

— On ne va pas seulement réparer cet endroit, on va trouver le salaud qui a fait ça, et le faire payer !

— Ça marche.

Cash passa un bras autour des épaules de Jordan alors qu'elle reposait en silence le combiné du téléphone. Elle était sous le choc. Ce qui n'avait rien d'étonnant. Les nouvelles de New York étaient encore pires que celles de Santa Fe.

Le répondeur clignotait, à leur retour dans la maison. Le téléphone était rétabli, du moins pour le moment. Maddie avait laissé un message alors qu'ils étaient encore au lit. C'était donc bien la sonnerie qui avait réveillé Cash. Jase Campbell était de retour, disait Maddie dans son message. Cash avait été soulagé d'apprendre que Jase était encore avec elle lorsque Jordan l'avait rappelée au bureau.

Il avait cru un instant que Jordan allait s'effondrer en apprenant à sa sœur ce qui s'était passé dans son studio, mais elle s'était reprise très vite. Cette femme avait une force de caractère peu commune.

Puis Jase Campbell leur avait appris à son tour les dernières nouvelles. La mort d'Eva Ware faisait l'objet d'une enquête pour homicide. Un témoin avait vu une voiture garée dans la rue, et prétendait qu'elle avait foncé sur Eva alors qu'elle traversait pour rentrer chez elle.

Pour couronner le tout, Jase était persuadé que la mort d'Eva et le cambriolage de la boutique étaient liés. Moralité, ce qu'ils venaient d'apprendre, ajouté aux termes du testament d'Eva, faisait peser sur Jordan et Maddie de terribles menaces. C'était du moins ce que Cash en avait conclu. Et le fait que Jase en soit arrivé à la même conclusion n'avait rien fait pour le réconforter.

— Assassinée. Ma mère a été *assassinée*, dit Jordan, se tournant vers lui pour laisser reposer sa tête sur son épaule.

Il resserra les bras autour d'elle. Quand elle inclina la tête vers lui et qu'il vit une larme silencieuse dévaler sa joue, il connut un instant de panique.

Il ne savait comment réagir vis-à-vis d'une femme en pleurs. Après la mort de sa mère, il avait évolué dans un milieu exclusivement masculin. Cependant, il lui fallait faire quelque chose. Jordan venait d'être frappée au cœur.

Quand Maddie et Jase leur avaient annoncé la nouvelle, il l'avait vue devenir livide. Elle l'était toujours.

Allait-elle s'évanouir entre ses bras ? Un nouvel accès de panique le prit.

Un bras autour de ses épaules, il l'entraîna vers le canapé et l'y installa. Puis il se rendit dans la cuisine et sortit du placard la bouteille de whisky de Mike Farrell. Il en versa trois doigts dans un verre et en but un lui-même.

A la mort de sa mère, il se souvenait que Mike avait apporté une bouteille de whisky à son père, et qu'ils avaient bu ensemble.

Bien sûr, ce n'était pas la même chose ni les mêmes circonstances. Sa mère était morte d'un cancer, mais, même si la fin avait été inéluctable, sa perte avait quasiment eu raison de lui. De son côté, Jordan n'avait pas eu le temps de se préparer. Ni à la mort accidentelle de sa mère, ni à la probabilité d'un assassinat. Verre en main, il alla s'asseoir face à elle et le posa sur la table basse. Elle n'avait pas bougé. Il glissa le verre dans sa main inerte, avec l'espoir qu'elle en serait réconfortée.

— Bois.

Elle lui obéit comme un robot, et frissonna, ce qui n'était pas précisément l'effet recherché.

— Ça va aller, dit-elle.

Elle tendit l'autre main vers la sienne et entrelaça ses doigts aux siens. Qui réconfortait qui ? Il n'en sut rien.

— Ça va aller, répéta-t-elle. J'ai juste besoin d'un moment.

— Je sais.

Une deuxième larme roula sur sa joue.

— Bois encore une gorgée.

Elle obéit.

— Je croyais que la mort de ma mère était due à un accident. Un accident stupide et tragique, dit-elle avant de boire une autre petite gorgée. Maddie est si forte… J'ai failli me dégonfler, mais pas elle. Pendant quelques instants, après avoir appris la nouvelle, je n'avais plus qu'une idée : rentrer à Manhattan et les aider à découvrir qui a assassiné ma mère.

Pauvre Jordan, songea Cash. Les péripéties s'étaient succédé sans lui laisser le temps de reprendre son souffle. D'abord, elle perdait sa mère, ensuite elle découvrait que son père n'était pas mort et qu'elle avait une sœur jumelle inconnue. Et maintenant…

— Crois-tu qu'ils puissent se tromper ? lui demanda-t-elle.

— Sur une échelle de 10, où situerais-tu l'intelligence et la capacité d'analyse de ton Jase Campbell ?

— 10.

— Alors, il y a fort à parier qu'il a raison. Est-il capable de prendre soin de Maddie ?

— Personne ne le ferait mieux que lui, répondit Jordan. Je suis tellement soulagée de savoir qu'il est avec Maddie ! Elle pourra s'appuyer sur lui, et il veillera sur sa sécurité.

Il s'était dit exactement la même chose. Il se rendit soudain compte que, durant toutes ses épreuves récentes, Jordan n'avait pu se reposer sur personne. Sur ce point, au moins, il pouvait changer quelque chose.

Une autre larme roula sur sa joue. Cette fois-ci, elle l'essuya d'une main et leva les yeux vers lui.

— Je ne pleure jamais…

S'il pouvait continuer à la faire parler, peut-être arriverait-elle à surmonter la tempête qui tourbillonnait en elle.

— Si on part de la théorie que ta mère a été volontairement écrasée, qui aurait bien pu vouloir le faire, à ton avis ? Tu as une idée ?

Lui-même réfléchissait à toute allure.

— Qui, dans ta famille, aurait pu vouloir sa mort ? précisa-t-il.

— Personne, répondit Jordan en secouant la tête. Enfin, je t'ai dit que mon cousin Adam a toujours voulu prendre sa succession… Mais je ne le vois vraiment pas faire une chose pareille. Sa propre mère se plaint régulièrement de son manque de courage. Je ne sais pas… Je ne sais vraiment pas.

Les larmes dévalaient, à présent. Elle n'en était même pas consciente, de toute évidence. Cash lui prit le verre des mains, le posa, la souleva, s'assit sur le canapé et l'installa sur ses genoux.

Les vannes cédèrent alors. A défaut de savoir quoi faire, Cash la serra contre lui et lui embrassa le sommet de la tête. Quand elle se laissa aller contre lui et que les larmes inondèrent sa chemise, il comprit que les pleurs étaient bien plus efficaces que le whisky.

Perplexe, Jordan se demanda combien de temps avait duré sa crise de larmes. On aurait dit que quelqu'un avait ouvert un robinet en elle, puis l'avait fermé. Cash lui glissa un mouchoir propre dans la main. Elle se moucha et se cala mieux contre lui.

Un petit soupir lui échappa, et elle écouta le rythme régulier du cœur de Cash, reconnaissante de son silence.

Les secondes s'égrenèrent. Elle devrait bouger, elle le savait. Toute sa vie, elle avait assumé. Très tôt, elle avait appris à prendre soin d'elle-même, car sa mère ne pensait qu'à son art. Parfois, il lui était même arrivé de prendre soin de sa mère également. Ces quelques dernières années chez Eva Ware Creations, elle avait fait bien plus qu'accroître les profits, elle avait aussi insisté pour qu'elles se retrouvent toutes les deux pour déjeuner le mercredi, après quoi elle emmenait sa mère soit au théâtre en matinée, soit au musée, soit faire les magasins. Les artistes ont grand besoin de pauses pour recharger les batteries, et sa mère le faisait rarement.

Elle se mit à jouer avec les boutons de chemise de Cash et songea à sa relation avec Jase. Certes, elle lui avait souvent soumis ses idées pour la boutique, mais jamais il ne l'avait tenue ainsi, jamais elle ne s'était laissée aller sur son épaule. En fait, elle n'avait pas le souvenir qu'on l'ait jamais réconfortée de cette façon. Avait-elle jamais baissé la garde à ce point ? S'était-elle jamais sentie envahie par un tel sentiment de sécurité ? Ou même bien, tout simplement ?

Cette dernière question la mit vaguement mal à l'aise. Elle avait des tâches qui l'attendaient, des promesses à respecter et, pour respecter ces promesses, elle devait examiner les bijoux rangés dans le coffre-fort et descendre à Santa Fe afin de voir les préparatifs de l'exposition. Elle n'avait plus de temps à perdre.

Encore une minute, se promit-elle. C'était trop bon, d'être entre ces bras forts, les yeux à hauteur de la ligne ferme de son menton et de sa mâchoire. Un menton têtu, soit dit en passant. De ce côté-là, il ressemblait à Jase. Elle n'était jamais sortie gagnante d'une polémique avec son colocataire, même si elle se souvenait de quelques matchs nuls gagnés de haute lutte, et elle avait comme l'impression que Cash serait tout aussi désireux de croiser verbalement le fer avec elle. Elle en fut presque impatiente.

« Assez ! » Elle prit une grande inspiration, bien décidée à se rasseoir normalement, mais le parfum de Cash amollit sa détermination. Pourquoi n'arrivait-elle pas à s'en rassasier ?

« Il est temps de bouger, Jordan ! Mais avant… »

— Excuse-moi, murmura-t-elle.

— De quoi ?

— Pour m'être laissée aller comme ça. Ça ne m'arrive jamais.

— Ce n'est pas un problème.

Sa voix émit un grondement plaisant contre son oreille, et elle lui rappela son rêve.

Qui n'avait pas été un rêve, corrigea-t-elle. Il fallait vraiment qu'elle reprenne pied dans la réalité, qu'elle affronte ce qui l'attendait.

— Tu es gentil. Je tiens à te remer…

Elle leva la tête, sa bouche frôla fortuitement sa joue, et elle perdit ses mots.

Les yeux de Cash étaient si près des siens qu'elle distinguait des paillettes bleues dans le gris de ses iris. Pour la première fois de sa vie, elle comprit que le monde est minuscule quand on regarde dans les yeux de quelqu'un.

Il y avait pourtant une chose importante qu'elle devait dire, qu'elle devait faire… Mais elle n'arrivait plus à trouver quoi. Pas alors qu'il avait la bouche si près de son visage qu'elle percevait son souffle sur sa peau, pas alors que son parfum de cuir et de soleil l'enveloppait.

— Cash ?

Il posa une main sous son menton, lui inclina la tête en arrière et… le plus naturellement du monde il posa sa bouche sur la sienne. Il avait les lèvres si douces. Elles n'exigeaient rien, elles caressaient. Jordan fut prise d'un désir désespéré de se fondre dans le bien-être qu'elles lui procuraient, et dans cette étrange sensation d'être enfin chez elle.

Puis il modifia soudain l'angle du baiser, et elle pénétra dans le territoire inexploré où il l'avait emmenée durant la nuit. L'espace d'un instant, elle fut tentée de s'y perdre.

Mais ce qui s'était passé cette nuit avait été le fruit d'un fantasme, se rappela-t-elle. Elle n'était pas la femme de ce rêve.

— On ne peut pas, dit-elle en reculant la tête.

— Pourquoi ?

— Parce que.

Il avait la bouche à quelques centimètres de la sienne, la main toujours sous son menton.

« On se concentre, Jordan. On traite le sujet comme une décision commerciale. »

— Je n'ai pas le temps. J'ai une tonne de choses à faire aujourd'hui. L'exposition de Maddie commence demain, il faut donc que j'examine ses créations et que j'aille à Santa Fe afin de visiter l'hôtel où aura lieu l'exposition.

— Il est encore tôt.

Aucune critique dans son ton, remarqua-t-elle. Il se contentait de la dévisager à sa manière, si intense. Elle fut terriblement tentée de se laisser aller, mais elle se reprit :

— J'ai une vie assez compliquée comme ça pour le moment. Il faut que j'endosse la personnalité de ma sœur, et je ne devrais pas rester à ne rien faire ici. Il faut que je sorte ses bijoux du coffre, si je veux être sûre d'être prête demain.

Il fallait aussi qu'elle se lève de ses genoux. Elle avait toujours mieux réfléchi en faisant les cent pas. Cependant, c'était comme si elle en était incapable. Cet homme n'avait pas besoin de faire quoi que ce soit : il lui suffisait *d'être* pour la séduire.

— Ecoute, reprit-elle, il faut que tu saches quelque chose. Ce qui est arrivé cette nuit, la manière dont je me suis conduite…

— Oui ?

— C'était provoqué par le rêve que j'étais en train de faire. Je ne me jette jamais sans réfléchir dans une relation, surtout une relation sexuelle. Je suis en général très méfiante. Tu as pensé que j'étais Maddie, et moi, j'imaginais Gregory Peck. Je pense que nous devrions le cataloguer dans les anomalies dues à la tempête et oublier.

— Alors là, ça va poser problème, dit-il en lui effleurant les lèvres des siennes. Parce que moi je n'arrive pas à me le sortir de la tête. Et j'ai très envie de recommencer.

Elle fit une tentative désespérée pour rassembler ses idées, mais la seule chose qui lui venait à l'esprit était qu'elle oscillait au bord d'un précipice, et que la chute était diablement alléchante. Et périlleuse, aussi. Finalement, elle opta pour un mensonge :

— Eh bien voilà, tu ne parlais que pour toi.

— Si la nuit dernière a été un rêve, tu n'as pas envie de savoir ce que ça donnerait dans la réalité ?

Elle avait vu juste, pour les escarmouches verbales ! Le problème, c'était qu'elle n'était pas vraiment sûre de croire à ses propres arguments. Elle était effectivement curieuse ; et sa bouche était si proche qu'elle fut quasiment certaine que ses neurones commençaient à cliqueter les uns après les autres.

— Je… je n'arrive pas à réfléchir.

— Bien. Maddie et Gregory sont partis faire un tour. Evitons de réfléchir un petit moment.

Il lui prit la bouche, mais, cette fois, ce ne fut pas une caresse. Ce fut une exigence. Une passion immédiate, urgente, et très semblable à celle de cette nuit s'empara d'elle. Elle qui pensait avoir magnifié mentalement l'expérience se rendit très vite compte qu'elle avait eu tort, car ce qu'elle éprouvait à présent était plus fort, plus intense que jamais. Son cœur n'avait jamais battu si fort, son corps jamais été plus douloureux de désir. Elle referma les bras autour de son cou, désormais insatiable.

Comme les larges baies ne leur accordaient que peu d'intimité, il la souleva dans ses bras et s'en fut en direction de la chambre la plus proche.

Tout ce qu'elle venait de lui dire se tenait, songea-t-il. Cette femme savait manier les mots, et il était de plus en plus admiratif devant ses facultés intellectuelles. Lui-même était du genre prudent, en général, et n'avait guère de goût pour les relations éphémères. Peut-être avaient-ils effectivement été emportés par une sorte de fantasme, la veille au soir.

Maintenant qu'il était au courant de cette histoire de testament, il comprenait que les choses n'étaient pas simples pour elle. Cependant, ce qu'il éprouvait n'avait rien de rationnel non plus. Surtout qu'il ne savait même pas s'il avait le moindre contrôle sur la situation.

Il la désirait, et elle le désirait. L'urgence qu'il avait goûtée en elle le fit presque trébucher en entrant dans la chambre. Il referma la porte d'un coup de pied, se retourna, et déposa Jordan en l'y appuyant.

Il n'allait pas l'emmener au lit. Pas encore. Il refusait que de quelconques souvenirs de la nuit passée entachent ce qu'ils allaient faire maintenant. Alors qu'il la posait sur ses pieds, leurs bouches se séparèrent.

Les doigts tremblants, il la débarrassa de tout ce qui la couvrait, finissant par la culotte. Il recula d'un pas quand elle ancra les pouces sous l'élastique et la fit descendre le long de ses jambes. Dès qu'elle en sortit, il avança et la plaqua contre la porte. Les yeux braqués sur elle, il posa les mains sur ses hanches et les fit lentement remonter sur son torse, le long de ses seins, sur sa gorge. Finalement, il les referma autour de son visage.

— Dis mon nom.

— Cash. Dis le mien.

— Jordan.

- 5 -

L'échange de prénoms fut comme un signal ; Cash referma les mains sur ses hanches et la souleva. Elle sentit leur force lui brûler la peau, enroula les jambes autour de lui et se cambra.

Un désir fou s'était emparé d'elle au cours du bref trajet menant à la chambre. Ne venait-elle pas de lui dire qu'elle n'était pas comme cela ? Jamais encore elle n'avait plongé ainsi dans une relation sexuelle. Cependant, le mot *non* semblait avoir disparu de son vocabulaire.

Elle se pressa plus fort contre lui quand il la plaqua contre la porte.

— Viens, dit-elle en s'arquant plus encore.

— Dans… un instant.

Il usa de son poids pour la maintenir en position contre le chambranle, lui prit les cuisses et recula un peu.

Elle entendit un sifflement de fermeture Eclair.

Son cœur s'arrêta quand la dernière barrière entre eux s'affaissa sur les jambes de Cash. Puis, *enfin*, elle sentit la pression de son sexe dressé contre son ventre. Si près.

Les sensations s'intensifièrent en elle. Jamais personne n'en avait provoqué de pareilles.

Il referma de nouveau les mains sur sa taille et la laissa descendre sur lui. Alors qu'elle s'enfonçait centimètre par centimètre, un tourbillon de plaisir naquit au plus profond d'elle. Impatiente, elle se cambra encore plus ; il la plaqua contre la porte et la pénétra intégralement.

Il commença à se mouvoir en elle, vite, très vite, presque violemment. Mais elle en fut ravie, et évolua en harmonie avec lui jusqu'à ce que l'orgasme s'empare d'elle. Il la laissa descendre encore, même si elle aurait cru cela impossible, puis il s'enfonça une ultime fois en elle et atteignit lui aussi l'apogée.

La tête vide, elle resta accrochée à lui. Le plus grand silence régnait dans la pièce, seulement rompu par le bruit de leurs respirations laborieuses. Alors que les minutes s'écoulaient, elle se dit qu'elle pourrait rester éternellement ainsi, calée entre son corps puissant et la porte.

Mais qu'avait donc cet homme, pour être capable de la faire brûler de désir un instant et, l'instant d'après, diffuser dans tout son corps un sentiment de bien-être et de paix ? Il allait falloir qu'elle trouve une explication.

Ce fut lui qui bougea en premier. Il resserra sa prise sur elle puis, un bras autour de son dos et une main sous ses fesses, il l'emporta sur le lit. Il était toujours en elle quand il l'allongea sous lui.

Et il était toujours excité.

— Encore, lui murmura-t-il à l'oreille. On pourrait croire que je suis rassasié, mais j'ai encore envie de toi.

— Moi aussi, répondit-elle sur le même ton alors que le feu la reprenait.

Il recommença à bouger en elle, plus calmement cette fois-ci, mais tout aussi intensément. Alors que le plaisir montait en elle, elle lui passa les jambes autour des reins et planta les doigts dans ses fesses pour l'attirer plus près encore. Ensemble, ils accélérèrent la cadence, ensemble ils explosèrent une nouvelle fois.

Puis il roula sur le lit et passa un bras sous elle pour la coller contre lui. Aucun des deux ne parla. Une main posée sur son torse, elle perçut lentement le retour à la normale de son pouls. Cash Landry était à l'aise avec les silences prolongés. Pas elle.

— On dirait que j'avais tort, fit-elle remarquer.

— A quel sujet ?

— Je pensais ne pas être la femme qui a couché avec toi la nuit dernière, mais il semblerait que je le sois.

— Tu m'en vois ravi.

— Moi aussi, je crois.

Il lui prit le menton et lui inclina la tête pour qu'elle le regarde.

— Tu crois ?

— Eh bien… euh…, répondit-elle en réfléchissant. Il va falloir qu'on trouve quoi faire avec ça — avec ce qui arrive entre nous.

— Je vote pour que nous en profitions, tout simplement, suggéra-t-il en repoussant ses cheveux derrière son oreille.

— Je suppose qu'on pourrait le faire. Pour les trois semaines à venir. Tant que les règles de base restent claires.

— Quelles règles de base ?

Quelque chose, dans son ton, la mit mal à l'aise. Mais il allait forcément comprendre.

— Cash, nous venons de mondes différents. Au bout de ces trois semaines, je vais retourner à New York et Maddie rentrera. Il faudra alors mettre un terme à… notre aventure.

Il la fixa, toujours avec autant d'intensité.

— Pourquoi parler de la fin alors que ce qui se passe entre nous, « aventure » ou pas, vient à peine de commencer ?

— Parce que j'aime savoir où je mets les pieds. J'ai besoin de savoir que, si je suis ici aujourd'hui, c'est parce que j'ai conçu un plan et que je compte le suivre à la lettre. Tu comprends cela ?

— La vie n'est pas aussi prévisible qu'un ranch. Il arrive des choses que personne n'a pu prévoir. Le prix du bétail fluctue. Un hiver rude peut faire que les troupeaux ont du mal à trouver de quoi se nourrir. Une longue sécheresse peut tarir les sources d'eau. J'ai l'habitude de faire avec les coups du sort et de trouver des solutions pour y pallier.

— Eh bien, je suppose que… euh… on pourrait voir notre… relation comme un impondérable. Tant qu'on convient qu'au bout des trois semaines on peut y mettre un terme. Comme ça, rien ne pourrait nous décevoir.

— Et si l'impondérable prend une autre direction ?

— Il ne le fera pas. L'entreprise de ma mère compte énormément à mes yeux, et on a besoin de moi à New York, surtout maintenant que… qu'elle n'est plus là. Je dois veiller à ce que son œuvre perdure.

Cash ne répondit rien. Jordan se renfrogna encore davantage.

— Je ne vais pas réussir à obtenir ton accord, c'est ça ?

Il souleva la main qu'elle avait posée sur son torse et l'effleura des lèvres.

— Je suis tout à fait partant pour qu'on profite l'un de l'autre tant que tu seras là.

— Et le reste ?

— Pourquoi ne pas nous mettre d'accord quant à un désaccord futur ?

Elle le dévisagea attentivement, et lut une pointe d'insouciance dans ses yeux — pour la première fois. Et elle trouva cela terriblement séduisant. Accord ou désaccord, cet homme représentait un danger pour elle, comprit-elle soudain. Ne venait-il pas de lui faire découvrir des aspects d'elle-même qu'elle ne connaissait pas ?

— Je suis ravie de ne pas t'avoir pour client.

Il lui décocha un immense sourire, si charmant qu'elle en oublia sa contrariété.

— Allez, viens, dit-il en lui prenant la main pour sortir du lit. Tu as besoin de voir les bijoux de Maddie, et puis on devrait partir pour Santa Fe.

— Tu changes de sujet, tout d'un coup ?

— Il commence à se faire tard et, si je reste près d'un lit et de toi, Santa Fe pourrait bien tomber aux oubliettes.

La gorge brutalement sèche, elle ne répondit rien. Car

elle était tentée de l'attirer de nouveau sur le lit. Ou par terre. Cet homme l'avait-il transformée en nymphomane ?

Il lui sourit encore et ajouta :

— De toute façon, je suis ouvert à toutes les possibilités. Si jamais tu décides de changer tes plans…

Il fit un pas vers elle, et elle leva les deux mains.

— Santa Fe !

Cependant, elle retint son souffle pendant que Cash récupérait son jean et ses bottes, et sortait de la chambre.

Elle courut à la chambre de Maddie. Une douche froide, vite… Histoire de se remettre les idées en place.

Du moins l'espérait-elle.

Jordan était presque sûre d'avoir recouvré ses esprits quand elle grimpa dans le pick-up de Cash. Elle avait pris le temps d'aller ouvrir le coffre-fort et d'examiner les bijoux qu'y avait entreposés Maddie en vue de l'exposition. Boucles de ceinture en argent gravé, colliers délicats, boucles d'oreilles, presque tous ornés de ces turquoises dont le Nouveau-Mexique regorgeait.

Sa sœur avait sans conteste hérité du talent de leur mère. Et, comme Eva, elle avait peut-être besoin d'aide dans le domaine commercial, une aide que Jordan entendait bien lui fournir. Elle réfléchissait déjà à la meilleure manière de présenter les bijoux sur le stand.

— Ta ceinture, lui dit Cash.

— Oh, pardon… J'avais la tête ailleurs.

— Tu l'as depuis que tu as ouvert ce coffre.

— Jusque-là, je n'avais aucune idée de l'ampleur du talent de Maddie.

Dès qu'elle arrima sa ceinture de sécurité, il démarra et entreprit de descendre le chemin sinueux menant à la route. Le soleil de midi tapait, et l'air conditionné soufflait encore plus d'air chaud.

— Tu ne dessines pas de bijoux ?

— Non. Je m'occupe du marketing, chez Eva Ware Creations. J'ai procédé à un bon nombre de modifications depuis que j'ai intégré l'équipe, et j'ai l'intention de trouver des idées pour Maddie tant que je suis là. Pour commencer, son site Web a besoin d'une bonne refonte.

Cash ne répondit rien. S'il y avait une chose qu'elle avait apprise sur lui, c'était qu'il ne parlait que lorsqu'il avait quelque chose à dire. Donc, il était probablement d'accord avec elle, au sujet du site. S'il l'avait jamais visité, cela dit.

En prenant sa douche froide, elle avait décidé de ne plus se disputer avec lui à propos de choses accessoires. Il avait suggéré de prendre son pick-up et, comme il lui importait peu de savoir qui conduisait et quelle voiture, elle avait accepté. En fait, cela lui permettrait de revoir les notes de sa sœur car, à Santa Fe, elle allait devoir se faire passer pour elle à plein temps.

Ce n'est qu'après avoir jaugé la réaction de Cash qu'elle avait compris qu'elle pourrait y arriver. La façon dont il l'avait regardée, quand elle l'avait rejoint dans le salon, avait donné la touche finale à sa décision.

— On croirait voir Maddie, lui avait-il déclaré.

Elle avait essayé trois tenues formelles de Maddie avant de faire son choix, puis elle avait sélectionné la plus neuve et la plus féminine de ses paires de bottes. A son avis, sa sœur avait grandement besoin d'un renouvellement de garde-robe car, de ce côté-là aussi, elle tenait de leur mère. Jordan avait dû harceler gentiment Eva pour qu'elle ne porte pas des vêtements à la mode du siècle dernier.

— Qu'as-tu fait à tes cheveux ? demanda soudain Cash.

— J'ai mis un postiche.

Elle avait tiré ses cheveux en arrière et dissimulé leurs pointes courtes sous une tresse fixée en cercle.

— Une fois que j'ai réussi à convaincre Maddie de faire

l'échange, je suis allée l'acheter et j'ai demandé à mon coiffeur de le teindre à ma couleur de cheveux.

— J'ai souvent vu Maddie coiffée comme ça. Tu veux te faire passer pour elle à Santa Fe, c'est ça ?

— Ce sera plus simple, répondit-elle. Et mieux pour elle. J'en sais beaucoup sur le commerce de bijoux, mais les clients se sentent plus en confiance s'ils pensent s'adresser à la créatrice. Maddie m'a établi des notes, donc je connais les noms des acheteurs avec qui elle a déjà traité, et ce qu'ils ont acheté. Et, même sans le postiche, j'ai réussi à duper l'homme qui nous a avertis, pour le studio.

— Sweeney. J'ai oublié de faire les présentations.

— Ça vaut mieux, je crois. Je vais être ici trois semaines, et je pense que ce sera plus simple si tout le monde me prend pour elle. Je pense pouvoir me débrouiller avec les propriétaires de boutiques. J'ai leurs noms et celui de leurs magasins. J'ai vraiment envie de voir ce que je vais pouvoir faire pour accroître l'aspect commercial de l'entreprise. Et je préfère ne pas perdre de temps à expliquer que je suis sa jumelle.

— Tu as raison.

— Et si on tombe sur cet agent immobilier, ce Daniel Pearson ?

— Ça pourra peut-être poser un problème, répondit Cash en se rembrunissant. Il est venu au ranch, il a même invité Maddie à dîner deux ou trois fois.

— Il lui met la pression à ce point ? s'exclama-t-elle.

— Oui. En fait, si on le croise, il sera peut-être tellement pressé de te voir accepter qu'il ne notera peut-être pas la différence.

Alors que Cash obliquait sur la route, elle se tourna pour avoir un aperçu du ranch. Même au travers du nuage de poussière soulevé par le pick-up, elle se rendit compte que les bâtiments construits dans un vaste espace et sur fond de ciel d'azur conviendraient tout à fait à une carte postale. Quelque chose d'indéfinissable s'empara d'elle. Ce même quelque chose qu'elle avait connu alors qu'elle ouvrait la porte.

Chez elle...

Pourquoi ? Elle n'était qu'un bébé quand sa mère l'avait emmenée au loin. Des souvenirs de cet endroit avaient-ils perduré en elle, toutes ces années ?

Elle changea de position et regarda les collines bleu-gris dans le lointain, les pâturages qui s'étendaient sur des kilomètres. C'était si vaste, si beau. La gorge serrée, elle fut prise d'une autre émotion qu'elle ne s'expliqua pas. De la nostalgie ? Elle n'en sut rien, mais ce dont elle fut sûre, c'était qu'elle allait tout faire pour que Maddie ne soit pas obligée de vendre.

— Est-ce que mon père aurait envisagé de vendre des parcelles de son terrain ?

— Jamais !

— Je ne pense pas qu'il ait jamais voulu partir d'ici.

— Le ranch, pour Mike Farrell, c'était comme une religion. Je pense qu'il le voyait comme une vocation. C'est d'ailleurs ce que font la plupart des ranchers, mon père compris.

« Et toi aussi », songea-t-elle.

— Donc, si ma mère avait décidé de partir pour New York, il ne l'aurait pas suivie ?

— Je pense que non, répondit Cash en la regardant.

— Je ne peux pas le lui reprocher, dit-elle en lâchant un petit soupir. D'une certaine façon, la création de bijoux était également une religion pour maman. Elle ne pensait pratiquement qu'à ça. Ils venaient de mondes tellement différents que je peux comprendre pourquoi ils ont rompu, mais ce que je ne m'explique pas, c'est pourquoi ils nous ont séparées, Maddie et moi. Et pourquoi ils ont gardé le secret.

La seule réponse de Cash fut de tendre la main et de

lui caresser le bras. Ils commençaient à gravir les collines et, pour se distraire, Jordan tenta de se concentrer sur le paysage. Mais son esprit rebelle revenait toujours à Cash.

Elle lui jeta un regard de côté. Sweeney avait dû lui apporter les vêtements demandés, car il portait un jean noir et une chemise blanche. Sa boucle de ceinture devait lui venir de Maddie. Il avait roulé ses manches, et le coton blanc contrastait avec ses avant-bras bronzés. Elle eut soudain envie de tendre la main pour les caresser. Comme elle avait envie de le toucher ! De lui arracher cette chemise pour l'explorer en détail encore une fois…

Et quel mal y avait-il à ça, au juste ? Du moins tant qu'elle garderait leur relation sous contrôle.

Tout ce qui pourrait évoluer entre eux avait un délai d'expiration de trois semaines. Mais ce n'était pas si mal. Trop occupée — trop obnubilée — par ses études et ensuite par ses fonctions chez Eva Ware Creations, elle n'avait jamais pris le temps d'avoir une aventure. Il n'y avait donc aucune raison pour qu'ils ne profitent pas de ce qui leur était offert pendant ces trois semaines. Tant que cela n'interférait pas dans ses plans.

Cash lui jeta un coup d'œil.

— Y a-t-il autre chose que tu voudrais me demander ?

Elle sentit le feu lui monter aux joues. Aurait-il lu en elle ?

Reportant son attention sur la route, elle s'aperçut qu'ils avaient entamé la descente des collines. Sur la droite, la terre disparaissait.

— Je présume, vu les dates du mariage et de notre naissance, que ma mère a passé au moins onze mois ici, il y a vingt-sept ans.

Elle réfléchit encore.

— Bien sûr, je peux me tromper, mais ils se sont mariés un peu plus de onze mois avant nos naissances, donc ils ne l'ont pas fait parce qu'elle était enceinte. Tu m'as dit que tu n'avais jamais entendu parler de moi. Crois-tu que ton père l'ait su ? Est-il possible qu'il ait connu nos deux existences, à Maddie et à moi, pendant tout ce temps ?

— Il n'en a jamais rien dit, mais cela ne veut pas dire qu'il ne savait pas, pour toi. Ma mère devait le savoir, aussi. Ton père leur a peut-être fait jurer le secret. J'y ai pas mal réfléchi. Dans un ranch, on vit plutôt isolé ; on travaille dur ; on n'a pas trop le temps de se faire des relations. Alors, il est possible que très peu de personnes l'aient su.

— Vois-tu quelqu'un à qui je pourrais parler, et qui pourrait éventuellement nous avoir connues à l'époque ?

— Le contremaître de Maddie, Mac McAuliffe, ne travaille ici que depuis dix ans, répondit Cash après quelques minutes de réflexion. Sweeney était déjà chez nous, mais il ne devait pas venir très souvent. J'avais à peine trois ans à l'époque, et je restais à la maison. Toutefois, il y a le vieux Pete Blackthorn.

— Je ne pense pas que Maddie ait mentionné ce nom, dit Jordan en sortant ses notes de son sac.

— Elle a certainement pensé que tu ne le verrais pas. Il ne vient pas souvent au ranch, depuis la mort de ton père. Ils avaient l'habitude de jouer aux échecs ensemble. Je crois qu'il manque beaucoup au vieux Pete.

— Où vit-il ?

— Il a une caravane dans un parc au sud de Santa Fe, mais il y est rarement. Toute sa vie, il a été prospecteur indépendant, ou quelque chose dans le genre. Son aïeul travaillait dans une des mines de turquoise navajo du coin. Tout le monde pense que Pete possède de vielles cartes transmises de père en fils et qui indiquent l'emplacement d'anciennes mines. En tout cas, il paraît trouver plus de turquoises que les autres.

— Est-ce lui qui fournit à Maddie ces splendides pierres que j'ai vues au studio ?

— Il est même son seul fournisseur, répondit Cash en

souriant. Même quand elle était gosse, il lui apportait des gemmes pour qu'elle joue avec.

— J'adorerais le rencontrer. Pas juste pour savoir s'il sait quelque chose à mon propos, mais j'aimerais aussi lui acheter quelques turquoises pour Eva Ware Creations.

— Quand on fera le tour du propriétaire, après-demain, il est possible qu'on tombe sur lui. Je l'ai souvent aperçu dans les collines au sud-est.

— Merci, lui dit-elle en souriant.

— Tu te sens prête à monter Brutus ?

— J'en rêve déjà !

Cash jeta un regard vers le rétroviseur, et fronça les sourcils.

— Qu'y a-t-il ?

— On a de la compagnie. Il y a un van qui arrive très vite derrière nous.

Jordan se retourna. C'était un van noir aux vitres fumées. Le soleil se refléta sur son pare-brise alors qu'il se rapprochait.

Cash décéléra et posa le pied sur le frein.

— Il y a quelques virages assez dangereux, juste devant nous, lui dit-il. Aucun chauffeur connaissant cette route ne conduirait aussi vite.

Il posa encore le pied sur la pédale de frein.

— Peut-être qu'il va comprendre l'avertissement, reprit-il.

Le van se rapprocha encore, à dix mètres, cinq mètres, trois mètres…

— Il ne ralentit pas. S'il veut doubler maintenant…

Mais Jordan comprit brusquement que le van ne voulait pas les doubler.

— Retourne-toi et tiens-toi ! lança Cash.

Jordan ne discuta pas. Elle eut une seconde pour évaluer la façon dont le terrain disparaissait sur la droite, puis le van percuta leur pare-chocs arrière.

L'impact la projeta en avant et bloqua sa ceinture de

sécurité. Les roues arrière du pick-up chassèrent follement. Le cœur dans la gorge, elle les écouta tournoyer. Elle ne put qu'agripper le siège d'une main, la poignée de portière de l'autre et s'y accrocher désespérément.

- 6 -

Les pneus hurlèrent et le pick-up dérapa sur l'étroit bas-côté, faisant jaillir cailloux et poussière. Cash agrippa le volant si fort qu'il crut le briser.

« Du calme, se dit-il, on redresse tout doux. » S'il obliquait trop fort sur la gauche, il allait envoyer son véhicule sur la roche.

— Ça n'a rien d'un accident ! s'exclama Jordan.

— Non. Il essaye de nous faire quitter la route, répondit Cash sans même songer à mentir.

Le problème, c'était que le salaud derrière lui avait de bonnes chances d'atteindre son objectif. A ce stade de la descente, la route devenait étroite et sinueuse, bordée d'arêtes rocheuses sur un côté, et n'ayant quasiment pas de bas-côté sur l'autre.

Une fois que son pick-up eut repris sa trajectoire normale, il risqua un coup d'œil dans son rétroviseur. La route était un peu plus plane, et le van s'était éloigné.

Jordan se retourna sur son siège.

— Il n'est plus aussi près. Que va-t-on faire ?

— Avec un peu de chance, lui gâcher le plaisir, répondit Cash en lui jetant un bref regard. Tu veux connaître les bonnes nouvelles ?

— Parce qu'il y en a ? Je t'écoute.

Elle était terrifiée, mais elle tenait bon. N'importe quelle autre femme — peut-être même Maddie — aurait paniqué.

— Dans ma folle jeunesse, dit-il, j'ai fait un peu de courses de dragster dans ces collines.

Plus qu'un peu, à vrai dire.

— Tu connais donc bien la route.

— Comme ma poche.

Alors même qu'il parlait, il déroulait une carte dans sa tête, comme il le faisait à l'époque.

Un court silence s'installa.

— Tu as un plan ?

— Tu parles !

C'était un plan risqué. Il fit une prière désespérée pour qu'il fonctionne.

— Qu'est-ce que je peux faire pour t'aider ?

— Garde un œil sur le van. J'ai besoin de garder les miens sur la route.

— O.K., dit-elle en pivotant sur son siège. Il est à une quinzaine de mètres.

Un panneau clignotant annonça un double virage en S, et Cash fut ravi que Jordan ne l'ait pas vu.

— Je veux savoir quand il est hors de vue, dit-il en pressant la pédale d'accélérateur.

— Tu appuies sur le champignon ?

— Oui. Il va encore nous rentrer dedans, mais il va attendre qu'on soit plus loin, quand le ravin est plus profond.

— Ravie de le savoir.

Il ne put empêcher un sourire de se former sur ses lèvres. Cette femme était un vrai soldat.

— Il y a deux possibilités, dit-il.

— Donc, il a deux chances ?

— Non, si j'y peux quelque chose.

— Il accélère, il maintient la distance.

— Parfait.

Sur sa carte mentale, il se représenta les deux endroits de la route où le bas-côté disparaissait presque à la verticale. Au premier, c'était une série d'étroites ravines de plus en plus profondes. Il y avait une chance de survie. Au deuxième, c'était un à-pic de plus d'une centaine de mètres. Il faudrait un véritable miracle pour éviter la mort.

Si le type du van était un pro, ce que Cash commençait à soupçonner, il avait repéré le terrain et choisi son endroit. Le deuxième. Il était prêt à en mettre sa main au feu.

Cependant, si son plan fonctionnait, aucune des deux voitures n'irait aussi loin.

Il jeta un coup d'œil à son compteur ; l'aiguille avait dépassé le cent kilomètres heure. Il se remémora que sa camionnette n'était pas la voiture qu'il conduisait adolescent, mais il ravala sa peur et négocia le premier virage à presque cent dix. Les doigts agrippés au volant, il lutta pour garder le contrôle du véhicule. Celui-ci oscilla brièvement sur deux roues, mais, après trois battements de cœur, les deux autres claquèrent sur la chaussée. Le cœur dans les oreilles, Cash affermit sa prise sur le volant et lança le pick-up dans le virage suivant. En même temps que l'adrénaline montait, ses idées s'éclaircirent, et il vit nettement la représentation de la route en spirale.

— Où est le van ?

— Toujours là.

— Bien.

Il voulait que leur poursuivant maintienne la distance. Pour l'instant. Dans le virage le plus serré de la spirale, les roues arrière chassèrent en hurlant sur l'asphalte. Elles dérapèrent sur l'accotement presque inexistant et tournoyèrent dans le vide avant de revenir sur la chaussée. Puis le pick-up repartit à toute vitesse.

— Tu le vois encore ?

— Non. Trop de poussière.

Parfait. Il y avait cher à parier que le chauffeur avait dû ralentir un peu. Mais il ne vérifia pas lui-même. Pas plus qu'il ne regarda sur la droite. Il savait trop qu'il n'y avait rien à voir de ce côté-là.

Les yeux plissés, tendu à l'extrême, il se concentra totalement sur la route sinueuse, et sur la carte qu'il avait en tête, négociant les deux virages suivants. Il l'avait déjà fait, se rappela-t-il.

— Il y a un dos-d'âne devant, dit-il à Jordan.

Quand le pick-up le heurta et s'envola quelques secondes, le cœur lui tomba dans l'estomac — tout comme il l'aurait fait sur des montagnes russes. Il se souvint des émotions que ce genre d'acrobatie lui procurait à l'époque. Mais cette fois-ci, il ravala sa peur. Le pick-up atterrit sur la route dans un fracas épouvantable.

En l'espace de quelques secondes, ils atteignirent la partie la plus escarpée de la route. Les dents serrées, il anticipa le prochain virage.

— Je ne vois toujours pas le van. Ah, le voilà…

Cash appuya plus fort sur l'accélérateur. Un panneau clignota. Il savait qu'il limitait la vitesse à cinquante. Avec un peu de chance, il allait passer les premiers virages. S'ils abordaient le dernier à cette allure, ils quitteraient la route.

Seulement, il n'avait pas prévu de prendre ce dernier virage. Juste devant, exactement là où il se l'était représentée, il y avait une vaste aire circulaire taillée dans le rocher. C'était le seul endroit où un véhicule pouvait quitter la route et s'arrêter. Le minutage allait être essentiel. La sueur au front, il pria pour réussir sa manœuvre.

Il commença à tapoter la pédale de frein juste avant que le bas-côté agrandi arrive en vue. Quand ils y parvinrent, il dirigea son pick-up de l'autre côté de la route avant de braquer violemment sur la gauche. Les pneus firent voler le gravier. Accroché au volant comme à une bouée de sauvetage, Cash laissa l'instant les emporter.

Jordan aurait hurlé si elle n'avait pas eu le cœur coincé dans la gorge. Ils allaient mourir. Cette seule pensée paralysa son esprit. Sa vie ne défila pas devant ses yeux. Ce qui défila devant eux, ce fut une succession de scènes brouillées par la poussière qui volait partout, chacune figée un instant derrière le pare-brise du pick-up. Un solide mur de roche se dressa devant eux, puis ce fut un tournoiement de la route. Puis plus rien que de l'air. L'estomac retourné, elle ferma les yeux afin de bloquer les images.

Quand le métal heurta la roche, elle comprit que la fin était proche. Maintenant, elle ne connaîtrait jamais sa sœur, ni son père. Ni Cash. Elle perçut le brutal soubresaut du pick-up et comprit qu'il faisait son possible pour les sauver. Ce fut sa dernière pensée avant que la camionnette ne s'immobilise en tressautant.

La main de Cash agrippa la sienne.

— Jordan, tu vas bien ?

— Oui.

Et c'était vrai. Elle rouvrit les yeux. Une odeur de caoutchouc brûlé envahissait l'habitacle. Une odeur bien réelle. Ils n'étaient pas morts. Alors que sa vision faisait le point, elle s'aperçut que la roche était sur leur droite, et qu'ils étaient à présent face à la montée.

Puis, au travers du halo de poussière, elle vit le van faire une embardée dans le virage juste devant eux — celui-là même qu'ils venaient de passer. L'arrière du van chassa, le faisant rapidement déraper. Elle eut l'impression de regarder un film. L'espace d'un instant, les pneus dérapèrent et le van partit de droite et de gauche sur la route, l'avant face à la roche et l'arrière presque dans le vide.

— On dirait qu'il a pris son virage trop vite, dit paisiblement Cash.

Elle perçut un sourire de satisfaction dans sa voix. Elle aurait bien ajouté quelque chose, mais elle ne pouvait détacher ses yeux du van. Il était encore à une quinzaine de mètres quand les roues arrière retrouvèrent leur traction. L'espace d'un horrible moment, la voiture partit en flèche et elle fut persuadée qu'elle allait s'écraser contre la roche. Mais, au dernier moment, le chauffeur évita la collision et braqua vers la route.

— Il surcompense, commenta Cash.

Et, comme pour prouver sa déclaration, le van pencha d'un côté et son toit heurta la roche dans une pluie d'étincelles.

Puis il reprit de la vitesse et fit des embardées sur la route.

— Il ne va pas y arriver, ajouta Cash.

Il avait raison. Le chauffeur avait manifestement perdu le contrôle, et il roulait bien trop vite. Quand son véhicule fonça vers eux, il tressautait. Quand il les dépassa, ils se tournèrent tous deux sur leurs sièges. Ensemble, ils le regardèrent s'envoler de l'autre côté de la chaussée. Il y eut un silence soudain alors que le véhicule s'immobilisait dans les airs, et Jordan crut même qu'il allait se mettre à voler.

Enfin, comme si un magicien avait agité sa baguette, l'avant plongea et le van disparut. Le fracas de l'impact brisa le silence.

Cash lâcha sa main, dégrafa sa ceinture et ouvrit sa portière.

— Reste ici.

— Pas question.

Il attendit qu'elle le rejoigne, puis il lui prit la main et ils traversèrent les deux voies.

Le van était à une cinquantaine de mètres en contrebas, couché sur le côté passager. Deux de ses roues tournaient encore.

— J'espère que je vais pouvoir capter un signal, dit Cash en sortant son portable.

Il poussa un soupir de soulagement et numérota le 911.

Un instant plus tard, Jordan l'entendit indiquer leur localisation à son interlocuteur. Tout était arrivé si vite qu'elle essayait encore de tout appréhender. Quand il remit son téléphone dans sa poche, les roues du van avaient cessé de tourner dans le vide. Et elle, elle arrivait enfin à comprendre ce qui s'était passé. Elle se tourna vers lui.

— Tu avais l'intention de lui faire quitter la route, pas vrai ? C'était ça, ton plan.

— Je ne nie pas que je l'avais espéré, répondit-il en la regardant bien en face. Ce salaud essayait de nous tuer.

Il s'était attendu à ce qu'elle ait un mouvement de recul, ou qu'elle s'éloigne un peu. Mais elle lui passa les bras autour du cou et l'attira plus près d'elle.

Il n'aurait pu décrire les émotions que ce simple geste fit naître en lui, mais ses genoux s'en entrechoquèrent presque. Aucune femme n'avait jamais été capable de le déchiffrer aussi bien. Elle l'emmenait dans des territoires inexplorés. Ce qui brûlait en lui, ce n'était plus le feu qui avait présidé à leurs ébats, un peu plus tôt, mais une douce chaleur provoquée par son étreinte. Il se sentit merveilleusement bien.

Quand elle voulut reculer, il n'eut pas envie de la lâcher.

— Merci, lui dit-elle, tout simplement.

Il tenta de reprendre ses esprits.

— Tu m'as aidé, tu sais.

— Comment ? Ce n'est pas moi qui pourrais me lancer dans une nouvelle carrière de pilote de rallye !

Il sourit.

— Tu as fait tout ce que je t'ai demandé. Tu n'as pas posé de questions inutiles. Tu n'as pas paniqué.

Elle inclina la tête sur le côté.

— Je n'ai pas pour habitude de paniquer. Mais je ne suis pas certaine que tu doives me faire confiance, quand il s'agit de ne pas poser de questions et d'obéir au doigt et à l'œil.

Il partit d'un grand éclat de rire. Et il l'attira à lui pour l'embrasser. D'un baiser rapide, avait-il pensé tout d'abord. Mais la douceur de ses lèvres alliée à son soulagement d'avoir pu échapper à ce tueur en décidèrent autrement.

Avant même de s'en rendre vraiment compte, il l'avait plaquée contre lui et l'embrassait passionnément.

Soudain, il se remémora leur situation et trouva la force d'interrompre leur étreinte.

— Tout est arrivé si vite…, haleta Jordan.

— Tu l'as dit.

A un autre moment, il l'aurait prise ici même. Et il regretta de devoir mettre un frein à son désir. Bientôt, ailleurs, se promit-il.

Une heure plus tard, debout au bord de l'étroit accotement surplombant le ravin, Jordan fit sa déclaration à l'inspecteur Shay Alvarez. Il ne s'était pas présenté, et elle en déduisit que sa sœur le connaissait. A quel point ? se demanda-t-elle. C'était la question à mille dollars. Elle s'était fait un devoir de capter son nom en faisant usage de la méthode de l'oreille indiscrète.

Alors qu'il relisait ses notes, elle baissa les yeux vers la scène en contrebas. Un hélicoptère treuillait une civière sur laquelle était étendu le chauffeur du van. Alvarez fit de même jusqu'à ce que l'homme soit hissé dans l'appareil.

En descendant voir, Cash avait découvert que le pouls de l'homme battait encore faiblement. La police avait dû faire usage d'une sorte de poulie pour redresser le véhicule afin que les pompiers parviennent à le sortir.

Le soleil était impitoyable, et la brise poussiéreuse provoquée par les pales de l'hélicoptère lui sembla plus brûlante encore. La sueur dégoulinait dans son dos.

L'inspecteur baissa les yeux sur son carnet.

— Tu es sûre d'ignorer pourquoi cet homme a essayé de vous faire sortir de la route, Cash et toi ?

— Oui.

Ça, au moins, c'était vrai, même si elle commençait à

se sentir un peu coupable de ne pas lui dire qu'elle n'était pas Maddie. Mentir à la police, ce n'est jamais fabuleux…

— Il y a eu quelques actes de vandalisme au ranch, reprit-elle. On a essayé d'empoisonner mon cheval et, ce matin, mon studio a été dévasté.

— Cash m'en a parlé, répondit Alvarez en l'observant avec attention.

Il avait dû le faire quand la police était arrivée et que l'inspecteur l'avait attiré à l'écart, songea-t-elle. Leur langage corporel lui avait appris qu'ils se connaissaient bien, mais elle pouvait difficilement le leur demander.

Après leur bref entretien en aparté, l'inspecteur avait confié Cash à l'un de ses agents et était allé examiner les traces de freinage dans le virage.

Grand, efflanqué, les épaules larges et les yeux bleus, il n'avait pas l'air hispanique. Il lui avait même rappelé Matt Dillon dans *Gunsmoke* quand il était descendu de voiture.

Elle croisa de nouveau son regard, et repensa encore au shérif du film. Matt Dillon y campait un flic intelligent, et elle avait comme le sentiment qu'il en allait de même pour Shay Alvarez. Alors que le silence s'étirait entre eux, elle crut devoir reprendre la parole :

— Sais-tu qui est cet homme ?

— Pas encore. Il n'avait aucun papier sur lui, ce que font la plupart des tueurs professionnels. Mais nous allons lancer une recherche à partir de ses empreintes.

— Penses-tu que cet accident puisse avoir un rapport avec la destruction de mon studio ?

Du coin de l'œil, elle vit Cash se diriger vers eux, et en fut soulagée. Pour peu de temps.

— Peut-être. Je pourrais m'en faire une idée plus précise si tu me disais qui tu es vraiment, et pourquoi tu essayes de te faire passer pour Maddie ?

Cash arriva juste au moment où il prononçait ces mots,

et il donna une petite claque sur l'épaule de l'inspecteur en souriant.

— Je me demandais si tu t'en apercevrais ou pas, dit-il.

— Vous comptiez me le dire un jour ?

— Peut-être, répondit Cash.

Shay secoua la tête.

— Son identité va être cruciale si vous voulez que je découvre pourquoi cet homme a voulu la tuer.

— Je pense que c'est Maddie qu'il essayait de tuer, répondit Cash en reprenant son sérieux.

— Peut-être.

— Quand as-tu compris qu'elle n'est pas Maddie ?

Alors, seulement alors, Alvarez lui décocha un sourire.

— Il m'a fallu un bon moment. Mais elle n'a pas paru se rappeler que c'est moi qui suis venu au ranch quand on a voulu empoisonner Brutus.

— Hé ! intervint Jordan, franchement contrariée. Je suis là, et je n'aime pas trop qu'on parle de moi comme si j'étais ailleurs !

— Oui, madame, répondit le policier en lui souriant et en tendant la main. Je me présente, Shay Alvarez.

— Jordan Ware, dit-elle en lui serrant la main. Je suis la sœur jumelle de Maddie.

— Des jumelles…, dit Shay en reprenant son sérieux. Ça explique cette ressemblance hallucinante. Mais pourquoi vous faire passer pour elle ? demanda-t-il en jetant un coup d'œil à Cash. Ou est-ce que vous essayiez de me mener en bateau ?

— Toujours aussi soupçonneux, le flic, ironisa Cash.

— J'en déduis que vous vous connaissez bien, tous les deux ? s'enquit-elle.

— Depuis le lycée, dit Shay. J'ignorais que Maddie avait une sœur jumelle.

— Elle aussi. Et moi, jusqu'à il y a quelques jours,

lui répondit-elle avant de lui expliquer succinctement la situation.

— Dans ce cas, ce n'est pas moi qui vais cafter, promit Shay. Mais qui d'autre est au courant ?

— Seulement l'avocat de ma mère, les membres de ma famille et les employés d'Eva Ware Creations. Pourquoi ?

— Cette nuit ou ce matin, quelqu'un a vandalisé le studio de Maddie. Ce matin, on essaye de vous envoyer dans le décor. Manifestement, le vandalisme affectant le ranch a pris de l'ampleur depuis ton arrivée à Santa Fe… si tu veux bien qu'on reprenne le tutoiement. Si quelqu'un est décidé à casser le testament, se débarrasser de l'une ou l'autre des sœurs ferait l'affaire.

— Tu penses que quelqu'un veut nous tuer, Maddie ou moi, à cause du testament ? demanda-t-elle après avoir dégluti plusieurs fois.

— Ce n'est pas la seule explication, répondit Shay en désignant le ravin de la tête, mais c'est la première qui saute aux yeux. L'argent est toujours un puissant moteur.

— Jordan a appris ce matin même que l'accident de sa mère fait l'objet d'une enquête pour meurtre, interrompit Cash.

Shay laissa échapper un sifflement.

— Il y a donc un lien entre ceci et cela.

Ce n'était pas une question, nota Jordan.

— Je ne suis pas féru de coïncidences, mais tu l'as dit, ce n'est pas la seule possibilité, reprit Cash. Que sais-tu de Daniel Pearson ?

— L'agent immobilier aux dents qui rayent le plancher ? demanda Shay, ahuri.

Cash opina.

— Principalement ce que je lis dans le journal. Il a énormément de relations, il siège au comité d'administration de quelques musées et autres galeries, et il se sert de ses relations pour faire prospérer son affaire. Pourquoi ?

— Parce que cela fait six mois qu'il harcèle Maddie pour qu'elle mette le ranch en vente.

— Je l'ai rencontré quelques fois, dit Shay après un instant de réflexion. Il est présent à toutes les réceptions auxquelles ma mère me presse d'assister.

Alors que Shay continuait à décrire Pearson comme un homme persuadé de son charme avec les femmes, Jordan étudia ses deux interlocuteurs.

Ils étaient très semblables physiquement, avec leur haute stature et leurs cheveux bruns. Shay prêtait manifestement plus d'attention à son habillement, et son pantalon kaki avait un pli impeccable, alors que le jean élimé de Cash lui allait comme une seconde peau. Tous deux irradiaient la compétence. De plus, le policier et le cow-boy discutaient avec l'aisance de vieux amis, et leur respect pour les idées de l'autre était aussi évident que mutuel.

— Tu penses que Pearson serait impliqué là-dedans ? demanda Shay.

— Je crois que c'est une possibilité, répondit Cash en désignant les marques de freinage sur la chaussée. Il a très bien pu embaucher ce tueur qui, après avoir vandalisé le studio de Maddie, aurait tranquillement attendu qu'on parte pour Santa Fe. Il était facile de parier qu'elle s'y rendrait aujourd'hui, puisque l'exposition ouvre demain. Une fois Maddie sortie du tableau, il était pratiquement certain que le ranch se retrouverait sur le marché.

— Possible, répondit Shay. Mais, s'il harcèle Maddie depuis des mois, pourquoi une telle accélération ?

— Peut-être qu'il est aussi sous pression, intervint Jordan. S'il a tellement hâte de mettre le ranch dans ses fichiers, il doit avoir un acheteur sur le dos.

Les deux hommes lui firent face.

— Pas bête du tout, ça, déclara Shay. Ce n'est pas suffisant pour l'interroger, mais je vais me renseigner sur un acheteur potentiel. Ma mère siège à quelques conseils d'administration avec son courtier.

— Génial, lui dit Cash en souriant.

— Je présume que tu vas coller aux basques de Mlle Ware ?

Sans laisser à Cash le temps de répondre, Jordan le réprimanda gentiment :

— Je suis Maddie, ça te revient ?

— Exact, pardon, dit-il avant de faire un pas vers elle. Cash ne te le dira jamais, mais tu as eu une chance folle qu'il soit au volant. Personne ne connaît mieux cette route.

— Je sais.

— Le travail m'appelle, reprit Shay en voyant venir un agent vers eux.

— Tu nous contactes ? demanda Cash alors que Shay se dirigeait vers son subordonné.

— Dès que j'ai du nouveau !

Cash se retourna et prit la main de Jordan.

— Est-ce que tu veux rentrer au ranch ?

— Non, il faut que j'aille à Santa Fe. J'ai donné ma parole à Maddie que l'exposition se déroulerait comme prévu, et je ne vais laisser personne m'en empêcher.

Il lui prit le menton et effleura ses lèvres des siennes.

— J'aime bien ta manière d'être, Jordan Ware.

- 7 -

Cash donna son café glacé à Jordan avant de poser le sien sur la table et de s'asseoir face à elle.

— Merci, dit-elle en relevant les yeux.

Puis elle replongea dans les notes de Maddie. C'était Jordan qui avait voulu faire une halte dans le petit restaurant situé face à l'hôtel où devait se tenir l'exposition. Elle tenait à se préparer, au cas où elle tomberait sur quelqu'un qu'elle était censée connaître.

— Tu vas te débrouiller comme une reine, lui dit Cash en posant une main sur la sienne.

— Je l'espère, répondit-elle en entremêlant leurs doigts. Il y a pas mal de gens que je vais devoir leurrer. Certains d'entre eux, Maddie ne les voit qu'au cours des expositions, mais elle en croise d'autres assez souvent.

— Je vais peut-être pouvoir t'aider pour certains.

— Connais-tu Joe Manuelo ?

— On ne s'est jamais rencontrés, répondit-il après un temps de réflexion, mais je pense que c'est lui qui taille la majeure partie des pierres de Maddie.

— Exact. Selon elle, il vient souvent aux expos pour voir comment finissent ses pierres.

Elle reporta son attention sur les notes, et il en profita pour étudier leurs mains jointes. La sienne était fragile, contrairement à la femme qu'il apprenait à connaître. Dire qu'il avait pratiquement failli la perdre…

Il but son café en observant le petit patio intérieur. Il

lui avait fallu moins de trois minutes pour aller chercher leurs boissons et, pourtant, en la voyant s'installer à l'ombre d'un arbre en pot, son estomac s'était noué d'angoisse rétrospective. Ils avaient frôlé la mort.

Et qu'elle se fasse passer pour Maddie n'arrangeait rien. En attendant les cafés, il avait envisagé de la presser d'adhérer à son projet de fausses fiançailles. Seulement voilà, lui-même y voyait plusieurs problèmes. Tout d'abord, il n'était plus certain que ce soit suffisant pour la protéger. Ensuite, il n'avait plus du tout envie de se fiancer à Maddie. Mais cela, il y réfléchirait plus tard.

Son côté rationnel lui disait qu'elle était en sécurité pour l'instant. Ils se trouvaient au centre-ville de Santa Fe, et il se passerait un certain temps avant que le commanditaire du tueur apprenne que sa mission avait échoué.

A moins que… à moins que le tueur n'ait eu un complice ici même, à Santa Fe. Cela écourterait dramatiquement le répit dont ils bénéficiaient.

« Ils essaieront encore », lui souffla une petite voix intérieure, tandis que son instinct lui commandait d'emmener Jordan aussi loin que possible. Mais c'était une réaction primitive, et il ne put se rappeler en avoir jamais eu une vis-à-vis d'une femme.

Cependant, il n'avait jamais non plus réagi à une femme comme il réagissait à Jordan. Pendant que Shay l'interrogeait, il avait pris le temps de réfléchir à ce qui s'était passé quand il l'avait embrassée, juste après l'accident. La force et la rapidité de son désir, l'effacement de sa volonté propre l'avaient laissé confondu. Il n'en revenait encore pas.

Même maintenant, alors qu'il la regardait parcourir ses notes, il avait envie de tendre la main et de la toucher — juste de faire courir ses doigts sur sa peau, dans ses cheveux. Combien de temps lui faudrait-il pour effacer cette expression studieuse de son joli visage ? Et combien de temps pourrait-il attendre de le faire ?

Ni l'endroit ni le lieu n'étaient choisis, mais ils n'empêchèrent pas son esprit de se forger un petit fantasme. Où il était seul en compagnie de Jordan, mais pas dans la chambre de Maddie. Dans la sienne à lui. Elle se tenait debout devant la cheminée, seulement vêtue de…

— Veux-tu encore du café ?

Brutalement ramené à la réalité, il s'abreuva mentalement d'injures.

— Non, répondit-il avant d'examiner le patio.

Rien n'avait changé, personne ne semblait observer Jordan. Aucun signe suspect.

Toutefois, un professionnel saurait s'y prendre discrètement.

L'espace d'une seconde, il joua avec la possibilité de céder à ses instincts néanderthaliens et de l'emmener au loin. Où pourrait-il la conduire, pour qu'elle soit en sécurité ? A Albuquerque, dans un hôtel de luxe ? Si Jordan devait en avoir l'habitude, lui-même les avait très peu fréquentés. Le ranch ne lui laissait que peu de temps libre et, pour lui, la meilleure soirée possible, avec une femme, c'était sous les étoiles.

Elle releva brusquement les yeux.

— Tu m'observes. Ça me distrait.

— Désolé. C'est juste que ce que je vois me plaît.

— Un sou pour tes pensées, dit-elle en buvant son café.

Il décida de lui dire une partie de la vérité.

— Je me demandais quelle était ton idée d'une parfaite soirée romantique.

— Tu te fiches de moi ? demanda-t-elle, abasourdie.

— Non, répondit-il en s'empourprant. Je me disais que j'aimerais bien t'emmener loin d'ici, en sécurité. Dans un endroit qui te plairait. Juste nous deux. Mais je n'ai pas vraiment l'habitude des femmes telles que toi.

Elle posa son verre sur la table et y appuya ses bras croisés.

— Tout d'abord, tu ne vas pas m'emmener loin d'ici. Pas dans les trois semaines à venir.

— Je m'en doutais.

Il s'interrompit avant d'en dire plus. Il avait déjà creusé un trou qui pourrait bien s'agrandir sous ses pieds.

— Ne sois pas hyperprotecteur, tu veux ?

Il ne répondit rien. Elle plissa les yeux.

— Ecoute, on est malins, non ? Et on est prévenus.

— Oui, mais je ne suis pas garde du corps professionnel. Et tu en as besoin.

Elle balaya l'objection d'un geste.

— Tu m'as déjà sauvé la vie. De plus, quelqu'un qui sait conduire comme toi a de très bons instincts. J'en ai également. Je pense qu'on a fait une très bonne équipe pendant cette course contre la mort.

— C'est vrai.

« Et l'heure n'est pas aux fantasmes », se gendarma-t-il.

— Alors, on va y arriver, conclut-elle en buvant une autre gorgée de café.

— Je ne vais pas te laisser seule une seconde tant qu'on ne saura pas qui a engagé ce tueur.

Elle ouvrit la bouche, la ferma, puis déclara :

— D'accord, d'accord… Maintenant, explique-moi ce que tu voulais dire en parlant de femmes « telles que moi » ?

Il retint un soupir. Il savait qu'ils allaient y revenir, comme il avait su qu'ils reviendraient sur sa proposition de fausses fiançailles. Il opta pour la vérité.

— Pour moi, tu es différente, Jordan. Bien au-delà du fait que je ne peux pas te regarder sans avoir envie de toi. Il y a en toi quelque chose qui m'a paru réservé à moi seul, dès le début.

Elle déglutit.

— Nous n'avons pas vraiment eu l'occasion de discuter de ce qui se passe entre nous. Peut-être que nous devrions le faire. J'y ai un peu réfléchi moi-même, dit-elle en faisant courir un doigt sur son verre. J'ai du mal à penser correctement quand tu es dans les parages, mais j'ai réussi à décider quelque chose pendant que je me douchais. Tu es différent pour moi aussi. Des aventures ou des liaisons impromptues…, expliqua-t-elle avant de marquer une pause, et d'agiter la main. Ce n'est pas mon habitude.

— Eh bien, ça nous fait au moins un point commun.

— Mais j'ai envie de faire encore l'amour avec toi, reprit-elle après avoir pris une grande inspiration. Je ne parais pas capable de… C'est plus fort que moi.

— Deuxième point commun.

— Mais ça, ça figure en bas de la liste de ce que nous avons en commun.

— Oh, je n'en sais trop rien… Nous aimons tous les deux monter à cheval. Nous aimons tous les deux les ranchs.

Elle sourit, et les lignes qui ridaient son front s'effacèrent.

— J'aime les ranchs dans les films et les livres. Et je suis persuadée que la fiction n'effleure même pas ce que doit être vraiment la vie dans un ranch.

— Tu penses à tes parents, à ce que tu commences à soupçonner ?

— Ils venaient de mondes différents. Et ils n'ont pas vécu heureux jusqu'à la fin des temps. Tous les deux, on devrait voir franchement les choses. Elles ne s'arrangeront en rien quand je rentrerai à New York.

Il lui prit la main et la porta à ses lèvres.

— Je ne suis même pas sûr de ce que nous avons commencé non plus. Mais pourquoi tenter de prédire la fin ? Je serais partant pour voir où ça nous mène. A moins que tu n'aies peur.

Elle releva aussitôt le menton.

— Tu ne me fais pas peur, cow-boy.

— Bien.

Il rêva de pouvoir dire qu'elle ne le terrifiait pas non plus, mais elle le faisait bel et bien. Il commençait déjà à s'habituer aux flottements répétés de son estomac. Tout comme il s'accommodait du fait qu'il ne pouvait être près d'elle sans la désirer. Elle faisait de même. Elle l'avait dit, et il le lisait dans ses yeux. Il lui prit la main. Peut-être qu'il ne pouvait pas l'emmener à Albuquerque, mais il pouvait sûrement l'emmener ailleurs…

Alors, par-dessus son épaule, il aperçut Daniel Pearson qui s'approchait avec une femme à son bras. Il chercha un instant et finit par retrouver son nom. Margot Lawson. S'il ne lui avait jamais été présenté, il avait vu sa photo sur le site de Maddie, et son amie parlait souvent d'elle. Margot était propriétaire de la première boutique de Santa Fe à avoir exposé et vendu ses bijoux.

— Ne regarde pas tout de suite, mais on va avoir de la compagnie, souffla-t-il à Jordan. Daniel Pearson et une propriétaire de boutique qui vend les bijoux de Maddie. Margot Lawson.

Jordan ignora les nerfs qui se nouaient dans sa nuque. Son petit jeu n'avait pas leurré Shay Alvarez. Serait-elle capable de berner les deux personnes qui approchaient ?

Comme s'il lisait en elle, Cash lui serra plus fort la main.

— Tu vas y arriver, lui murmura-t-il. Tu es la copie conforme de ta sœur. Veille à ne pas trop en dire. Maddie est plus taciturne que toi.

— Maddie ? lança une voix masculine.

— Lever de rideau, murmura encore Cash. Mets-les dans ta poche.

— Quelle agréable surprise !

Jordan se leva et se tourna pour étudier Pearson. Moyennement grand, il avait une beauté B.C.B.G. caractéristique des hommes qui ont fréquenté les grandes universités. Depuis le costume léger jusqu'au diamant ornant son auriculaire, il avait tout du citadin.

— Daniel, ravie de vous voir.

Elle faillit se raidir quand l'homme l'étreignit et l'embrassa. Maddie n'avait pas mentionné cela dans ses notes ! Ou alors peut-être que le personnage embrassait toutes ses victimes potentielles ?

Elle se tourna alors vers la femme qui l'accompagnait :

— Ravie de vous voir également, Margot. Je projetais justement de faire un saut au magasin, cet après-midi.

— Vous ne m'y auriez pas trouvée, lui dit Margot de sa voix rauque de fumeuse. J'ai pris mon après-midi pour me reposer avant la grande expo de demain.

Jordan repassa mentalement les notes de Maddie. Grande et brune, Margot avait l'air d'avoir une petite quarantaine, mais elle était plus âgée, et sa robe bain de soleil venait d'un grand couturier. C'était la plus vieille cliente de Maddie, aussi eut-elle très envie de l'apprécier.

— J'adore la façon dont vous vous êtes coiffée aujourd'hui, dit Margot en l'examinant attentivement.

Les nerfs de Jordan recommencèrent à faire des leurs dans sa nuque.

— Ça fait bien plus professionnel que la tresse, ajouta la femme. Et ça va très bien avec le tour plus sophistiqué et féminin qu'ont pris dernièrement vos créations. Vous devriez vous coiffer comme ça, demain.

Jordan accepta le compliment de la tête, et nota mentalement d'en parler à sa sœur.

Puis Margot tourna son attention vers Cash.

— J'espère que vous allez me présenter votre ami.

— J'oubliais, excusez-moi ! Voici Cash Landry, mon voisin.

Tout en disant cela, elle n'aima pas du tout la façon dont Margot regardait Cash. Avec la mine du chat devant une jatte de lait.

— Margot Lawson, dit la brune en secouant la main tendue de Cash.

— Bonjour, Landry, dit Pearson avec un hochement de tête, avant de sourire à Jordan. C'est extraordinaire, lui dit-il. Je ne m'attendais pas à vous voir avant l'exposition, demain. Vous n'avez pas oublié que je vous emmène dîner, après ?

Jordan se mit le cerveau en surmultiplié.

— J'espère que cela nous vous ennuiera pas que je vienne avec Cash. Il a insisté pour me rejoindre à mon stand après la fin de l'expo.

La contrariété passa fugitivement dans le regard de Pearson alors qu'il se rapprochait encore d'elle.

— J'avais prévu que nous parlions affaires. Vous m'avez promis de me donner une réponse aussitôt que l'exposition serait passée.

« Eh bien, tu ne perds pas de temps, toi », songea-t-elle. Elle aurait pu admirer la pirouette pour transformer le dîner en rendez-vous d'affaires, mais elle fut immédiatement furieuse que l'homme exerce ce genre de pression sur sa sœur.

Cash lui passa un bras autour des épaules.

— Quelqu'un a vandalisé son studio cette nuit, dit-il, et j'ai décidé d'assurer sa sécurité tant qu'on n'aura pas découvert le responsable.

— Seigneur, vos dernières créations… ont-elles été volées ? s'exclama Margot, inquiète.

— Non, fort heureusement, assura Jordan. Je les garde au coffre.

— Ils semblaient plus intéressés par le fait de tout détruire dans le studio que de voler quelque chose, commenta Cash. Je dors au ranch ce soir, et je vais l'amener à Santa Fe demain.

Pearson s'était carrément rembruni à présent, mais Jordan fut presque sûre que ce n'était pas le vandalisme qui le perturbait. Elle savait assez déchiffrer les gens pour savoir que celui-ci n'aimait pas les changements dans ses projets. Elle tenta de se mettre dans la peau de Maddie.

— Margot, dit-elle, pourquoi ne pas vous joindre à nous demain soir ? Comme ça, vous pourriez distraire Cash pendant que Daniel et moi parlerons affaires ?

— J'en serais ravie ! répondit Margot sans lâcher Cash des yeux. En fait, j'attends cela avec impatience.

« Ça, je m'en doute ! » Jordan n'allait pas nier que c'était de la jalousie qui s'était emparée d'elle. Cependant, elle s'aperçut que Pearson se détendait.

— Bonne idée, dit-il. A demain soir, donc.

— Comptez sur nous, ajouta Margot. Je n'en peux plus d'attendre de voir notre nouvelle collection.

Daniel Pearson adressa un bref signe de tête à Cash, reprit le bras de Margot et l'entraîna.

— Je crois que c'est ce qu'on appelle une tigresse, murmura Cash en les suivant du regard.

— Une tigresse ?

Il reporta alors des yeux rieurs sur elle :

— N'est-ce pas comme ça qu'on appelle les femmes d'un certain âge qui prennent pour cible un plus jeune homme ?

En effet, le terme allait comme un gant à Margot Lawson, dut-elle admettre. Cette femme avait une grâce féline sous laquelle on pressentait un côté impitoyable. Elle n'avait d'ailleurs rien fait pour cacher son intérêt manifeste pour Cash. Pourtant, cela contraria Jordan de se sentir un peu jalouse.

— Et tu connais le mot parce que tu es souvent « pris pour cible par des femmes d'un certain âge » ?

Il se mit à rire franchement.

— Détends-toi. Je m'y connais en maniement de bestioles. En revanche, c'est Pearson qui me préoccupe.

Elle se redressa sur sa chaise.

— A toi de te détendre sur ce point. Son intérêt pour Maddie n'a rien de personnel. Il *veut* le ranch.

— Exact, repartit Cash, la voix et le regard durs. Et il pense toucher au but.

— Si tu t'imagines que Maddie a accepté de lui vendre, s'emporta-t-elle, tu te fourres le doigt dans l'œil ! Elle ne veut pas vendre, je le sais sans conteste.

— Ce qu'elle veut n'a que peu d'importance ici. Ça pourrait bien devenir une nécessité. Et lui, il paraît certain de pouvoir conclure l'affaire, lui expliqua-t-il en serrant le poing sur la table. Elle élève moins de bétail, elle a laissé partir tous ses ouvriers, à part Mac McAuliffe. Il embauche des journaliers quand le besoin s'en fait sentir. Je l'ai aidée autant que j'ai pu, mais ta sœur est fière. J'ignore combien de temps elle va continuer à accepter mon aide. Je connais Maddie. Elle pourrait très bien laisser Pearson la persuader de vendre afin de me faciliter la vie.

Jordan ne connaissait pas suffisamment sa sœur, mais elle trouva logique cette théorie.

— Elle ne le fera pas tout de suite. Pas pendant les trois semaines à venir. Penses-tu que tes préventions contre Pearson auraient pu te pousser à le soupçonner ?

Il réfléchit un instant, puis répondit :

— Non. Je le considère comme le principal suspect. Il sait qu'elle a des difficultés, et qu'un petit vandalisme par-ci, un petit empoisonnement par-là pourraient suffire à lui faire signer l'acte de mise en vente.

— Si les choses empirent pour elle, reprit Jordan après avoir cogité un instant, ne se dirait-il pas que c'est juste une histoire de temps avant qu'elle accepte ? Son expression, quand j'ai dit que tu viendrais demain soir, m'a appris qu'il attend énormément de ce dîner. Il est sûr que ses plans se dérouleront comme prévu. Donc, ça ne cadre pas avec cette histoire de tueur à gages. Tu noteras qu'il n'a pas paru surpris de me voir.

— Euh… peut-être que c'est son acheteur, alors, qui a décidé d'agir de son propre chef, suggéra Cash.

— Mais pourquoi ? dit-elle en pianotant des doigts sur la table. Maddie a du mal à joindre les deux bouts, alors pourquoi être si impatient de mettre la main sur le ranch ?

— Peut-être aussi que Shay Alvarez a raison, et que cet attentat est dû au testament ?

— Peut-être. Et peut-être que je refuse de croire à cette éventualité parce que cela voudrait dire que l'un de mes parents pourrait être impliqué. Je ne vois pas qui, mais peut-être que je ne *veux* pas voir… De toute façon, je suis plus impatiente que jamais de faire le tour du ranch.

— Tu penses y trouver une réponse ?

— Peut-être. Maddie est une artiste. Elle ressemble terriblement à ma mère. Moi, je suis une femme d'affaires, je vois les choses sous un angle différent. Je me demande… Si mon père avait été là — et s'il avait su ce qui se passait —, je me demande s'il aurait su quoi faire.

Cash lui décocha aussitôt un immense sourire.

— Il y a une chose que je sais : Mike Farrell t'aurait adorée, Jordan Ware. Pourquoi n'irions-nous pas voir ce que nous dit l'œil de la femme d'affaires sur le stand de Maddie ? conclut-il en se levant et en lui prenant la main.

Le chaos. Ce fut ce que vit Jordan en mettant les pieds dans l'immense salon d'exposition de l'hôtel. On aurait dit la construction d'un décor de film à gros budget. Les scies miaulaient en attaquant le contreplaqué, les chariots de tables et de chaises ferraillaient et cliquetaient, une odeur de peinture et de sciure imprégnait l'atmosphère.

Près d'elle, Cash était aussi sensible qu'elle à l'intensité de l'agitation. Nul doute qu'il était passé en mode garde du corps. Pour l'instant, elle devait se concentrer exclusivement sur son travail, autrement dit se faire passer pour sa sœur aussi bien qu'elle pouvait.

D'après ce qu'elle voyait, des stands allaient longer les

murs et d'autres seraient installés en plusieurs rangées au centre de la salle. C'était normal. Heureusement qu'elle avait l'habitude des expositions de bijoux !

— Ma mère a toujours détesté ces expos, dit-elle.

— Maddie n'en raffole pas non plus, l'aspect financier du travail ne la passionne pas.

— C'est pourtant un aspect essentiel. Sans lui, les bijoux pourraient bien passer leur vie dans des vitrines. Les bijoux de ma mère sont faits pour être portés, tout comme ceux de ma sœur. J'en viens à croire qu'elles se ressemblent énormément. C'est dommage qu'elles n'aient jamais pu se rencontrer.

L'espace d'un instant, elle fut la proie d'émotions diverses. Regret, colère, frustration. Une fois encore, son esprit agita les questions qu'elle se posait depuis plus d'une semaine.

— Oui, c'est vraiment dommage, acquiesça Cash en lui pressant la main. Et toi, tu aurais dû pouvoir connaître ton père. Au moins, tu apprendras à le connaître un peu mieux en vivant au ranch.

Elle repoussa ses émotions. Elle y reviendrait plus tard. Cependant, la présence de Cash lui fut d'un grand réconfort.

Elle tourna la tête et l'étudia un instant. Ce visage énergique, elle l'avait découvert de ses mains avant même de le voir. Elle se souvint du plaisir infini que lui avait procuré le simple fait de le caresser.

Comme s'il avait perçu ses pensées, Cash se tourna vers elle et la chaleur de son regard l'empêcha presque de respirer. C'est comme si, soudain, ils s'étaient retrouvés seuls dans la salle. Les ouvriers s'affairaient, discutaient, les scies tournaient, mais le bruit ne parvenait plus que de très loin à ses oreilles. Jordan n'avait plus qu'une idée en tête : que Cash l'embrasse.

Il lui suffirait de s'approcher encore de quelques petits

centimètres, et sa bouche recouvrirait la sienne. Elle éprouverait encore ce plaisir aigu qu'elle avait connu au bord de la route, quand il l'avait embrassée après leur course poursuite. Elle fit un pas.

— Si je t'embrasse, je ne serai peut-être pas capable d'arrêter, la prévint-il à voix basse. Veux-tu que j'aille voir si on peut louer une chambre ?

Elle fut terriblement tentée d'accepter. De passer le reste de la journée seule avec lui. De se concentrer uniquement sur le plaisir qu'ils pourraient s'apporter l'un l'autre. Ce serait extraordinaire.

Et impossible. Maddie comptait sur elle.

— Je ne peux pas.

Il lui pressa encore la main et la lâcha.

— Plus tard, alors. Je t'en fais la promesse, Jordan.

Les mains tremblantes, elle prit un catalogue dans un distributeur. Le feuilleter l'aida à se reprendre.

— Je veux voir où ils ont installé Maddie.

Au bout d'un instant, elle fut enfin capable de se concentrer. Le catalogue indiquait les noms et les numéros de stand des exposants sous une photo de l'artiste. Tout cela lui serait très utile lendemain. Elle comptait sur le fait que les acheteurs se présenteraient ou lui tendraient leur carte. Toutefois, au cours des ans, Maddie avait forcément fait la connaissance de certains de ses pairs, et s'il y avait une chose que Jordan ne voulait pas, c'était les snober. Bien sûr, Maddie lui avait indiqué leurs noms, mais une photo vaut mieux qu'un grand discours. Elle mémorisa le numéro de stand de Maddie, le localisa sur le plan des lieux et ouvrit la marche.

— C'est un excellent emplacement, dit-elle en arrivant, ravie de voir que son esprit avait repris son acuité. La plupart des visiteurs font au moins un tour complet de la pièce, mais ils délaissent parfois les rangées centrales.

Elle regarda les ouvriers — un barbu aux cheveux blancs

et un adolescent — décharger une vitrine en inox et en verre. Du coin de l'œil, elle remarqua que chaque stand en recevait une. Une fois la vitrine installée, elle s'approcha du plus âgé des deux et lui tendit la main.

— Bonjour, je suis Maddie Farrell. Ce sera mon stand demain, mais je suis censée avoir deux vitrines.

L'homme se renfrogna.

— Pas selon mes indications, dit-il en prenant une écritoire à pince sur son chariot et en la lui montrant. Voyez… Stand 112 — une vitrine.

Jordan poussa un soupir, tourna la tête vers Cash et fit une prière pour qu'il la suive.

— Pfff… tante Rosie… encore ! Elle m'avait pourtant juré s'être occupée de la deuxième vitrine ! J'ai bien peur qu'elle ne perde de plus en plus la boule…

— Il va falloir que tu songes à t'en séparer, lui dit Cash en lui posant une main sur l'épaule.

— Pas facile, répondit-elle, ravie de son soutien. Je suis sa seule famille, et elle a travaillé toute sa vie. Je ne la vois vraiment pas accepter de tricoter à longueur de journée ! ajouta-t-elle avant de refaire face à l'homme, la mine contrite. Ma tante — qui est aussi ma secrétaire — m'a juré qu'elle avait contacté le responsable de l'exposition et fait en sorte que j'aie une deuxième vitrine. Je sais que vous êtes très occupé, mais par hasard auriez-vous la possibilité de m'en dénicher une ?

— On est *plus* que très occupés, dit l'homme, mais son visage s'adoucit. Elle a quel âge, votre tante ?

— Quatre-vingts ans le mois prochain.

Il la dévisagea un instant, puis hocha la tête.

— Gardez-la. Mon petit-fils et moi, on va faire ce qu'on peut pour vous en trouver une deuxième.

— Merci ! lui dit-elle avec un immense sourire.

— Joli travail, murmura Cash une fois que les deux hommes s'en furent allés.

— Merci de m'avoir suivie !

— Je t'en prie.

Elle allait se tourner vers le stand quand elle aperçut du coin de l'œil une jolie jeune femme en robe traditionnelle navajo qui avançait vers elle. L'esprit en ébullition, elle ne put trouver de qui il s'agissait.

— Léa Dashee, lui murmura Cash à l'oreille.

« Ah, oui ! » Une amie de lycée de Maddie. Grande, les cheveux aile de corbeau, elle était stupéfiante dans sa robe de peau blanche constellée de perles d'argent. La création de bijoux en argent était de tradition chez les femmes de sa famille.

— C'est la petite-fille de Pete Blackthorn, le prospecteur de turquoises de Maddie. Elle saura peut-être où le trouver, ajouta Cash.

— Coucou ! fit Jordan en souriant alors que Léa les rejoignait et lui jetait les bras autour du cou.

— Ça me fait tellement plaisir de te voir, Maddie ! s'écria-t-elle. Je n'arrive pas à croire qu'on ne se voie que deux ou trois fois par an pendant ces expos !

— Est-ce qu'on ne dit pas ça tout le temps ?

— C'est vrai ! répondit Léa en éclatant de rire. Et puis on rentre et on s'enferme chacune dans notre atelier…

Elle recula d'un pas.

— Toujours aussi belle, dit-elle.

— Et toi de même !

— Ça aussi, on le dit tout le temps ! s'esclaffa Léa. Et demain, on va s'extasier sur les créations l'une de l'autre. Comme toujours, dit-elle en serrant une des mains de Jordan. Cette fois-ci, c'est dit. Tu apportes ton agenda, et on fixe une date pour déjeuner et faire le tour des galeries. Je veux te voir noter le rendez-vous !

— O.K. ! dit Jordan en se promettant de dénicher un agenda, car son BlackBerry ne ferait pas du tout l'affaire.

— Ne me dis pas que tu as développé un intérêt soudain pour les bijoux ! lança Léa en se tournant vers Cash.

Il inclina la tête en direction de Jordan.

— C'est elle qui m'a attiré dans ce traquenard, des fois qu'elle aurait besoin qu'on la porte et qu'on la borde !

— Excellente initiative ! Dis, si tu reviens demain, j'aurais peut-être un service à te demander…

— Bien sûr, mais j'ai moi-même une question pour toi. Maddie n'arrive pas à contacter ton grand-père. Sais-tu où on pourrait le trouver ?

— Il n'est pas revenu à sa caravane depuis quelques jours, répondit Léa. D'habitude, quand il campe, c'est dans les collines au sud-est du ranch de Maddie, ajouta-t-elle en tournant les yeux vers elle. Je parie que si tu fais un tour à cheval par là-bas tu tomberas sur lui.

— O.K., merci, répondit Jordan.

— A demain ! lança Léa en partant.

— Je ne sais pas ce que je ferais sans toi ! dit Jordan à Cash.

Il sourit, et prit encore plus de plaisir à la regarder inspecter la vitrine sous toutes ses coutures. Elle était totalement concentrée à présent, tout comme elle l'avait été sur les notes de Maddie lorsqu'ils buvaient un café.

— S'ils arrivent à me trouver cette deuxième vitrine, on les disposera en V, dit-elle avant de se diriger vers le fond du stand, peint en jaune soleil. Pas mal… La couleur devrait parfaitement s'assortir aux turquoises. Et j'ai emballé quelques carrés de soie de la même couleur, ou presque.

Elle se retournait vers la vitrine quand le mur derrière elle s'affaissa brusquement vers l'avant. N'écoutant que son instinct, Cash la poussa sur le côté et plaqua les deux mains contre la paroi.

Il lutta en vain quelques longues secondes, et il entendit

un craquement sinistre alors que la base du mur glissait en arrière et que la pression augmentait sur ses bras.

— Cash ?

— Reste à l'écart !

La sueur perla sur son front. La peur s'empara de lui. Cette bataille, il n'allait pas la gagner.

- 8 -

Deux paires de mains vinrent se plaquer près de celles de Cash contre le mur. En conjuguant leurs efforts, les deux hommes qui étaient accourus à son secours et lui-même parvinrent à redresser la paroi. Une fois celle-ci en place et stabilisée, il se tourna vers l'un des ouvriers.

— Grand merci ! Que s'est-il passé ?

L'autre homme était passé derrière le mur et était tombé à genoux. Cash le rejoignit.

— On dirait qu'on n'a pas assez serré les fixations, dit l'homme. C'est pas du boulot, ça. Ces parois pourraient faire de gros dégâts, si elles tombaient.

— Merci encore, lui dit Cash.

Il remarqua qu'il y avait assez d'espace entre le mur et la paroi pour s'y faufiler, et qu'en plus une porte se trouvait juste derrière. Il la poussa, mais il n'y avait personne dans le couloir qu'il découvrit alors.

— Voilà, ça devrait être bon, dit l'ouvrier, après avoir solidement resserré les écrous.

— Merci.

Cash rejoignit Jordan et baissa la voix.

— On a peut-être volontairement desserré ces ancrages.

Ce « on » avait peut-être suivi la ligne des stands pour se fondre dans la foule un peu plus loin, se dit-il en survolant la cohue du regard. Tous étaient occupés, remuaient, maniaient des outils ou positionnaient des vitrines ou des tables. Personne ne lui parut jurer dans le décor, ni regarder dans leur direction. La frustration se mêla à la colère en lui.

— Tu crois qu'on a voulu faire tomber ce mur ? lui demanda Jordan.

Elle s'était retournée vers la paroi pour l'étudier. Il fit de même, et chercha comment le mur aurait pu tomber, écrasant Jordan entre vitrine et plancher. Le verre aurait explosé, provoquant de profondes coupures.

— Je n'aime pas trop ces coïncidences, lui dit-il.

— Mais qui aurait pu savoir que nous serions ici ?

— Bonne question… Pearson et ta copine Margot.

— Oui, mais s'il m'arrivait quelque chose, il n'obtiendrait jamais le ranch ! Il semble avoir très envie de me persuader demain soir…

— Peut-être a-t-il juste voulu te blesser, te rendre vulnérable à son offre, suggéra-t-il en se passant une main dans les cheveux. Ou alors peut-être que je deviens parano. Est-ce que tu as fini, ici, pour le moment ?

— Oui.

— Allons-nous-en, dit-il en se dirigeant vers les portes.

Il voulait l'emmener ailleurs, dans un lieu plus sûr.

Le portable de Jordan sonna à l'instant où ils sortirent de l'hôtel, et il la poussa entre le mur et une plante en pot pendant qu'elle le sortait. Puis il lui fit écran de son corps.

— Maddie ? Que se passe-t-il ? dit-elle en décrochant.

Il perçut la peur dans sa voix. Son amie n'était pas censée appeler maintenant : elle ne devait donc pas avoir de bonnes nouvelles. Il se pencha et Jordan inclina son téléphone afin qu'il puisse entendre.

Assise près de Cash dans le pick-up, Jordan était encore étourdie par ce que venaient de lui apprendre Maddie et Jase.

Une tueuse à gages avait essayé d'abattre sa sœur en plein Central Park.

Le seul fait d'y penser lui noua le ventre de peur. Elle avait failli perdre sa sœur !

Quand Cash avait appelé Shay Alvarez pour le tenir au courant de ce qu'ils avaient appris et lui parler des événements sur le stand, l'inspecteur avait mis sur pied une escorte pour les raccompagner au ranch. Les deux policiers qui les suivraient dans leur voiture allaient passer la nuit avec eux, mettre le ranch sous surveillance et les suivre de nouveau quand ils reviendraient le lendemain à Santa Fe.

— Tu es bien silencieuse, fit remarquer Cash alors qu'ils commençaient à gravir le flanc de la colline qui avait failli leur servir de dernière demeure. Tu dois te faire du mauvais sang pour Maddie, je pense. Parle-moi.

— Je n'arrive pas à assimiler l'idée, finit-elle par répondre au bout d'un moment. On a essayé de tuer ma sœur…

— On a également essayé de te tuer, Jordan, répliqua-t-il en lui jetant un regard de côté.

— Je sais. C'est déjà assez dur de l'accepter, mais me dire que Maddie a été dans la ligne de mire d'une tueuse professionnelle… Et si ça recommence ? Et si le prochain tir atteint sa cible ?

A présent qu'elle avait commencé à parler, elle ne parut plus capable de s'arrêter.

— C'est pour ça que je ne lui ai pas parlé de ce type qui a essayé de nous faire quitter la route, poursuivit-elle. Je n'ai pas voulu qu'elle se sente furieuse et impuissante. Mais plus que tout je voudrais pouvoir la rejoindre. Je voudrais que nous puissions aller à New York tous les deux, pour mieux la protéger. Seulement, c'est impossible, à cause de ce testament. Et nous n'avons aucune idée de celui ou celle qui pourrait être derrière tout ça.

Elle perçut alors l'hystérie qui montait dans sa voix, et s'obligea à se taire.

— Je pense que tu as eu raison de ne rien lui dire, lui fit remarquer Cash. Jase et elle ont besoin de concentrer toute leur énergie pour découvrir qui a voulu l'éliminer. Mais il se pourrait bien que ce soit la même personne que pour toi.

— Tu crois ? demanda Jordan en le regardant.

— Deux professionnels embauchés pour tuer deux sœurs le même jour ? reprit-il d'un ton sec. Difficile de ne pas y voir un rapport !

Il avait raison. Elle le savait depuis le début, mais elle avait refusé d'y croire. Une vague de dégoût monta en elle.

— Je suis une mauviette.

— Une mauviette, toi ? Tu ne connais même pas la définition du mot !

— Depuis que j'ai raccroché, je me vautre dans la peur et l'auto-apitoiement. Ce n'est pas mon genre. Je fais face, en général.

— Tu n'as pas à faire face seule, Jordan, lui dit-il. Et Maddie non plus. Jase possède une entreprise de sécurité, il a des hommes qu'il peut appeler en renfort. Et, selon Maddie, c'est lui qui lui a sauvé la vie à Central Park.

Il avait pris une voix apaisante, mais elle voyait la tension contracter sa mâchoire. Et, quand il tendit la main pour en recouvrir la sienne, elle perçut la tension qui l'habitait.

— Tu crains de n'avoir pas assez de renfort pour moi.

— Oui, c'est vrai. Je me sentirai mieux quand ce D.C., le frère de Jase, sera là.

Son colocataire avait été ferme sur ce point — il leur envoyait D.C. en renfort —, et Cash n'avait rien objecté.

— Tu le connais ? demanda-t-il.

— Oui. Je les ai connus tous les deux à l'université. Il a un an de moins que Jase, et il s'est engagé dans l'armée dès la fin de ses études. Je ne savais même pas qu'il était à New York.

— Comment est-il ?

— Jase me racontait souvent leurs frasques d'enfants. Selon lui, c'était D.C. le cerveau responsable de toutes leurs incartades. Même à l'université, il avait la réputation d'être un peu limite. Mais je suppose que deux missions en Irak ont suffi à le calmer.

— Il est dans la police militaire, c'est ça ?

— Oui.

— Il va téléphoner en atterrissant à Santa Fe, dit alors Cash en consultant sa montre. Mais je ne pense pas qu'il arrive avant cette nuit ou demain matin de bonne heure.

— Tu te fais trop de souci, lui dit Jordan en se tournant pour l'observer. J'ai l'habitude de m'occuper des aspects pratiques.

— Ça, je commence à le comprendre. Je me demande pourquoi.

Elle aurait pu lui donner une réponse évasive, mais il était toujours si franc avec elle qu'elle s'y refusa.

— Ma mère se préoccupait exclusivement de son art, alors j'ai grandi en essayant de m'occuper de l'aspect pratique de notre vie. Quand j'ai découvert très tôt que je n'avais pas son talent, j'ai opté pour des études commerciales. Je me suis dit qu'ainsi je pourrais lui apporter ma propre contribution.

— Ta contribution à quoi ?

— A son rêve.

— Et qu'en est-il de tes rêves, à toi ? As-tu jamais fait quelque chose juste pour toi ?

— Bien sûr.

Cependant, il n'ajouta rien, et elle se mit à réfléchir. Elle avait fait des choses pour elle. Elle avait voulu obtenir son diplôme ; d'aussi loin qu'elle se souvînt, elle avait toujours voulu apporter sa contribution à l'œuvre de sa mère. Mais… avait-elle jamais fait quelque chose *uniquement* pour elle ? Une fois encore, elle se tourna vers Cash pour l'étudier.

— Dans ta vie entière, qu'as-tu fait seulement pour toi ? reprit-il.

— Toi. Tu es ce que je fais pour moi.

Elle ne s'était pas attendue à lui, elle n'était même pas

sûre d'être prête pour lui. Mais si elle n'avait pas fini dans un lit avec lui… si elle devait traverser la vie sans le connaître, sans savoir ce qu'ils pourraient s'apporter l'un à l'autre… elle n'avait même pas envie d'y penser.

— Je dois t'avouer que je ne comprends pas ce qui se passe entre nous, mais je suis assise là, à me demander ce qui se passerait si je te touchais, confessa-t-elle.

Il lui adressa un sourire langoureux.

— S'il n'y avait pas cette voiture de police juste derrière nous, je pourrais te soumettre quelques petites idées. As-tu jamais fait l'amour à l'arrière d'un pick-up ?

— Non.

Mais elle commençait déjà à imaginer.

— Il va falloir l'inscrire sur notre liste de choses à faire, lui dit-il. Une fois qu'on sera rentrés au ranch, qu'as-tu à faire en prévision de l'expo de demain ?

— Il faut que je sorte les bijoux du coffre et que j'essaye plusieurs façons de les présenter. Et puis il faut que je revoie ses notes quant aux différents acheteurs susceptibles de venir faire un tour. Il y a aussi des créateurs avec qui elle est amie, en dehors de Léa. Je veux chercher leurs photos dans le catalogue.

— Ça me paraît un programme plutôt chargé, lui répondit-il en souriant. Avant de t'y mettre, que dirais-tu d'aller faire un petit tour à cheval ?

— Tu es sérieux ? demanda-t-elle, ravie.

— Je ne propose jamais de choses que je ne pense pas. Et je me dis qu'on a besoin d'une pause, tous les deux. Ce sera plutôt dur de nous suivre. A moins d'être à cheval.

Quelque chose se réchauffa en elle. Elle n'avait vraiment pas l'habitude qu'on veille sur elle. Bien sûr, Jase se souciait d'elle, mais elle n'avait jamais songé à lui en tant que… En tant que quoi, d'ailleurs ? Protecteur ?

— On va aller se promener vers les collines au sud-est. Il y a là un canyon que je veux te montrer. Cerise sur le gâteau, c'est par là que Pete Blackthorn fait beaucoup de prospection.

— D'une pierre deux coups ?

— Percé à jour ! s'exclama-t-il en souriant.

Plus elle connaissait Cash, plus elle l'appréciait. Et elle avait comme l'impression que cela allait compliquer les choses. Il n'aimait peut-être pas se projeter, mais elle ne pouvait pas se permettre d'oublier que leur aventure devrait se terminer dans trois semaines. Quelle que soit la nature de leurs sentiments. Mais, alors, peut-être pourraient-ils profiter l'un de l'autre en tant qu'amis ?

Un étau se serra autour de son cœur. Peut-être ses parents, s'ils avaient pu prévoir la fin, n'auraient-ils pas été obligés de prendre des décisions difficiles.

Un air aussi sec que le terrain en dessous d'eux leur fouettait le visage alors qu'ils galopaient vers les collines. Une fois sortis du corral, ils avaient laissé les chevaux libres de choisir leur allure. Cash avait enfourché Lucifer, l'étalon noir de son père, tandis qu'elle avait sellé Brutus. Les deux chevaux avides de galoper le faisaient de front.

Seul le martellement de leurs sabots rompait le silence environnant. Le chapeau qu'elle avait coiffé afin de se protéger du soleil pendait dans son dos, oublié, et elle laissait son corps se familiariser aux mouvements de sa monture. Peu à peu, elle se vidait l'esprit.

Elle avait toujours aimé monter à cheval ; c'était devenu une partie essentielle de sa vie. C'était d'ailleurs le seul sport qu'elle pratiquait activement, car elle s'arrangeait toujours pour aller monter Jules César au moins deux fois par mois. Le temps qu'elle passait sur le dos de son cheval était pour elle bien plus bénéfique qu'une séance en spa. Cela lui éclaircissait les idées, lui tonifiait le corps et lui offrait souvent de nouvelles perspectives quant aux défis professionnels qu'elle devait affronter.

Elle vit arriver la clôture, au loin.

— Chiche ? lui lança Cash.

— Chiche !

Elle se pencha sur l'encolure de Brutus et se haussa légèrement sur les étriers alors que les deux chevaux s'envolaient à l'unisson par-dessus la barrière. Heureuse, légère, elle éclata de rire.

Habituellement, une chevauchée semblable suffisait à lui aérer la tête, mais elle ne pouvait s'empêcher de penser à Cash. En arrivant, ils s'étaient douchés chacun de son côté, comme ils l'avaient fait le matin. Elle avait songé à le rejoindre, mais son côté rationnel avait gagné la partie. Ebats sous la douche contre chevauchée… elle savait qu'ils n'auraient pas le temps de faire les deux. Et puis, il faudrait bien qu'ils se rafraîchissent en revenant, non ?

En fouillant dans le placard de Maddie, elle l'avait entendu s'activer dans la cuisine et, en l'y rejoignant, elle avait constaté qu'il avait empaqueté de l'eau et un dîner léger dans une de ses fontes de selle. Prévoyant, cet homme !

C'était d'ailleurs ce qu'elle devait être : prévoyante. Réfléchir aux bijoux de sa sœur, envisager mentalement les meilleures dispositions possibles. Seulement, c'était impossible. Pas avec ce vent qui lui ébouriffait les cheveux et ce spectacle stupéfiant sous ses yeux. Elle se laissa aller à l'instant.

Quelques minutes plus tard, ils parvinrent aux carrés d'herbe mêlée de chardons où commençaient les contreforts des collines et arrêtèrent leurs montures.

— Merci, dit-elle, j'avais vraiment besoin de ça.

— Moi aussi, lui répondit-il. Retourne-toi, tu verras le ranch sous un angle totalement différent.

Elle regarda par-dessus son épaule, puis fit faire demi-tour à Brutus. Le soleil déclinait face aux immenses baies, les bâtiments projetaient de longues ombres sur l'arrière. Le ranch, l'étable, le dortoir et les barrières blanches des corrals lui firent penser au ranch miniature de son enfance.

Son souvenir virevolta aux limites de sa conscience, mais, cette fois-ci, il devint plus net. Elle passa les rênes dans une main et pressa deux doigts contre sa tempe.

— Qu'y a-t-il ? s'inquiéta Cash.

— J'avais un jouet, un petit ranch, quand j'étais petite. Je me souviens que je m'amusais à arranger différemment les maisons, les barrières et les corrals. C'était une copie de celui-ci. Le souvenir m'en était vaguement revenu plus tôt, mais je n'avais pas fait le lien. Peut-être que c'est à l'origine de ce que j'éprouve depuis le début. Cette impression de rentrer chez moi. Mais ça ne tient pas debout.

— Pourquoi ? Tu as la preuve que vous êtes toutes les deux nées ici. Le ranch a sûrement été ton premier foyer.

— Mais j'étais si petite, comment est-ce que je pourrais m'en souvenir ?

— Les enfants se souviennent de l'amour, et il y a une chose que je peux te dire. Ton père, Mike Farrell, t'aimait. J'ai vu comment il se comportait avec Maddie : il l'adorait. Il lui a appris à monter à cheval et, quand elle a commencé à s'intéresser au dessin de bijoux, il a transformé ce bâtiment en atelier. Pour elle.

— Il a transformé un bâtiment ? J'étais persuadée qu'il l'avait construit.

— Non. Cette bâtisse a toujours été là, du plus loin que je me souvienne. Quand elle était petite, elle lui servait de salle de jeux, répondit-il avant de faire une grimace. Un jour, elle m'a même demandé d'y entrer pour jouer avec ses poupées.

— Vraiment ? dit Jordan en riant.

— Des *poupées* ? Tu rêves ! Je l'ai persuadée de jouer à un jeu plus viril. Je lui ai appris à prendre une vache au lasso. A jouer au poker. Je suis probablement fautif si elle est un garçon manqué. Avant qu'elle parte à l'université, je lui avais même appris quelques prises de karaté.

— De karaté ?

— Juste les bases. Le cours était en option, dans mon lycée, et on s'y était inscrits, Alvarez et moi. Maddie voulait pouvoir se défendre seule. Elle est plutôt douée !

— En effet, répondit-elle en se souvenant de la façon dont elle avait maîtrisé Adam. Je crois que je commence à connaître un peu ma sœur.

— Ce que tu dois savoir, c'est qu'elle était pratiquement tout pour Mike, et qu'il n'aurait pu en aller autrement pour toi.

Elle repensa à la photo où Maddie était juchée sur Brutus avec son père près d'elle. Elle s'était alors dit que l'amour était palpable entre eux.

— Mais alors pourquoi…

— Vous avoir séparées ? Tu ne trouveras peut-être jamais la réponse.

— Je sais, je sais…

— Allez, viens, j'ai autre chose à te montrer.

Ils remirent les chevaux au pas, avancèrent vers une brèche dans les collines et, à sa grande surprise, ils se retrouvèrent bientôt dans un étroit canyon creusé dans la roche. Le terrain était accidenté sous les sabots de leurs montures.

Ils arrivèrent à un embranchement, et Cash prit sur la gauche. Peu après, ils déboulèrent dans une clairière. Les chevaux avancèrent aussitôt vers le petit bassin entouré de rochers qui marquait sa limite. Ils mirent pied à terre et les laissèrent se désaltérer. Cash ne la lâcha pas des yeux. Elle savait masquer ses impressions quand l'instant l'exigeait. Il l'avait vue dissimuler sa peur pendant la course poursuite du matin, et aussi cacher son état de nerfs quand elle avait rencontré Pearson et Margot Lawson.

Elle ne le fit pas cette fois-ci. Il vit la surprise, l'émerveillement et le plaisir se succéder sur son visage. Et il comprit qu'il avait fait le bon choix.

— On dirait une oasis, dit-elle.

— Ta sœur et ton père l'ont baptisé « le paradis ».

Le bassin était à moitié plongé dans l'ombre de la colline, et une légère brise en irisait la surface.

— Comment est-ce possible ? demanda-t-elle en le regardant, puis en observant les parois de roche.

— Il est alimenté par une source souterraine. L'eau est rare dans ce coin, et Mike n'en a jamais révélé l'emplacement à personne.

— Mais il vous l'a indiqué, à ta famille et à toi, répondit-elle en lui jetant un coup d'œil.

— *Après* que je l'ai découvert. Ce canyon est un raccourci entre nos deux ranchs. Quand je lui en ai parlé, il m'a fait jurer le secret. Il était issu d'une longue lignée de ranchers, et il était hyperprotecteur quant à son domaine. Il refusait de faire quoi que ce soit pour encourager le tourisme sur les terres dont il avait hérité. Il tenait à les transmettre telles qu'il les avait reçues. Mon père lui ressemblait beaucoup sur ce point. Ils étaient « verts » avant même l'invention du terme.

— Alors, il est primordial que Maddie s'y accroche.

— Oui.

— Si elle perd de l'argent, je vais devoir trouver un moyen de lui permettre de commencer à faire quelques bénéfices. D'ici à trois semaines, si tout se passe bien, nous aurons l'argent de ma mère à investir. Bien sûr, elle va insuffler une partie de sa part dans son affaire de bijoux, mais elle en aura assez pour redresser le ranch. Le problème, ce sera de ne pas investir à fonds perdus.

— A quoi penses-tu, Jordan ?

— Tu vas me traiter de cinglée. Mais c'est ce que je faisais quand je jouais avec mon ranch, enfant. Qu'est-ce que je connais aux ranchs, ou à l'élevage, hein ?

— Que faisais-tu ?

— Je m'amusais à créer un ranch gîte rural. Qu'est-ce qu'une petite Yankee aurait pu imaginer d'autre ? Et pourquoi Maddie ne pourrait-elle pas faire les deux ? Elle pourrait protéger son héritage, faire tourner le ranch *et* entamer un nouveau business. Elle pourrait agrandir le dortoir, ou même bâtir une nouvelle structure derrière l'écurie pour abriter les clients. Leur offrir un hébergement confortable, de la nourriture recherchée, et leur donner l'occasion de connaître le monde des cow-boys.

— Ouah ! Le monde des cow-boys ?

— Je vais avoir besoin de ton aide pour cela, dit-elle. Mais je pensais commencer petit et sélectif, donner aux clients l'occasion de participer aux travaux du ranch, rassembler le bétail, réparer les clôtures, ce genre de choses. Une simple promenade à cheval dans ce canyon devrait les émerveiller. On dirait un décor de cinéma.

Cash la laissa parler. Il guida les chevaux vers un carré d'herbe et passa leurs rênes sur les branches d'un buisson. Puis il détacha les sacoches. Quand il revint vers elle, elle avait toujours les yeux fixés sur le bassin, voyant de toute évidence quelque chose qui lui était invisible.

— Je ne voudrais pas saper tes rêves à la base, mais comment Maddie pourra-t-elle faire tourner le ranch et développer simultanément son affaire de bijoux ?

— Oui, c'est le hic, reconnut-elle en le regardant. Mais est-ce que tu vois d'autres aspects négatifs à ce que je viens de t'exposer ?

— Aucun. Il y a d'autres ranch hôtels dans le coin, mais tes idées sont uniques. La nourriture recherchée et la création d'une « expérimentation du monde des cow-boys », par exemple, répondit-il en posant les fontes et en sortant une bouteille de vin et deux verres. J'ai pris du rouge, parce que je me suis dit que le blanc ne serait pas assez frais.

Elle le dévisagea un instant.

— Je ne te voyais pas en amateur de vin.

— C'est ton père qui m'y a initié. Il avait une excellente cave.

Elle attendit qu'il ait ouvert la bouteille, empli les verres et incliné le sien sur un côté pour reprendre :

— Tu ne parais pas enthousiasmé par mon idée.

— J'y réfléchis.

Ils trinquèrent et burent une gorgée.

— Maddie a énormément de problèmes en ce moment, dit-il enfin. Elle est très concentrée sur son travail. Quand elle est dans son atelier, elle oublie facilement tout le reste. C'est en partie pour cela que le ranch périclite. Quand Mike vivait encore, il la tirait dehors pour l'obliger à faire autre chose. Si je ne venais pas pour l'emmener faire une balade à cheval ou jouer au poker, je ne sais même pas si elle en serait jamais sortie.

— A ce point ? demanda Jordan en s'asseyant sur une roche plate. Je crois t'entendre parler de maman. Il a fallu que j'insiste pour qu'on sorte déjeuner une fois par semaine, et puis qu'on aille au théâtre ou faire les magasins. Sinon, elle n'aurait jamais fait de pause non plus.

Elle garda le silence un moment. Cash s'installa sur un rocher face à elle. Elle avait reporté les yeux sur le bassin, et il savait qu'elle revenait sur son idée d'un gîte rural. Elle n'était guère différente de sa mère et de sa sœur, quand elle avait une obsession en tête !

Il était grand temps de la distraire. Il tendit la main et effleura le bout de ses cheveux ébouriffés par le vent.

Elle se retourna vers lui.

— J'apprécie que tu te soucies de Maddie, mais je vais trouver un moyen, dit-elle. C'est comme ça que fonctionne un bon projet commercial. Et je ne nuirai en rien à ma sœur, tu peux me faire confiance sur ce point.

— Je te crois, dit-il en lui enlevant le verre de la main pour la porter à ses lèvres.

Il la lâcha et se pencha en arrière afin d'étendre et de croiser les jambes. Il avait désespérément envie de la toucher, mais pas encore.

— Merci de m'avoir amenée ici. C'est l'endroit idéal pour réfléchir.

— Je ne t'ai pas amenée ici seulement pour réfléchir.

— Tu voulais partager la beauté de ce lieu.

— En partie. Mais j'avais une autre raison.

— Laquelle ?

— Te séduire.

— Ah…, dit-elle, la gorge soudain sèche. Tu n'as pas besoin de me séduire, tu sais. Il me suffit de te regarder pour avoir envie de toi.

C'était la vérité, simple et quelque peu effrayante.

— J'ai cherché, cet après-midi, où je pourrais t'emmener. Un endroit tranquille et sûr où on pourrait prendre notre temps. On ne l'a pas beaucoup fait, jusqu'à présent.

— C'est vrai.

Il n'avait pas bougé. Il lui avait suffi de parler, de sa voix grave et tranquille. Cependant, ses yeux étaient si brûlants, si prometteurs qu'elle en fit déborder un peu son verre. Elle le posa à terre et s'aperçut que ses mains tremblaient déjà.

La séduction… Ce n'était peut-être pas une mauvaise idée, se dit-elle. Elle lui adressa un sourire et se leva. Puis elle enleva son chapeau et l'envoya sur un rocher derrière elle. Les yeux braqués sur Cash, elle ôta ses bottes en s'aidant de ses pieds. Elle ne connaissait du strip-tease que ce qu'elle avait parfois vu dans des films, mais, si sa mémoire était fidèle, cela commençait toujours par l'accessoire — chapeaux, gants, chaussures.

Elle le regarda tandis qu'elle débouclait sa ceinture. Il n'avait toujours pas fait un geste et était toujours assis sur son rocher, jambes croisées devant lui. Toujours aussi calme en apparence, mais la façon dont il avait refermé les doigts sur son verre lui apprit qu'il ne l'était plus du tout. Il pouvait avoir un débit lent, des mouvements lents, mais il y avait toujours en lui cette énergie qu'elle avait perçue sous la surface. Il lui tenait la bride serrée, et elle se demanda ce qu'elle devrait faire pour l'obliger à lâcher prise.

Elle enleva lentement sa ceinture, et enroula soigneusement le ruban de cuir autour de la boucle façonnée par Maddie avant de la poser à terre.

En souriant toujours, elle passa les doigts sous son T-shirt et le fit passer par-dessus sa tête.

— Qu'es-tu en train de faire, Jordan ?

— Tu avais voulu me séduire. Je commence tout juste à le faire. Tu n'aimes pas ?

— Si, j'aime ça, dit-il en baissant les yeux sur son soutien-gorge de dentelle. Mais je voulais le faire, *moi !*

— Tu pourras toujours. Plus tard.

Elle défit le bouton de son jean. Dans le silence, le petit « plop » eut presque une résonance exotique. Les chevaux s'ébrouèrent. Quelque chose palpita aussi en elle. Cash posa son verre et ne remarqua pas qu'il se renversa.

Elle baissa lentement la glissière, éperdue de désir, prise du besoin d'aller le déshabiller. Mais elle enfonça ses pouces sous la ceinture du jean et le fit lentement descendre sur ses cuisses. Une fois le tissu à ses pieds, elle en sortit d'une enjambée.

— O.K. A ton tour.

— A ton avis [illegible]

Sans la quitte[illegible] sortit sa chemise de son jean et entreprit d'en [illegible] les boutons un par un.

— Je peux [illegible]

— Pas la pe[illegible]uis c'est mon tour, non ?

— Je ne peu[illegible] penser qu'à une chose, à présent. Toi, en moi. To[illegible]ce.

Il comprit vi[illegible] n'aurait pas son endurance. Une fois qu'il eut en[illegible] chemise, il n'eut d'aut[illegible] choix que

- 9 -

Son tour ? Elle était debout face à lui dans le soleil, seulement vêtue de deux soupçons de dentelle créés spécialement pour affoler les hommes. Le corps en feu et l'esprit en ébullition, Cash sut exactement comment il voulait prendre son tour.

Il lui suffirait d'avancer d'un pas pour la faire pivoter et l'incliner au-dessus de la roche qui lui avait servi de siège. Quelques secondes pour effacer les derniers obstacles — son jean, le friselis de dentelle qu'elle portait — et il pourrait être en elle. Ce serait magnifique, merveilleux ; et cela apaiserait le désir qui le dévorait.

Mais ils pouvaient être deux à jouer à son petit jeu. Il n'avait encore jamais fait de strip-tease pour une femme, mais il fallait bien commencer un jour, non ? Il commença par enlever ses bottes. Puis, toujours assis, il leva les yeux vers elle et lui sourit.

— Encore, dit-elle.

— A ton aise.

Sans la quitter des yeux, il sortit sa chemise de son jean et entreprit d'en défaire les boutons un par un.

— Je peux t'aider.

— Pas la peine. Et puis, c'est mon tour, non ?

— Je ne peux plus penser qu'à une chose, à présent. Toi, en moi. Tout de suite.

Il comprit vite qu'il n'aurait pas son endurance. Une fois qu'il eut enlevé sa chemise, il n'eut d'autre choix que de se lever. Ce qu'il fit, en priant pour que ses jambes le soutiennent. Elles le firent. Le jean disparut. Quand il eut fait passer ses pieds au travers et qu'il se redressa, elle lui sourit et lui tendit la main. Elle avait vraiment la haute main, dans ce jeu de séduction.

— Je te veux. Maintenant.

— Moi aussi.

En deux pas il fut sur elle, mais, au lieu de la faire se retourner, il la prit dans ses bras et s'empara de sa bouche.

Puis il la souleva, pivota et sauta à l'eau.

Ils refirent surface dans les bras l'un de l'autre, les bouches toujours jointes. Et le feu que ce baiser avait allumé en elle avait suffi à bloquer la fraîcheur du plongeon. Elle faillit crier quand il recula la tête.

— Plus d'air, haleta-t-il.

« Pas bête », se dit-elle en constatant la brûlure dans ses propres poumons. Elle chercha son regard.

— Je n'ai rien vu arriver.

— Ça m'est venu comme ça, lui dit-il.

— Ce n'est pas désagréable, répondit-elle en enroulant bras et jambes autour de lui, et en se frottant de haut en bas contre son corps dur, son membre érigé.

Un jeu d'enfant, dans l'eau. Et ô combien excitant !

Il lui agrippa les fesses, la souleva plus haut afin qu'elle passe les jambes autour de sa taille.

Elle voulut recommencer, mais il la maintint fermement en place et laissa reposer son front sur le sien.

— On a le temps, dit-il d'une voix basse.

Et il s'empara de sa bouche une seconde fois, mais très délicatement. Il joua avec ses lèvres, sa langue, gentiment, langoureusement.

Puis il lui passa les mains dans les cheveux et approfondit son baiser. En se demandant si, un jour, il arriverait à se rassasier d'elle.

Il raffermit sa prise sur elle, la souleva et la laissa lentement descendre sur lui. Son cœur faillit cesser de battre quand sa tiédeur l'enveloppa.

Il vacilla, stupéfait par ce qu'il éprouvait en cet instant même. S'ils n'avaient pas été dans l'eau, il aurait très vite adopté un rythme sauvage, tant était dévorant son désir d'elle. Mais c'était impossible. Ils commencèrent donc à se mouvoir lentement, presque en une danse sensuelle.

Alors que leur plaisir croissait et croissait encore, il plongea le regard dans ses yeux et y lut qu'elle était sienne. Comme il était sien. Quand l'orgasme devint imminent, il la serra plus fort contre lui, tituba vers la berge, l'assit sur une roche et lui reprit la bouche.

Finalement, ils purent se mouvoir comme ils le désiraient. Vite, de plus en plus vite. Il avait encore la bouche sur la sienne quand elle jouit inlassablement. Sienne, songea-t-il avant de la rejoindre dans un long frémissement.

Une heure plus tard, ils chevauchaient de front dans l'étroit canyon. Il était presque 19 heures et, selon les estimations de Cash, ils avaient encore deux heures de clarté devant eux. Donc, ils avaient encore le temps de se mettre en quête de Pete.

Ils s'étaient attardés plus que prévu près du bassin, ils avaient mangé leur repas, emballé leurs restes, pris un bain et refait l'amour. Cependant, depuis qu'ils s'étaient remis en selle, Jordan avait gardé le silence. Sauf erreur de sa part, Cash se disait qu'elle se bâtissait un petit mur de protection.

D'après ce qu'elle lui avait dit de sa mère, il commençait à comprendre qu'Eva Ware avait été totalement concentrée sur son travail. Il avait noté les mêmes caractéristiques chez Maddie, à ceci près qu'elle avait grandi avec un père qui lui consacrait beaucoup de temps et adorait ces moments communs.

Cash était sûr que Jordan n'avait pas eu cette chance. Cela l'avait rendue circonspecte, et il lui faudrait sans doute du temps pour arriver à contourner ses défenses. Le problème, c'est qu'il n'avait pas énormément de temps devant lui.

— A quoi penses-tu ? lui demanda-t-il.

— Il va bientôt falloir faire demi-tour, non ? dit-elle en le regardant.

Ce n'était pas à cela qu'elle pensait, mais il n'en fit rien remarquer.

— Je pense qu'on pourrait avancer encore un peu. Et si on ne repère pas Pete ce soir, j'enverrai un de mes hommes demain pour essayer de le trouver.

Elle opina et reporta son attention sur les flancs du canyon.

— On dirait qu'il y a des grottes, par ici.

— On dit que certaines d'entre elles sont de vieilles entrées de mines. C'est pour ça que Pete rôde souvent dans le coin. Les Navajos extrayaient la turquoise du Nouveau-Mexique bien avant l'arrivée des Blancs.

Ils passèrent un angle, et découvrirent un cheval, debout sur un des côtés.

— C'est celui de Pete, dit Cash en poussant sa monture vers lui.

A leur approche, le cheval de Pete hennit et frappa le sol de son sabot. Cash examina les falaises. Elles étaient dans l'ombre de chaque côté. Ce fut Jordan qui repéra enfin quelque chose.

— Là ! dit-elle en pointant un doigt. Je vois du rouge.

— Pete a toujours un foulard rouge autour du cou. C'est sa marque de fabrique, répondit-il en mettant pied à terre et en confiant ses rênes à Jordan. Je vais grimper pour voir. Reste avec les chevaux.

Il lui fallut quelques minutes pour atteindre l'arête rocheuse sur laquelle gisait Pete. Le vieil homme avait le visage blanc comme un linge et respirait difficilement, mais son pouls était régulier.

— Il est vivant ! cria-t-il à Jordan.

Puis il leva les yeux. Au-dessus de lui, à quelque distance, saillait une autre arête d'où, manifestement, Pete avait fait le plongeon.

Cash envisagea les options qui s'offraient. Pete était blessé, et la falaise qu'il avait gravie pour le rejoindre était déjà assez périlleuse, sans charrier quelqu'un sur son épaule.

Il sortit son portable et fit une prière pour capter un signal. Ils étaient presque arrivés au bout du canyon donnant sur les terres Landry. Il pianota un numéro et colla le téléphone à son oreille.

Par chance, il sonna. Et Shay Alvarez décrocha. Il lui expliqua succinctement la situation.

— Nous sommes à peu près à un kilomètre et demi de la sortie du canyon, conclut-il, et la nuit ne va plus tarder à tomber.

— Je t'envoie du monde aussi vite que possible. Si vous pouviez allumer un feu pour les diriger, ce serait mieux.

Cash raccrocha et cria à Jordan :

— Les secours arrivent !

— Il y a une couverture sur son cheval ! s'égosilla-t-elle en retour. Je te la monte.

Ce ne fut qu'en l'attendant qu'il remarqua les mains coupées et sanguinolentes de Pete, comme si on les avait piétinées. Il reporta les yeux sur la falaise. Il n'était pas tombé tout seul, comprit-il.

Jordan arriva, et il les lui montra.

— Ce n'était pas un accident, conclut-elle.

— Non, dit-il en ajustant la couverture sur Pete. Pourquoi ne resterais-tu pas avec lui pendant que je fais un feu pour signaler notre présence ?

Elle ne répondit rien, mais s'agenouilla et referma les mains sur une des mains blessées du vieil homme.

Pas de panique. Pas de question. C'était vraiment une sacrée bonne femme, se dit-il alors qu'il redescendait.

- 10 -

Deux heures plus tard, Jordan faisait les cent pas dans la salle d'attente. Les secours avaient mis moins d'une demi-heure pour arriver, puis tous deux avaient regagné le ranch au galop et sauté dans la voiture pour filer sur Santa Fe.

Ils atteignaient les faubourgs quand son portable avait sonné. Elle avait d'abord pensé que c'était Maddie et s'était demandé ce qu'elle allait lui raconter, mais il s'agissait de D.C., le frère de Jase, qui venait d'atterrir. Elle lui avait alors résumé ce qui venait de se passer, et ils étaient convenus de se retrouver à l'hôpital.

Elle n'était pas seule dans la salle d'attente. Près d'elle, une vieille femme tricotait, et quelques personnes discutaient à voix basse. De temps à autre, un homme ou une femme en blouse entrait et s'approchait de quelqu'un pour lui parler à voix basse.

Elle tourna les yeux vers le bureau des infirmières, devant lequel Cash essayait de soutirer des informations à une jeune femme en blouse.

D'habitude, faire les cent pas l'aidait à rassembler ses idées, mais elle commençait à avoir du mal à analyser la série d'événements survenus depuis son arrivée au ranch.

L'agression de Pete Blackthorn avait-elle un lien avec les actes de vandalisme ? Avec la tentative d'assassinat du matin ? Ou n'était-ce qu'une coïncidence ?

Elle n'avait pas eu assez de lumière pour examiner les

mains du vieil homme avant l'arrivée de l'hélicoptère, mais elles étaient éraflées, sanguinolentes et enflées.

Pete avait repris conscience alors que les secouristes l'étendaient sur une civière et, l'espace d'une seconde, elle avait vu dans ses yeux qu'il la reconnaissait. Puis il avait prononcé le prénom de sa sœur d'une voix faible.

— Maddie ?

Elle alla se planter devant une fenêtre et regarda la nuit. Il allait se remettre. Il *devait* se remettre.

Elle ne fut pas loin de sursauter quand Cash lui posa une main sur l'épaule. Elle se retourna, et vit que Shay Alvarez était avec lui.

— Du nouveau ? s'enquit-elle.

— Ils l'ont stabilisé, lui dit Cash. Mais ils vont lui faire passer un scanner. L'hôpital a pris un peu de retard à cause d'un accident, et il y a deux personnes gravement blessées devant lui. C'est Shay qui a des nouvelles.

— Mes hommes ont trouvé des preuves indiquant que la chute de Pete n'était pas un accident, lui apprit ce dernier. Il y a une série de grottes qui se succèdent dans cette section de la falaise, et ils ont trouvé des mégots dans l'une d'elles. Pete ne fume pas. Donc, quelqu'un l'attendait.

Elle regarda Cash, puis Alvarez.

— Mais pourquoi ?

— C'est bien là la question, répondit Shay. Léa et sa mère sont auprès de lui. Quand j'ai appelé Léa pour la prévenir, elle m'a dit qu'il lui avait parlé de quelque chose il y a à peu près six mois. Il n'avait pas de preuves, mais il pensait être suivi. Il y a quelques instants, elle m'a rappelé. Elle était passée chez lui pour lui prendre des affaires propres, et sa caravane a été dévastée.

— Six mois…, fit remarquer Cash. Ça coïncide avec le début des actes de vandalisme chez Maddie.

Shay opina.

— Il y a un lien, insista Jordan.

— Peut-être. Peut-être pas, dit Shay.

— Mais alors, pourquoi faire cela à Pete ?

Elle se pressa une main contre la tempe, avec l'impression de devenir un perroquet ne connaissant qu'un seul mot.

— Pas pour ses turquoises, en tout cas, reprit Shay. Il en avait plusieurs sacs dans ses sacoches de selle, et celui qui l'a aidé à tomber ne les a pas volées. La seule autre possibilité qui me vient à l'esprit, c'est la croyance, dans le coin, qu'il possède une vieille carte des mines de turquoises exploitées par ses ancêtres. On s'est peut-être dit qu'elles étaient rentables. Ce qui expliquerait pourquoi on le suivait, s'il était suivi.

— Y a-t-il un moyen de savoir si son agresseur a trouvé ces cartes ? demanda Jordan.

— Tel que je connais Pete, répondit Shay en souriant, il n'a rien trouvé du tout. Je doute qu'il ait jamais conservé quelque chose de valeur dans sa caravane, pas alors qu'il passe tant de temps dehors, ni dans ses fontes. Et s'il avait l'impression d'être suivi, il a dû prendre ses précautions.

Par-dessus l'épaule de Shay, Jordan vit arriver un homme s'aidant d'une béquille.

— Voici D.C., dit-elle en se précipitant vers lui, bras grands ouverts.

— Ton rival ? s'enquit Shay.

— C'est D.C. Campbell, le frère de son colocataire Jase, répondit Cash en observant le nouveau venu.

Rien, dans l'embrassade de D.C. et Jordan, ne laissait soupçonner une relation passionnée ou plus intime. Mais alors, pourquoi ce goût amer dans sa bouche ?

— Il appartient à la police militaire, il est cantonné en Irak et il est venu à la demande de son frère pour nous servir de renfort. Il est en permission.

— Excellente idée.

Cash continua à examiner D.C. alors que Jordan passait un bras sous le sien et l'entraînait vers eux. Sa canne et sa légère claudication ne paraissaient pas le gêner vraiment.

— Ta jambe ? lui demandait Jordan. C'est grave ?

— Juste un dommage collatéral, lui répondit D.C. en souriant. L'armée m'a renvoyé quelque temps chez moi pour la réparer. On m'en a remplacé plusieurs morceaux, j'espère que certains se révéleront bioniques !

— Arrête ! s'esclaffa-t-elle. Je viens juste de t'imaginer en train de sauter en haut d'un gratte-ciel d'un seul bond !

— J'espère bien !

De vieux amis. La tension de Cash s'apaisa.

Après les présentations, il prit la parole :

— Comment vont Maddie et Jase ?

Le regard de D.C. reprit aussitôt son sérieux.

— J'ai contacté Jase dès l'atterrissage, et ils étaient en sécurité dans une chambre d'hôtel. Mais il y a eu de nouveaux développements depuis que j'ai quitté New York. Tôt ce matin, quelqu'un a essayé d'écraser Maddie juste en face de l'immeuble de sa mère.

— Seigneur ! dit Jordan. Juste là où maman a été tuée…

— Oui. La voiture, une berline crème, correspond à la description qu'a faite un témoin de l'accident d'Eva Ware. Cette fois-ci, ils ont une partie de l'immatriculation, et ils sont certains que c'est une Mercedes.

— On dirait la voiture de maman, dit-elle en le fixant.

— Oui. Un ami flic de Jase vérifie en ce moment même les immatriculations de Mercedes.

— Mais…

Elle s'interrompit net en voyant Léa Dashee et une femme plus âgée pénétrer dans la salle d'attente. Elle et Shay se dirigèrent vers elles.

— Les parentes de Pete Blackthorn, expliqua Cash à D.C.

— C'est à cause de lui que Jordan m'a demandé de

vous rejoindre ici, n'est-ce pas ? C'est lui qui est tombé d'une falaise ?

— On est sûrs à présent qu'il a été poussé.

— Ah, dit D.C. en sortant un carnet et un crayon de sa poche, avant de jeter un regard contrit à Cash. Désolé, une vieille habitude.

— Pas de problème. Est-ce que Jordan t'a dit qu'elle se fait passer pour Maddie, tant qu'elle est ici ?

— Non, mais ça pourrait la mettre davantage en danger.

— Elle pense que c'est le meilleur moyen d'aider sa sœur pendant l'exposition de demain.

— Il serait peut-être utile que nous arrivions à mettre la main sur celui qui est derrière tout cela.

— Tu crois que les agressions contre Maddie et Jordan sont liées ?

— Difficile de penser le contraire, mais on verra bien.

Alors qu'il regardait Jordan installer les deux femmes sur un canapé, Cash informa D.C. de tout ce qu'ils savaient sur Pete Blackthorn et sur son accident. Après avoir apporté du café aux trois femmes, Shay vint les rejoindre.

— Laissez-moi récapituler, leur dit D.C. D'aussi loin que tout le monde se souvienne, Pete a prospecté les environs avec succès, et il aurait la réputation d'avoir hérité de vieilles cartes de ses ancêtres. Il y a six mois, il a commencé à avoir l'impression qu'on le suivait. Et aujourd'hui vous soupçonnez quelqu'un de l'avoir attendu dans l'une des grottes pour lui faire faire le grand saut ?

— C'est un bon résumé, répondit Cash.

Par-dessus l'épaule de D.C., il vit Jordan prendre les mains de Léa dans les siennes. Il n'était pas certain de la manière dont elle allait arriver à tenir le coup. Car, en l'espace d'une seule journée, elle avait appris que la mort de sa mère n'était pas accidentelle, après quoi on avait tenté de les assassiner également, sa sœur et elle. Voilà que, maintenant, elle avait pour seul but de réconforter Léa et sa mère. Il commençait à se dire qu'elle avait vraiment l'habitude d'assumer les événements et de prendre soin des autres. Quelqu'un avait-il jamais pris soin d'elle ?

Il se retourna vers D.C. :

— Il y a six mois ont également commencé les actes de vandalisme dans le ranch de Maddie. Et il y a six mois que Daniel Pearson, un agent immobilier local, a commencé à harceler Maddie pour qu'elle mette le ranch en vente. Depuis, la gravité des incidents affectant le ranch n'a cessé d'empirer. Et, ce matin, quelqu'un — un pro, à notre avis — a essayé de nous faire quitter la route et dévaler dans un ravin, Jordan et moi. Plus tard, il y a eu un incident à l'hôtel où doit se dérouler l'exposition, demain. Un mur a failli écraser Jordan.

D.C. laissa échapper un long sifflement et les regarda tour à tour, Shay et lui.

— Vous n'en avez rien dit à Jase.

— Non, répondit Cash alors que Jordan les rejoignait. On s'est dit que Maddie avait assez de soucis comme ça.

D.C. examina ses notes un instant.

— Voyons si je peux relier tous les points entre eux… On a un homme qui a bien gagné sa vie en extrayant des pierres, surtout des turquoises, dans diverses mines abandonnées et en principe murées de la région. Il est possible que quelqu'un l'ait eu à l'œil depuis six mois, et lui ait donné une petite bourrade pour l'aider à descendre plus vite de son perchoir aujourd'hui. Dans le même temps, Maddie subit des pressions pour vendre le ranch, et ces incidents ont peut-être pour but de la pousser à le faire.

— Tu as pigé le tableau, lui dit Cash.

— Je m'avance peut-être, là, dit Don en se grattant la tête. Mais… et si Pete avait à un moment donné découvert une nouvelle veine de turquoise ? Une veine qui n'aurait pas été répertoriée, et qu'elle soit sur le domaine Farrell ?

— Tu ne t'avances pas tellement, dit Shay. Et je pense que, même sans jambe bionique, on peut tous te suivre.

— O.K., lui répondit D.C. en souriant.

— On est tombés par hasard sur Daniel Pearson aujourd'hui, enchaîna Cash. Et il paraissait certain de conclure l'affaire avec Maddie demain soir, à l'occasion d'un dîner. En ce cas, pourquoi agresser Pete ?

— Parce que, si Pete avait vent du fait que Maddie met le ranch en vente, il pourrait bien lui souffler deux mots de l'existence de sa trouvaille, lui fit observer Shay.

— Et, si elle le savait, elle n'aurait plus besoin de vendre, acheva Jordan.

— Surtout s'il a trouvé des turquoises de la qualité de celles qu'il lui vend depuis des années, ajouta Cash.

— Problème : si Pete a été agressé pour que Maddie reste sous pression, pourquoi essayer de la tuer ? Morte, elle ne signerait jamais la mise en vente.

— Bien vu, dit Shay.

— Sans compter qu'on a essayé de tuer Maddie à Manhattan, intervint Don. Moralité : ce n'est pas juste la vie d'une des jumelles qui est en jeu.

— Les tentatives d'assassinat sur les sœurs n'ont peut-être aucun lien avec le ranch, suggéra Shay. Elles ont peut-être bien le testament pour motivation. Ce papier est une véritable invitation au meurtre.

— Jase serait entièrement d'accord, dit Don. Il est très possible qu'on ait deux problèmes. On a eu la même discussion dans le bureau de mon frère. En surface, il semble qu'il y ait deux choses qui se passent à New York. Jase et son associé essayent de trouver un lien entre la mort d'Eva et le cambriolage de son magasin. Et puis il y a eu les tentatives de meurtre contre Maddie.

— Et contre Jordan, reprit Cash. Et si c'était une seule et même affaire, et qu'on n'ait pas encore pu relier les points entre eux ?

Un homme en blouse blanche, un stéthoscope fourré dans sa poche de poitrine, fit son entrée dans la pièce.

— Inspecteur Alvarez ?

Shay se dirigea vers lui et l'emmena vers Léa et sa mère. Jordan alla se rasseoir près d'elles.

— Il est solide, leur apprit le médecin. Nous n'avons rien trouvé au scanner. Il n'a d'os fracturés que dans les mains et une grosse bosse sur la tête, mais aucun signe de commotion cérébrale. Nous lui avons administré des sédatifs et le traitons pour hypothermie.

— Il était inconscient quand nous l'avons trouvé, dit Jordan.

— Les secouristes qui l'ont transporté m'ont dit l'avoir trouvé sur une arête rocheuse, lui dit-il. Comme il ne pouvait pas se servir de ses mains, on ignore combien de temps il est resté là. Sans eau, il n'est pas étonnant qu'il soit passé régulièrement de la conscience à l'inconscience. Il aurait pu mourir, sur cette arête.

— Cash et toi lui avez sauvé la vie, déclara Léa en prenant les mains de Jordan dans les siennes.

Jordan s'en était vaguement doutée, mais l'entendre confirmer par le médecin lui fit un coup au cœur. Et s'ils avaient juste décidé de rentrer et de s'en tenir à leur projet d'origine, faire le tour du propriétaire le surlendemain ? Pete n'aurait probablement pas tenu aussi longtemps.

— Il va se rétablir ? demanda Léa.

— Certainement. Nous le soignons pour la douleur et, s'il passe la nuit sans incident majeur, un chirurgien orthopédique opérera ses mains dès demain matin.

— Puis-je lui parler ? s'enquit Alvarez.

— Il va rester inconscient un bon moment, lui répondit l'homme. Et il a besoin de repos en vue de l'opération.

— Et si je faisais un saut avant son entrée en salle d'opération ? insista Shay. Nous pensons qu'il n'est pas tombé tout seul.

Le docteur réfléchit un instant en se levant.

— D'accord, tant que vous ne le contrarierez pas.

Alors que Shay raccompagnait le médecin, Jordan prit Léa dans ses bras.

— Vous restez ?

— Oui, toutes les deux, maman et moi.

— Et l'expo, demain ? Puis-je t'être utile à quelque chose ?

— Oh, j'y serai, répondit Léa en réussissant à lui sourire. Maman restera ici. Toi, tu devrais rentrer, maintenant. Prends le temps de dormir. Je sais que demain tu vas tous les éblouir.

Cash prit sa main, la tira pour la mettre sur ses pieds et, brusquement, elle découvrit qu'elle était exténuée. Ils atteignaient la porte quand Léa l'appela :

— Maddie ?

Il lui fallut une seconde pour réagir, et Léa l'appela encore une fois avant qu'elle ne se retourne.

— Merci encore d'avoir sauvé la vie de grand-père, dit-elle.

Puis Cash et Jordan s'en furent.

Des heures plus tard, planté devant la fenêtre de la chambre de Maddie, Cash regardait Jordan dormir. En chien de fusil, une main sous le menton, elle dormait du sommeil du juste. Quelques instants plus tôt, il était encore allongé près d'elle, et son besoin de la réveiller pour lui faire l'amour avait été si pressant qu'il s'était obligé à se lever.

Elle était fourbue, tant émotionnellement que physiquement, et il soupçonnait qu'elle n'en avait pas l'habitude. Elle n'avait pas beaucoup dormi depuis son arrivée, et il en était en partie responsable. Elle s'était assoupie sitôt dans la voiture, et avait ouvert un œil vitreux quand il l'avait portée dans la maison.

— Hein ? avait-elle bredouillé.

— On est arrivés, avait-il dit. Rendors-toi.

Il l'avait couchée et était retourné dans la cuisine pour s'entretenir un instant avec D.C. Le frère de Jase se confectionnait un sandwich.

— J'allais te dire de faire comme chez toi, mais je vois que c'est déjà fait.

— C'est toujours ce que je fais, répondit D.C., la bouche pleine. Ils ne donnent plus à manger, dans les avions, et c'est peut-être tout aussi bien.

— Quand tu auras terminé, prends à gauche dans le couloir. Tu peux utiliser la chambre du bout.

— Tu dors avec Jordan, non ?

— Tu y vois une objection ? repartit Cash en plantant les pouces dans ses poches de jean.

— Contente-toi de ne pas la faire souffrir, répondit D.C. sans le lâcher des yeux.

— Je vais faire de mon mieux. Tu peux dire la même chose à ton frère en ce qui concerne Maddie.

Un instant s'écoula, puis D.C. lui adressa un bref signe de tête.

— Très bien, dit-il avant de mordre dans son sandwich. Tu aurais une bière ?

— Il y a un autre réfrigérateur dans le cellier.

— Merci. Tu peux aller te coucher, si tu veux. Je vais peut-être rester encore debout un moment, histoire de faire le point. Les avions me mettent toujours sur les nerfs.

Alors qu'il partait dans le cellier, Cash reprit la parole :

— Je n'aime pas beaucoup rester sur la touche. J'aimerais bien trouver un moyen de jouer un rôle plus actif dans tout cette affaire.

De retour, D.C. lui sourit.

— Un homme comme je les aime ! Selon toi, ce Daniel Pearson serait derrière le vandalisme ?

— Oui. Et il pourrait très bien avoir provoqué aussi la chute de Pete.

— Alors, il y a peut-être un moyen de le pousser à se dévoiler. Je vais y réfléchir cette nuit.

— Moi aussi.

Sur ce, il laissa D.C. à ses agapes.

Le jour se levait, et il n'avait pas trouvé d'autre idée que d'isoler Pearson dans un coin et de lui arracher la vérité à coups de poing. Il avait énormément de mal à penser quand Jordan était dans le même lit ou la même pièce que lui.

Il laissa courir ses yeux sur son visage, ce visage déjà si familier. Il était délicat, fragile, sensible. Mais, par-delà, elle possédait une force incroyable et une générosité équivalente. Il l'avait vue faire avec la famille de Pete, et, si les deux femmes n'avaient pas dit qu'elles passeraient la nuit à l'hôpital, il était bien certain qu'elle l'aurait proposé.

Il avait failli la perdre, et cette pensée le terrifiait. Elle lui donnait envie de la hisser sur son cheval et de l'emmener très loin. Cependant, ils n'iraient nulle part pour le moment. Pas alors qu'un tueur était à ses trousses.

Il avait comme le sentiment que le temps allait bientôt leur manquer, et il eut une pensée pour Maddie, à New York. Les agressions contre les jumelles avaient augmenté, et il n'était pas nécessaire d'être policier pour savoir que le tueur commençait à être aux abois. Et, si les gens aux abois sont susceptibles de commettre des erreurs, ils peuvent aussi bénéficier d'un coup de chance.

Perturbé, il alla préparer le café dans la cuisine. Bien décidé à laisser Jordan dormir jusqu'au dernier moment.

- 11 -

— Je n'en peux plus ! s'écria Jordan quand Cash vida sur son assiette un deuxième poêlon d'œufs brouillés.

— Pas de problème, dit Don en attrapant l'assiette pour en faire passer la moitié sur la sienne. Tu en veux ? demanda-t-il ensuite à Cash.

Jordan reporta les yeux sur Cash alors qu'il vidait le reste des œufs sur sa propre assiette.

— J'aurais cru qu'une jambe bionique pouvait être éventuellement creuse, mais tu manges autant que lui !

— C'est ça, la vie de cow-boy, lui répondit-il en enfournant les œufs. On recharge les batteries quand on peut. Et puis, on ne sait pas quand on trouvera le temps de manger aujourd'hui.

— L'hôtel offre un buffet-déjeuner à tous les exposants et les assistants, fit-elle remarquer en tapotant le catalogue.

— Si j'en crois ta sœur, les expositions de bijouterie ne sont pas réputées pour la consistance de leur buffet !

Elle savait d'expérience qu'il avait raison, et ne fit donc pas d'autre commentaire pendant que les deux hommes engouffraient leur petit déjeuner pantagruélique. Elle-même aurait peut-être pu avaler autre chose qu'un demi-toast et une tranche de jambon si elle n'avait pas eu l'estomac aussi serré.

— Ne t'inquiète pas, lui dit Cash en buvant son café. Tu vas réussir sans problème à te faire passer pour Maddie. Tu viens de passer une heure à étudier les diverses façons de disposer ses bijoux. Je peux te garantir qu'elle ne passe jamais autant de temps à le faire.

Jordan sursauta quand le téléphone sonna.

— Qui peut bien appeler à cette heure ? Il est à peine plus de 7 heures… Maddie ?

Cash alla décrocher.

— Oui ?

Dans le silence qui s'ensuivit, il leur souffla « Shay » presque silencieusement, et l'appréhension de Jordan s'apaisa. Bien sûr que c'était Shay, puisqu'il avait prévu de passer à l'hôpital tôt ce matin.

— Et tu ne vas pas l'arrêter ?

Cash écouta en silence encore un instant, et se rembrunit.

— Comment va Pete ? demanda-t-elle dès qu'il eut raccroché.

— Il est lucide et suffisamment rétabli pour l'opération, qu'ils ont programmée à 9 heures du matin. Shay a pu passer dix minutes avec lui avant qu'on ne l'emmène faire des analyses.

— Qui Shay ne va-t-il pas arrêter ?

— Pete n'a pas vu l'homme qui l'a poussé, répondit Cash en remplissant les trois bols de café. Son assaillant l'a poussé par-derrière. Il n'est d'abord pas tombé très loin et a réussi à se raccrocher à une saillie rocheuse. Mais l'homme l'a suivi et c'est là qu'il a pu le voir. Sa description pourrait être celle de Pearson, mais, selon Shay, ça pourrait aussi être quelqu'un d'autre. Toutefois, le type avait un diamant à l'annulaire.

— Pearson en porte un, je l'ai vu hier ! s'écria-t-elle.

— Oui, je l'ai vu aussi. Shay a demandé à Pete pourquoi on aurait pu vouloir l'agresser, mais il est resté dans le vague. Shay pense qu'il pourrait peut-être en dire plus à Jordan. De toute façon, il espère avoir les résultats A.D.N. des mégots avant la sortie de salle de réveil de Pete.

— Il a semé des mégots derrière lui et permis à sa victime de voir son visage ? demanda D.C., consterné.

— Oui. Mais Shay ne veut pas l'arrêter tant qu'il n'a pas ses preuves solidement alignées.

— On ne peut pas le lui reprocher, commenta D.C. Vous voulez le faire payer.

— Je m'en chargerais bien moi-même, fit remarquer Cash.

Il y avait une telle hargne dans son ton que Jordan le fixa. Ce n'était pas souvent qu'il laissait ses sentiments affleurer à la surface.

— Est-ce que tu penses que ce Pearson viendra à l'exposition ? s'enquit D.C.

— Il a dit qu'il viendra faire un tour, lui répondit-elle. Il est fort possible que Margot l'y amène.

— Eh bien, dit D.C. en souriant à Cash, ça nous donnera un peu de temps pour jouer un rôle plus actif avant qu'Alvarez ne l'arrête.

— Tu as un plan ? demanda Cash, aussitôt concentré sur lui.

— J'ai une idée, répondit D.C. en étalant ses mains à plat sur la table. Ma jambe me réveille souvent, et j'ai donc commencé à y penser avant de me rendormir. Une des choses qu'il nous faut apprendre, c'est si Pearson a un client. Un client précis, et qui tient à avoir le ranch de Maddie. Je suis sûr que c'est le cas.

Cash se contenta d'opiner.

— Un client, reprit Don, qui serait peut-être au courant de la mine de turquoises dont nous avons évoqué l'existence possible. Sinon, pourquoi Pearson aurait-il mis au point ce plan de vandalisme dans le but de pousser Maddie à mettre en vente ? Surtout un ranch qui connaît déjà de graves difficultés financières.

— Ton raisonnement se tient, déclara Jordan. Et, pour

ce que nous savons, Pete est la seule personne à même de confirmer ou d'infirmer la présence d'une mine inconnue.

— Exactement. En attendant sa réponse, j'ai pour objectif de mettre la pression sur Pearson. Je me demande comment il réagirait en apprenant qu'il a de la concurrence — un autre acquéreur potentiel pour le ranch.

— Mais qui ? voulut savoir Jordan.

— Nul autre que mon vieux copain d'armée, Greg Majors. Son père a fait fortune dans le pétrole. Greg a regagné la vie civile, à présent, et cherche sans arrêt de nouveaux investissements.

— Et il va marcher ? objecta Cash, préoccupé.

— Non, mais on va faire comme si ! répondit D.C. en souriant. Je vais me faire passer pour lui, aller voir Jordan-Maddie sur son stand, lui offrir un numéro de charme à la texane et lui faire une proposition faramineuse pour le ranch. Juste histoire de faire peur à Pearson. Je parie que s'il prend peur, ou s'il pense qu'il risque d'y avoir une guerre aux enchères, il va vite téléphoner à son client. Ensuite, on lui pique son portable et on voit qui il a appelé.

Le silence qui se fit dans la pièce dura un moment.

— Ça semble complètement dingue, mais ça pourrait marcher, admit Cash. Qui est censé lui voler son portable ?

— Ça, je pense pouvoir m'en charger, déclara D.C. en souriant de plus belle. Ma canne me donne une fabuleuse excuse pour trébucher contre lui et le bousculer.

— Mais vous êtes sérieux, tous les deux ? demanda Jordan en les regardant tour à tour.

— Ça nous donnera quelque chose à faire plutôt que devoir nous tourner les pouces en attendant que Shay rassemble ses preuves, lui fit remarquer D.C.

— Je vais avoir beaucoup à faire moi-même en me faisant passer pour ma sœur, rétorqua-t-elle.

— Et tu vas le faire, intervint Cash. Ça ne devrait pas du tout perturber l'exposition.

Elle n'allait pas parvenir à les en dissuader, c'était clair. Ils lui firent penser à deux garnements complotant dans la cour de récréation, à cela près que tout était bien réel. Et qu'un tueur rôdait dans les parages.

Cash lui prit la main.

— Il faut absolument qu'on connaisse l'identité du client de Pearson, lui dit-il. Il ou elle pourrait bien posséder les pièces qui nous empêchent de compléter le puzzle. Tant qu'on ne l'aura pas fait, vos vies seront en danger.

— D'accord, admit-elle. Toutefois, j'ai une suggestion à vous faire, un point que je voudrais voir modifié dans votre scénario.

— Lequel ? demanda D.C.

Se penchant vers eux, elle leur chuchota quelque chose.

Cash avait pris position au fond du stand. De là, il pouvait voir tous ceux qui se dirigeaient vers Jordan, ainsi que l'entrée de la salle d'exposition. Les transformations qui y avaient été opérées dans les dernières vingt-quatre heures relevaient du miracle.

Envolé, le chaos de la veille. Il avait fait place à deux rangées de stands qui couraient tout le long de la salle en deux allées centrales, tandis que les autres s'échelonnaient à intervalles réguliers le long de trois des murs. Celui de Maddie occupait une place centrale contre le mur du fond.

Dans un angle proche de l'entrée, un coin conversation avait été aménagé au moyen de canapés moelleux et de petites tables. A l'opposé, en diagonale, des tables nappées de blanc étaient couvertes de plateaux de fruits rafraîchis, de bouteilles d'eau, de thé et de café. Les cols des bouteilles de champagne inclinées dans de grands seaux à glace en argent invitaient l'amateur. Dans un troisième angle de la salle, un quatuor à cordes jouait en sourdine.

Plantée à quelques pas de lui et totalement concentrée,

Jordan mettait la dernière touche à ses vitrines. Elle avait obtenu gain de cause pour la deuxième, et il lui avait fallu un certain temps pour y disposer les foulards de soie qu'elle avait apportés. A présent, elle changeait la position de certains des bijoux. Elle était aussi méticuleuse dans la présentation que sa sœur l'était dans la création.

Cash était même prêt à parier qu'elle avait choisi ses vêtements dans le but de vendre les bijoux de sa sœur. Elle portait des couleurs sourdes, blanc et brun vert, afin de faire davantage ressortir les turquoises de ses boucles d'oreilles et de son pendentif.

Un homme en costume sombre passa devant le stand. Il ne posa pas une fois les yeux sur les vitrines de Maddie, mais examinait la salle. Jordan comprit qu'il devait s'agir d'un des agents de sécurité de l'hôtel.

Installé derrière la fausse cloison, D.C. effectuait quelques recherches sur son ordinateur portable. Il avait insisté pour les suivre dans sa voiture de location pendant qu'ils descendaient à Santa Fe. Ainsi, il pourrait leur être plus utile si quelqu'un essayait de reproduire le scénario de la veille. D'après ce qu'en avait vu Cash, cet homme ne prenait jamais de repos. Il avait demandé à être prévenu de l'arrivée de Pearson. Alors, il se faufilerait incognito vers la sortie et referait surface en tant que Greg Majors.

Pour sa part, Cash se contentait de monter la garde adossé au mur du fond. Il restait cinq minutes avant l'ouverture des portes au public. Catalogue en main, les exposants déambulaient dans les travées, saluaient de vieilles connaissances et passaient en revue les vitrines des nouveaux venus.

Léa était passée un peu plus tôt, et leur avait appris que son grand-père avait un excellent moral quand on l'avait emmené faire ses examens. Qu'il fût vivant tenait du miracle.

Quand Jordan se redressa, Cash alla la rejoindre.

— Plus que trois minutes avant le spectacle.

— Je suis prête.

— Je n'en n'ai jamais douté, dit-il en suivant du doigt le turquoise miroitante qui se balançait à son oreille.

— Ses créations sont si belles, lui confia-t-elle en regardant les vitrines.

Il étudia leur disposition. Dans chaque vitrine, Jordan avait séparé les bijoux en trois zones. Un cercle de boucles d'oreilles et un trio de bracelets étaient en vue à chaque extrémité de l'une. Dans l'autre, des broches, des épingles de cravate et des boucles de ceinture en argent martelé. L'étagère centrale des deux servait d'écrin à un collier.

Sur sa gauche, elle avait disposé une chaîne d'anneaux d'argent martelé. Le pendentif du collier était une étoile constellée de turquoises de toutes les teintes, depuis le vert au bleu vif. L'autre collier était fait de perles de turquoises de diverses teintes, avec un pendentif en argent très délicatement repoussé, qui évoquait les plastrons qu'auraient pu porter les guerrières d'antan. Très féminin, songea Cash. Et en même temps, empreint de puissance.

— Elle a tant de talent, ajouta Jordan avec fierté en tapotant de l'ongle la vitrine devant le plastron d'argent. Celui-ci, c'est mon préféré.

— Moi aussi.

Quand elle se retourna vers lui, il fit danser sa boucle d'oreille d'une pichenette.

— Tu n'es pas jalouse d'elle, au moins ?

— Pourquoi le serais-je ? demanda-t-elle, étonnée.

— Elle a manifestement hérité du talent de votre mère.

— J'en suis heureuse pour elle, répondit-elle après un instant de réflexion. Je regrette seulement qu'elles n'aient jamais pu se rencontrer, toutes les deux. Pendant tout le temps où j'ai arrangé les bijoux dans les vitrines, je n'ai pas arrêté de penser au fait que ma mère avait cinquante chances sur cent de choisir Maddie quand nos parents se sont séparés. Mais ça ne s'est pas passé comme ça, et j'en suis vraiment triste pour Maddie. Pour ma mère aussi.

— Et qu'en est-il de toi, Jordan ? N'aurais-tu pas rêvé de grandir dans un ranch avec ton père ?

Elle y songea quelques minutes encore.

— Non. Je ne serais pas celle que je suis aujourd'hui, si je n'avais pas grandi avec ma mère. Je regrette seulement de ne pas avoir connu Mike Farrell. Mais maintenant que je connais l'existence du ranch, je reviendrai souvent.

Un tel déferlement d'appréhension submergea Cash qu'il faillit l'empoigner à deux mains. Elle parlait avec un tel calme de son retour à New York… Ne voyait-elle pas que sa place était ici, à Santa Fe, comme sa sœur ?

Ce fut à ce moment que les portes furent ouvertes au public, et que la première vague de visiteurs se déversa dans la salle. Cash alla reprendre son poste alors que les dernières phrases de Jordan se répercutaient dans son esprit.

« Je reviendrai souvent. »

Pourrait-il s'en contenter ?

De la musique de chambre et un brouhaha de conversations emplissaient la salle d'exposition alors que les négociants passaient de stand en stand. Deux heures s'étaient écoulées depuis l'ouverture, et Jordan était presque parvenue à se détendre. Elle avait glané quelques cartes commerciales, répondu encore et encore aux mêmes questions et pris des dizaines de commandes. Une fois remarqué l'intérêt particulier des clients pour les bijoux qu'elle portait, elle avait entamé une rotation régulière des bracelets et des boucles d'oreilles qu'elle arborait. Toutefois, elle n'avait pas touché aux colliers ; ils attiraient suffisamment l'attention par eux-mêmes.

Personne n'avait encore douté qu'elle fût bel et bien Maddie. Et, plus important, tout le monde adorait les créations de sa sœur. A vrai dire, elle commençait à avoir un peu mal aux joues à force de sourire, mais, grâce aux goûts de sa sœur en matière de chaussures, ses pieds se portaient comme un charme.

Alors, elle repéra un homme qui avançait droit sur elle, le visage souriant. Il connaissait manifestement Maddie, mais elle ne le reconnut pas. Elle jeta un coup d'œil à Cash, qui l'avait aidée auparavant, mais il murmura :

— Alors là, mystère et boule de gomme…

Petit et râblé, le visiteur avait des lunettes sans monture perchées sur le nez. Des yeux bienveillants, et elle lut une vieille amitié en eux. Qui était-il donc ?

— Mademoiselle Farrell, dit-il en lui tendant la main.

— Bonjour, répondit-elle en lui serrant la main. Je suis vraiment contente de vous voir.

— Ah, elles sont là.

Peut-être fut-ce le léger accent hispanique, ou peut-être la façon dont il se pencha pour examiner le collier dans la première vitrine, mais sa mémoire se remit en place. Joe Manuelo, l'artisan qui taillait et polissait les pierres de Maddie. Sa famille était dans le métier depuis des années, et il venait souvent la voir pendant les expositions.

— Magnifique, murmura-t-il en lui jetant un coup d'œil. Est-ce que je peux le sortir ?

— Bien évidemment !

Elle lui décocha un immense sourire, ouvrit la vitrine et en sortit le collier. Il le prit avec mille précautions, le brandit devant ses yeux, ôta ses lunettes et l'examina avec attention.

— Ma façon de tailler les pierres vous convient-elle ?

— Elle m'émerveille. Vous faites un travail stupéfiant.

— Merci, dit-il en lui rendant le bijou. J'aime bien voir comment sont montées les pierres une fois qu'elles ont quitté mon atelier. Je trouve admirable la manière dont vous avez assorti les divers coloris. C'est vrai aussi qu'il vous faut remercier le vieux Pete pour la qualité des pierres. Votre dernier envoi était proprement exceptionnel, tant par la dureté que la qualité des gemmes. Les travailler devient un jeu d'enfant.

Bien sûr, se dit-elle, il savait que Pete Blackthorn était son fournisseur attitré.

— Pete a eu un petit accident, lui apprit-elle.

— Il est blessé ? C'est grave ? s'exclama-t-il, rembruni.

Jordan lui apprit ce qu'elle savait.

— On l'aurait poussé d'une falaise ? répéta le tailleur de pierres avec colère.

— C'est ce que nous pensons. La police enquête.

— Ils feraient bien de trouver qui a fait ça !

— Léa Dashee pourra vous donner des nouvelles plus récentes sur son état.

— Je vous remercie, Maddie. J'avais justement dans l'idée d'aller voir ses créations, répondit Manuelo avant de la saluer de la tête et de partir en direction du stand de Léa.

— Pete a tout un tas d'amis, dit Cash en posant une main sur son épaule.

— Et au moins un ennemi, ajouta-t-elle.

Une heure plus tard, l'affluence avait diminué, et Cash se dit que les négociants avaient dû converger vers le buffet. Puis ils reviendraient en masse pour un dernier coup de feu, lui avait appris Jordan. Il la regarda alors qu'elle choisissait un nouvel ensemble de bijoux dans les vitrines et y remettait ceux qu'elle avait portés la dernière demi-heure.

L'angoisse qu'elle avait pu éprouver au début de la journée avait totalement disparu, et c'était avec la plus grande aisance qu'il l'avait vue discuter et vanter les bijoux. Une véritable énergie irradiait d'elle. Elle ne créait peut-être pas de bijoux, mais elle savait les vendre, et il avait vite compris qu'elle adorait cette activité.

Il avançait vers elle pour échanger quelques mots quand il vit Daniel Pearson et Margot Lawson entrer dans la salle d'exposition. Margot avait le nez dans le catalogue et, quand elle pointa le doigt dans leur direction, Pearson les avait déjà repérés.

Cash recula, passa une main dans son dos et frappa trois coups à la cloison :

— Entrée en scène, D.C., dit-il.

Puis il s'adossa et se prépara pour le spectacle.

Trois heures à jongler entre acheteurs et badauds avaient rosi les joues de Jordan, et elle parut parfaitement à l'aise quand Daniel et Margot arrivèrent sur le stand. Margot jeta un regard à Cash avant de se pencher sur les vitrines afin d'étudier la collection. Les affaires avant le plaisir, clamait son langage corporel.

Pearson prit à peine le temps de regarder les bijoux exposés avant de prendre la main de Jordan. Le diamant qu'il portait à l'annulaire étincela sous les spots.

— Très beau travail, lui dit-il. Nous avons une réservation pour dîner à 18 h 30 ici, à l'hôtel. J'ai pensé que vous préféreriez rester dans les environs après la fin de l'exposition.

« Plus tôt j'aurai ta signature, mieux je me porterai », compléta mentalement Cash pour lui. Cela faisait des mois que l'individu travaillait Maddie au corps. Pourquoi cette hâte soudaine ? Peut-être la solution résidait-elle dans la petite mascarade qu'ils s'apprêtaient à jouer.

Quand il se rendit compte qu'il avait inconsciemment serré les poings, Cash plaqua les mains contre ses cuisses, et vit D.C. venir vers eux. La seule chose qui lui déplaisait dans ce scénario, c'était qu'il n'avait pas un rôle plus actif. Il était censé observer les réactions de Pearson.

— Il faut que j'aie celui-ci, dit Margot en désignant la pièce centrale de la deuxième vitrine. Vous n'avez encore jamais rien créé de tel.

— A quoi bon apporter des choses déjà vues dans une exposition ? lui fit remarquer Jordan.

— Très juste. Vous ne l'avez pas vendu ? Dites-moi que vous ne l'avez pas vendu.

— J'en ai vendu trois, en fait, lui répondit Jordan avec un immense sourire.

— Mais alors, ce ne seront plus des pièces uniques ! s'exclama Margot, l'air contrarié. Mes clients ne veulent que des pièces uniques.

— Chacun *sera* unique. Je ferai varier les couleurs des turquoises. Regardez un peu toutes les teintes de cet autre collier, répliqua Jordan en désignant l'autre vitrine. Non seulement je ferai varier les couleurs, mais je modifierai également la forme du pendentif. J'ai d'ailleurs quelques croquis à vous montrer. Tenez.

Margot étudia les dessins que Jordan venait d'étaler sur la table, puis elle se pencha de nouveau sur le collier. Finalement, elle chercha le regard de Jordan.

— Je peux le voir. C'est brillamment pensé. Quand avez-vous trouvé cette stratégie marketing ?

Jordan éluda d'un geste.

— Quand trois acheteurs m'ont demandé un collier unique, répondit-elle.

— Mettez-en quatre.

Cash sourit intérieurement, prêt à parier que Maddie n'y aurait probablement pas songé.

Pearson avait commencé à s'éventer avec un catalogue. Il s'ennuyait manifestement à mourir.

Don se rapprochait. Il n'allait pas s'ennuyer longtemps encore.

— Mademoiselle Farrell ?

L'accent était indubitablement *made in Texas*. Le charme, ainsi que commençait à le soupçonner Cash, était indubitablement *made in D.C. Campbell*.

Jordan serra la main tendue du nouvel arrivant.

— Je me présente, Greg Majors, commença Don avec un sourire d'excuse. Bien sûr, vous ne me connaissez ni d'Eve ni d'Adam, mais si vous le permettez, voici ma carte, dit-il en sortant une carte professionnelle de sa poche de poitrine. Je suis ici en mission pour la Majors Limited. Mon père possède plusieurs puits de pétrole au Texas, et il cherche toujours à investir ses fonds excédentaires.

— Aurait-il le désir d'investir dans mon entreprise de bijouterie ? lui demanda Jordan, l'air perplexe.

— Je pourrais certainement le lui suggérer, répondit plaisamment D.C. en laissant courir son regard sur les vitrines, avant de le planter dans les yeux de son interlocutrice. Mais, en réalité, je suis venu vous parler de votre ranch.

Daniel Pearson se raidit ostensiblement, constata Cash. Bingo.

— Hé, attendez une minute, intervint Pearson.

— Et vous êtes ? lui demanda Don sans se départir une seconde de son charme.

— Daniel Pearson, de l'Immobilière Montgomery.

— Enchanté, dit Don en hochant brièvement la tête. Représentez-vous les intérêts de Mlle Farrell ?

— Oui.

D.C. sortit un carnet et l'ouvrit.

— Excusez-moi. Vous a-t-elle confié son ranch à la vente ? Je n'en trouve pas trace dans mes notes.

— Non. Mais…

D.C. l'interrompit d'une main levée et regarda Jordan.

— Mademoiselle Farrell, mon père voudrait investir dans une série de propriétés sélectionnées et les transformer en destinations de vacance haut de gamme. En ce qui vous concerne, nous pensons à un hôtel ranch. Il n'y aurait aucune interférence avec la gestion du ranch, et nous ne modifierions pas de manière significative le paysage. Mon père a commencé comme rancher, et il accorde une énorme importance à ses racines. S'il n'y avait pas eu l'or noir qu'il a découvert sur ses terres… Eh bien, la famille

Majors ne serait pas là où elle en est aujourd'hui. Nous avons fait des recherches sur votre emplacement.

Pearson aussi en faisait, des recherches, les doigts fébriles sur le BlackBerry qu'il avait sorti de sa poche. Cash devina aisément qu'il avait appelé le site Web Majors Limited. S'il décidait de creuser plus avant, la couverture de D.C. n'en sortirait que renforcée. Il y avait veillé en contactant son ami alors qu'ils venaient en ville.

— Vous voulez acheter mon ranch ? demanda Jordan en faisant de son mieux pour paraître confuse et interloquée.

— Non, pas du tout. Nous voulons investir dans votre ranch, et sur vous.

Alors que D.C. élaborait son plan, Cash commença à se détendre. La modification demandée par Jordan fonctionnait. Non seulement elle faisait passer Pearson en mode panique, mais ce que lui décrivait D.C. n'était jamais que son idée à elle. Et Cash commençait à se dire qu'elle était sérieuse, quand elle voulait faire du ranch un gîte rural de luxe. D.C. et elle devraient recevoir un prix de comédie !

— Nous vous fournirons des conseils, un support financier, nous nous occuperons de la publicité et de l'angle marketing, poursuivait D.C. Nous sommes persuadés que proposer des vacances dans un ranch en activité sera très attractif.

— Attendez, attendez, dit Jordan en se pressant les mains sur ses tempes. Je m'occuperais de mon ranch, je continuerais à élever du bétail, et je ferais tout ce que je fais en ce moment ?

— Tout à fait, confirma D.C. avec un immense sourire. C'est le plan. Et ce seront vos activités qui attireront les clients. Il y a beaucoup de ranchs hôtels dans les environs, mais très peu proposent une véritable expérience du ranch. Il suffirait d'y ajouter un hébergement de qualité, de la nourriture recherchée et…, poursuivit-il avant de lever les deux mains et de les baisser, mon père et moi pensons que tout le monde y gagnerait. Ce serait parfait pour un petit rancher qui essaye de joindre les deux bouts, et ce serait parfait pour nous.

— Maddie, il faut que nous en discutions. Vous ne connaissez pas cet homme.

Les mains de Pearson tremblaient presque sur son BlackBerry, et il y avait comme de la panique dans sa voix.

— Bien sûr, dit Jordan en lui jetant un regard distrait. Mais pas maintenant, conclut-elle avant de reporter son attention sur D.C.

— Mon père et moi en avons déjà ouvert quelques-uns, poursuivit ce dernier. Et nous avons pour projet d'en ouvrir une chaîne dans tout le Sud-Ouest, le Nevada, le Nouveau-Mexique, le Colorado. Mais l'endroit est mal choisi pour discuter des détails. Pourquoi ne pas nous retrouver à la fin de l'exposition… mettons à 18 heures ou 18 h 30 ? J'ai une suite au dernier étage. Nous pourrions commander à dîner.

Pearson s'en étrangla presque.

— Maddie, intervint-il avec force, *nous* avons prévu de dîner ensemble ce soir !

Jordan tourna vers lui un regard contrit.

— Daniel, il faut que j'en sache plus sur ce projet. Vous savez à quel point je répugne à vendre, et je veux voir si ce que me propose monsieur est faisable.

— D'accord. Mais vous faites une grosse erreur ! lança Pearson en s'éloignant à grands pas.

Margot adressa un sourire d'excuse à Jordan et courut derrière lui. Il pianotait déjà un numéro sur son BlackBerry en se dirigeant vers les canapés installés dans un coin.

Cash fit un effort surhumain pour rester à l'endroit où il était. Il ne voulait surtout pas éventer la mascarade, mais il avait été le seul à observer attentivement Pearson quand Jordan avait ajourné leur rendez-vous de la soirée. L'espace d'un instant, la façade du magnat de l'immobilier s'était fissurée, et Cash avait vu la fureur le disputer à la panique. Tout d'un coup, il comprit qu'ils venaient d'aggraver le danger que courait Jordan.

— Aux alentours de 18 heures, donc, dit D.C. en restant dans son rôle.

Cash remarqua alors que plusieurs négociants s'étaient tournés vers le stand quand Pearson avait haussé la voix.

— Je vous note le numéro de ma suite, ajouta D.C. en griffonnant quelque chose sur une carte qu'il tendit à Jordan.

Cash s'avança et lut la carte. *Soyez très prudents.* Il releva la tête, planta les yeux dans ceux de D.C. et hocha la tête. Ils étaient sur la même longueur d'onde quant à Pearson. Et c'est bien le problème quand on dérange un nid de frelons, se dit Cash. Il y a toujours une chance pour qu'on ait plus d'ennuis que prévu.

Sur un dernier signe de tête, Don se dirigea vers la sortie en faisant semblant d'être ralenti par sa canne. Il minuta son avancée à la perfection, atteignit la porte et fit volte-face juste au moment où Pearson se précipitait vers la sortie. La collision fut naturelle aux yeux de tous. Un homme s'aidant d'une canne se retrouva par terre sur le dos. Pearson bredouilla des excuses et sortit en trombe, Margot sur les talons.

Comme plusieurs personnes, y compris des membres de la sécurité de l'hôtel, s'étaient agglutinées autour de Don, Cash resta où il était. Un instant plus tard, installé sur l'un des canapés, Don parut appeler quelqu'un de son portable.

— Avec un peu de chance, on aura un indice, dit Cash tout bas à Jordan. Ce serait dommage de gâcher un tel numéro d'acteurs !

Elle avait les yeux sur les vitrines, mais ses lèvres s'incurvèrent en un sourire.

— Je suis d'accord. En tout cas, je pense avoir annulé mon rendez-vous avec Joli Cœur Pearson.

— Et il est fou de colère. Ce que j'ai vu dans ses yeux

frisait la démence, commenta Cash en lui serrant une main. Il pourrait bien essayer de passer sa rage sur toi.

— En ce cas, il va falloir redoubler de prudence.

L'heure suivante, Cash passa son temps à surveiller Jordan, dont les affaires avaient repris, et Don, qui pianotait soit sur son ordinateur, soit sur son portable.

Quelques instants après la bousculade, le frère de Jase avait appelé un des gardes pour lui désigner quelque chose sous l'un des canapés, et l'homme avait pieusement ramassé le BlackBerry pour l'emporter aux objets trouvés de l'hôtel.

Jordan notait une autre commande quand il ferma son ordinateur, le glissa sous son bras et revint en direction du stand.

— Mademoiselle Farrell, lui dit-il de son ton de comédie, je sais que nous sommes convenus de nous retrouver plus tard, mais j'ai d'ores et déjà quelques chiffres prévisionnels à vous présenter.

Il rouvrit son portable, le posa sur une des vitrines et le tourna vers Jordan. Puis il reprit la parole tout bas :

— J'ai de bonnes et de mauvaises nouvelles. Pearson a appelé un numéro correspondant à la Rainbow Enterprises Limited, et j'ai même réussi à remonter jusqu'au numéro de poste. Toutefois, je tombe systématiquement sur un répondeur chaque fois que je compose ce numéro.

— Donc, nous ne savons toujours pas qui a appelé Pearson, ni qui son client peut bien être ? avança Cash.

— J'y travaille, lui répondit D.C. Je n'ai pas pu joindre Jase, mais j'ai parlé à Dino Angelis, son associé. Selon lui, Maddie et Jase ne sont pas joignables pour le moment ; ils suivent une piste dont ils ont trouvé l'amorce chez Eva Ware Creations. Heureusement, Dino en sait à peu près autant que mon frère sur le piratage informatique.

Il referma son portable, le tapota et le replaça sous le bras.

— J'y travaille aussi de mon côté. Ce n'est qu'une question de temps, mais nous saurons qui se cache derrière Rainbow Enterprises Limited.

Cash s'efforça de dissimuler sa frustration, et sa soudaine appréhension.

- 12 -

Il était presque 18 heures quand Jordan et Cash arrivèrent devant la chambre d'hôpital de Blackthorn. Peu désireux de couper son portable, D.C. était demeuré à l'extérieur afin de pouvoir contacter Dino. Cela lui permettrait aussi, songea Jordan, de vérifier s'ils n'avaient pas été suivis depuis la salle d'exposition. Avec leurs deux voitures suivies de celle de la police, c'était une vraie procession qui était entrée sur le parking de l'hôpital !

Léa était sortie de la chambre en les voyant arriver.

— L'opération s'est bien passée. Elle a été très longue, mais il va récupérer l'usage de ses mains. Vous pourrez le voir dès que l'inspecteur Alvarez en aura fini avec lui.

A travers la vitre, Jordan la regarda réintégrer la chambre de son grand-père. Debout près du lit, Shay Alvarez lui montrait une série de photos que le vieil homme étudiait attentivement.

Jordan aurait dû se sentir mieux, à présent que l'exposition était terminée. Dans la ruée de dernière minute, elle avait encore conclu quelques ventes impressionnantes, certaines avec des négociants qui n'avaient auparavant rien acheté à Maddie. Et elle avait au moins une douzaine de commandes pour chacun des colliers exposés.

Elle aurait dû avoir envie de célébrer son succès, mais elle était trop nerveuse pour cela. Elle n'avait pu joindre Maddie pour lui annoncer les bonnes nouvelles, et s'était refusée à laisser un message sur son répondeur.

Comme s'il avait perçu sa tension, Cash fit courir les mains le long de ses bras.

— Tu es aussi inquiet que je le suis, lui dit-elle.

— Je me détendrai quand Pearson sera derrière les barreaux. Celui qui veut mettre la main sur le ranch l'a pratiquement poussé à l'irréparable.

— Si Pete reconnaît sa photo, tu penses que Shay en aura assez pour l'arrêter ?

— Je l'espère. Cependant, je ne suis pas certain que ça nous apportera toutes les réponses qu'il nous faut.

Un homme en blouse pénétra dans la chambre et, peu après, Shay les rejoignit dans le couloir. Toujours exactement à l'heure, D.C. choisit cet instant pour émerger de l'ascenseur et venir vers eux.

— L'heure des délibérations a sonné, leur dit-il. J'ai des nouvelles de la côte Est.

— Maddie et Jase vont-ils bien ? voulut savoir Jordan.

— J'ai eu des nouvelles par Dino, répondit Don en lui adressant un regard rassurant. Jase est aux urgences. Rien de sérieux ; et Maddie est avec lui. Une objection, quelqu'un, à ce qu'on discute à la cafétéria ? ajouta-t-il en les regardant tour à tour. Je meurs de faim.

Personne n'y trouva à redire.

Un quart d'heure plus tard, les quatre étaient installés autour d'une table à l'écart, à moitié dissimulés par deux arbres en pot.

Cash et Shay s'étaient chargés d'aller chercher une abondante sélection de tout ce que proposait la cafétéria. Devant les plateaux chargés de pizzas, de hamburgers, de tacos et de frites, Jordan se rendit compte qu'elle aussi mourait de faim. Une part de pizza plus tard, elle se tourna vers Shay.

— Pete a-t-il pu identifier Daniel Pearson ?

— Tout à fait.

— Tu vas l'arrêter, donc ?

— Quand je le ferai, je veux pouvoir le mettre en garde à vue. L'homme qui a essayé de vous tuer hier n'a pas encore repris conscience, mais ses empreintes ont parlé. C'est un tueur à gages de la côte Est, de New York, qui s'appelle Angelo Ricci.

— Je peux demander à Campbell & Angelis de se renseigner, lui proposa D.C. Jase a un vieux copain au N.Y.P.D., l'inspecteur Dave Stanton. Il lui donnera ton nom.

— Je t'en serais reconnaissant. Dans le même temps, je fais vérifier l'alibi de Pearson pour la journée d'hier. Selon Pete, il a été agressé dès son arrivée, donc aux alentours de 9 heures du matin.

— Nous sommes tombés sur Daniel Pearson et Margot Lawson hier vers midi à Santa Fe, lui apprit Jordan. Ça lui laissait tout le temps possible.

— Il n'a pas fait acte de présence à l'Immobilière Montgomery avant le début d'après-midi, ajouta Shay, la bouche pleine. Cependant, je le considère comme un homme extrêmement prudent. Il a très bien pu se bâtir lui-même un alibi, et il a des relations. Je suis certain que lui ou son avocat prétendront que le vieux Pete perd la boule. Ou qu'il avait le soleil dans les yeux. Dans l'attente des résultats A.D.N. sur les mégots, ce serait bien qu'on lui trouve un mobile.

Cash posa son café et se tourna vers D.C.

— Tu as du nouveau, quant à cet appel qu'il a passé ?

Le frère de Jase lui décocha un immense sourire, sortit son carnet et l'ouvrit.

— En fait, oui, répondit-il. Rainbow Enterprises Limited est l'une des multiples petites sociétés appartenant, du moins partiellement, à la Ware Bank.

— La Ware Bank ? Elle est dirigée par mon oncle Carlton ! s'écria Jordan, stupéfaite.

— Oui. Et c'est ta tante Dorothy qui est à la tête de Rainbow Enterprises Limited.

— Tante Dorothy ? Mais je ne l'ai jamais vue s'impliquer dans la banque ! A part, bien sûr, pour recevoir le personnel à la fête de Noël donnée à Ware House.

— C'est elle que Pearson a appelée ? s'enquit Cash.

— Qu'il lui ait ou non parlé reste un mystère. Tout ce que je peux dire, c'est qu'il n'y a personne au numéro demandé. Ce qui est sûr, c'est qu'il a appelé une société qu'elle possède, et qu'il a peut-être laissé un message.

— Donc, Daniel Pearson pourrait bien être en relation avec ma tante Dorothy ? tenta de résumer Jordan.

— Ce qui devient intéressant, reprit D.C. en opinant, c'est que ta tante vient d'être arrêtée pour le meurtre de ta mère et une tentative d'assassinat sur Maddie et Jase.

— Tante Dorothy a tué maman ? demanda Jordan en s'emparant convulsivement de la main de Cash.

— C'est ce qu'elle a avoué à Maddie juste après avoir assommé mon frère avec un tisonnier, continua D.C.

— Mais… Jase… Maddie… ils vont bien ? s'écria Jordan, éperdue.

— Oui. On s'occupe de Jase en ce moment même aux urgences. Maddie est sortie indemne de la confrontation avec Dorothy.

— Mais… pourquoi ma tante aurait-elle voulu tuer ma mère ?

— Je n'ai pas tous les détails sur ce point, mais elle et Adam ont été arrêtés. Ils sont encore en salle d'interrogatoire.

— Adam aussi ? Mais pourquoi ?

— Là encore, je ne peux qu'esquisser le tableau. Adam a volé cent mille dollars de bijoux à Eva Ware Creations pour éponger des dettes de jeu. Ta mère l'a compris, et elle a demandé à Adam de donner sa démission. Ta tante ne l'a pas supporté.

— Tout ça est ridicule…, dément ! s'exclama Jordan en

se pressant les mains contre les tempes, et en regardant tour à tour Cash et Shay.

— J'ai vu des gens assassinés pour moins que ça, murmura Shay.

— Et qu'en est-il d'oncle Carlton ? voulut-elle savoir.

— Dorothy et Adam prétendent qu'il n'a jamais rien su de leurs activités, répondit Don.

— Donc, Dorothy Ware a tué Eva pour protéger le nom des Ware, résuma Cash. Mais pourquoi, pourquoi aurait-elle été en contact avec un agent immobilier de Santa Fe depuis six mois ? Et quel rapport a-t-elle avec les actes de vandalisme au ranch et les tentatives d'assassinat sur Maddie ?

— Ça, ça reste la question à mille dollars, conclut Don.

Dans le couloir, Cash regarda Jordan entrer dans la chambre de Pete Blackthorn. Alors qu'ils étaient à la cafétéria, Léa était venue les avertir que Pete voulait s'entretenir seul à seul avec Jordan. Dès qu'ils en auraient terminé, tous les deux, il la ramènerait au ranch.

Les nouvelles apportées par Don avaient été pénibles à assimiler, et il s'imagina que Maddie devait être dans le même état que Jordan. A ceci près que, si Dorothy et Adam Ware étaient encore des inconnus pour elle, il n'en allait pas de même pour sa sœur, qui les avait connus et fréquentés toute sa vie.

Au sortir de la cafétéria, Don et Shay avaient pris la direction du bureau de police afin de contacter directement Dave Stanton et l'informer des derniers développements. Shay comptait également obtenir un mandat d'arrestation pour Daniel Pearson.

Cash fourra les mains dans ses poches et s'efforça de se détendre. Ils touchaient au but. Dès que Shay et D.C. auraient mis le doigt sur le mobile et fait apparaître un lien entre Dorothy Ware et Daniel Pearson, la menace pesant sur Jordan disparaîtrait d'elle-même.

Selon ce qu'avait appris Don, Dorothy Ware avait nié avec véhémence avoir orchestré la tentative d'assassinat de Maddie. Elle avait plutôt choisi d'essayer de l'écraser avec la même voiture que sa mère… une voiture qui, ô ironie, était bien celle d'Eva Ware.

Si Dorothy Ware préférait se charger elle-même des basses besognes, qui donc avait embauché la tueuse de Central Park ? Et son alter ego qui avait essayé de les envoyer dans le décor, Jordan et lui ?

Quelque chose en lui — la même sensation qu'il avait parfois en déplaçant son troupeau, l'avertissant qu'un danger invisible menaçait ses bêtes — lui soufflait que le temps de la détente n'était pas encore arrivé. Qu'il ne sonnerait que lorsqu'ils auraient relié tous les points entre eux.

Il regarda Jordan tirer une chaise près du lit de Pete. Elle était encore effrayée, comme en témoignait la façon dont elle lui avait agrippé la main dans l'ascenseur. Il savait qu'elle n'allait pas simplement interroger Pete quant à l'existence d'une mine de turquoise inconnue, mais qu'elle allait lui demander ce qu'il savait de la séparation de ses parents.

Pete avait les yeux clos, aussi Jordan s'assit-elle près de lui sans rien dire. Il avait les deux mains couvertes de bandages, et un goutte-à-goutte dans l'un des bras. Ainsi, il avait l'air encore plus fragile, plus vulnérable que lorsqu'elle avait veillé sur lui, dans le canyon.

Elle était encore étourdie par tout ce qu'elle venait d'apprendre à la cafétéria.

Tante Dorothy avait assassiné sa mère, et essayé par deux fois de faire de même avec Maddie. Chaque fois qu'elle essayait de faire concorder ces actes déments avec la femme sophistiquée et maîtresse d'elle-même qu'elle avait toujours connue, elle sentait venir la migraine. Dorothy Ware était une femme qui paraissait posséder tout ce à quoi elle avait jamais aspiré dans la vie. Elle avait épousé un riche banquier ; elle occupait une place de choix dans la société new-yorkaise ; elle voyait régulièrement son nom dans les pages mondaines des journaux ; elle siégeait aux comités d'entreprise de fondations prestigieuses ; elle vivait dans un immense manoir.

Mais, si Jordan n'arrivait pas à se l'imaginer en tueuse, elle avait encore plus de mal à voir en Adam un accro aux jeux d'argent acculé à emprunter des fonds à un usurier. Mais qu'il ait eu l'audace de cambrioler Eva Ware Creations pour régler ses dettes ? Les bras lui en tombaient !

Les secrets de famille…, songea-t-elle alors. Cela semblait être la spécialité de la sienne, et elle commençait à se demander si elle avait jamais réellement connu ses proches. Y compris sa propre mère !

— Ah, tu es là, dit Pete d'une voix relativement forte, la faisant revenir dans le présent. Je me demandais si je te reverrais jamais.

— Tu vas parfaitement te remettre, se hâta-t-elle de lui dire. Les médecins…

— Ma petite-fille m'a répété leur pronostic, même s'il n'y a rien qui cloche dans mes oreilles, l'interrompit-il. Le Dr Salinas m'a dit qu'avec le temps, je devrais récupérer quatre-vingt-cinq pour cent de mes capacités manuelles. J'avais compris.

Jordan réprima un sourire en entendant son intonation agacée.

— J'ai des choses à te dire, reprit-il avant de tourner la tête vers la potence de laquelle pendait sa perfusion. Et pas moyen de prévoir quand ce machin va m'envoyer de nouveau dans les bras de Morphée.

— Je t'écoute, et si jamais tu t'assoupis, tu me retrouveras ici en te réveillant.

— Bien, dit-il avant de l'examiner. D'abord, tu vas me dire où est Maddie.

Jordan dut faire un gros effort pour ne pas en laisser retomber sa mâchoire d'ahurissement. Mais ce qu'elle lut dans les yeux du vieil homme lui conseilla de ne pas continuer à faire semblant.

— Elle est à Manhattan. Comment as-tu compris que je n'étais pas elle ?

L'ombre d'un sourire joua sur le visage de Pete.

— J'aurais aimé pouvoir te dire que je t'ai reconnue, mais c'est faux. Je suis passé au ranch il y a quelques jours parce que je voulais parler à ta sœur, mais elle n'était pas là. J'ai trouvé des notes à côté du téléphone. Il y avait ton nom, et un numéro de réservation d'avion pour New York. Quand j'ai repris conscience, hier, et que j'ai vu tes cheveux courts, je me suis dit que tu étais Jordan.

— Tu savais, pour moi, alors ?

— Je t'ai tenue dans mes bras quand tu étais toute petite. Ta sœur aussi, d'ailleurs. Ton grand-père et moi, on était de vieux amis. Il me laissait prospecter partout où je voulais sur ses terres. Il est mort quand ton père avait une vingtaine d'années, et j'ai pris l'habitude de passer régulièrement pour voir comment il allait. Je ne dis pas qu'il avait besoin qu'on veille sur lui ! Mike Farrell était né pour être rancher. Et, parfois, il arrivait même à me battre aux échecs !

— Donc, tu as connu ma mère ?

— Bien sûr. Ça m'a étonné qu'elle décide de vous mettre en contact, toutes les deux, après toutes ces années…

Jordan dut humecter ses lèvres, soudain sèches.

— Pourquoi nous ont-ils séparées ? Est-ce que tu le sais ?

— Ta mère ne te l'a pas dit ? demanda-t-il, interloqué.

— Non, et elle est morte.

Elle se mit en devoir de lui faire un résumé de la mort de sa mère, du testament, et de tout ce qui s'était passé depuis.

Une fois qu'elle eut terminé, Pete secoua la tête.

— C'est dur, pour vous deux… Je n'ai jamais été d'accord avec ce qu'a fait Mike. Mais il l'aimait comme un fou. Je ne te dis pas que ta mère ne l'aimait pas, parce qu'elle l'aimait aussi. Mais — et ça ne concerne que moi — je pense qu'il l'aimait plus encore. Et quand il a compris qu'il devait la laisser partir, tu as été le seul cadeau qu'il a tenu à lui faire.

— Hein ?

— Il t'a donnée à elle.

— Attends, je ne te suis plus, là.

— Moi non plus, je n'ai pas compris, répondit Pete en secouant tristement la tête. Eva sortait tout juste de l'université quand elle est venue à Santa Fe. Sa famille voulait qu'elle prenne un emploi à Long Island, mais elle n'en voulait pas. Ce qu'elle voulait, c'était qu'ils la financent pour qu'elle puisse créer sa propre entreprise de bijoux. Et, quand son père et son frère se sont ligués contre elle, elle a pris l'argent dont elle disposait et elle s'est sauvée pour poursuivre son rêve. Elle est venue à Santa Fe parce qu'elle voulait étudier l'art des bijoux des Navajos, et travailler avec des turquoises. Un jour, elle a rencontré Mike, et ça a été le coup de foudre pour tous les deux. Comme on en trouve dans les romans. Tu vois ce que je veux dire ?

Jordan hocha la tête. Un frisson de peur la parcourut, car elle pensait vraiment connaître la sensation…

— Tout allait bien. Trois semaines jour pour jour après leur rencontre, ils se sont mariés.

— Trois semaines ?

— Vingt et un jours exactement. Mike les avait cochés sur un calendrier. Il l'aurait bien épousée sans attendre, mais elle avait insisté pour qu'ils prennent le temps. En trois semaines, lui avait-elle dit, ils seraient plus certains de ce qu'ils voulaient tous les deux. Bref, après le mariage, Mike lui a construit un studio pour qu'elle puisse travailler à son aise. Et puis elle s'est retrouvée enceinte. Mike grimpait aux rideaux de bonheur, mais pas elle. Les nausées du matin l'empêchaient de travailler. Quand elles sont enfin passées, elle s'est immergée dans son travail comme si elle luttait contre le temps.

Connaissant sa mère, Jordan ne put que le comprendre.

— Elle avait probablement peur que la maternité soit un obstacle pour atteindre son but et devenir une créatrice de renom, suggéra-t-elle.

— C'est ce que pensait Mike. Mais elle s'était détachée de lui, aussi.

— Et après notre naissance ?

— Elle a été de plus en plus anxieuse, et vous aviez six mois quand elle a dit à Mike qu'elle devait s'en aller. Qu'elle devait rentrer à New York. Elle voulait lui confier votre garde et disait qu'elle ne réclamerait même pas un droit de visite.

— Elle a voulu nous laisser toutes les deux au ranch ?

L'espace d'un instant, elle se prit à imaginer ce qu'aurait été sa vie : grandir avec une jumelle, un père, et pas de mère.

— Oui, mais Mike n'était pas d'accord. C'est à ce moment-là qu'il a eu une idée. Il allait lui donner l'argent qu'il lui fallait pour démarrer, et il la laisserait partir, mais, en retour, elle devait emmener une de vous deux avec elle.

— Pourquoi ?

— Ça me dépasse. Il a essayé de m'expliquer. Il m'a dit qu'il l'aimait tant qu'il voulait qu'elle ait quelqu'un dans sa vie, à côté de son affaire de bijoux. Il voulait qu'elle ait quelqu'un qui l'aime.

Elle dut ravaler la boule qu'elle avait dans la gorge. Si difficile que cela fût, elle pensa pouvoir comprendre la panique de sa mère. Toute sa vie, Eva avait été dominée par un rêve : devenir une créatrice de renom. Et, pour la première fois depuis son arrivée au ranch, Jordan se dit qu'elle commençait enfin à connaître son père. C'était un homme capable d'un amour fou — pour sa terre, pour ses filles et pour la femme qu'il avait choisie.

Il avait renoncé à elle afin que sa mère ne soit pas seule.

— Je lui ai dit qu'il était tombé sur la tête, poursuivit Pete. Surtout quand ta mère a dit que, si elle emmenait l'une, elle ne voulait pas que l'autre le sache. Elle refusait tout contact futur.

— Un seul enfant suffisait, conclut Jordan.

— C'est comme ça que je l'ai compris aussi. Elle ne voulait pas s'embêter à organiser des voyages quand vous voudriez être ensemble, toutes les deux. Elle voulait une cassure nette. J'ai dit à ton père qu'il était fou d'accepter. Mais il l'aimait.

— A la folie, on dirait.

Et elle songea que sa mère, quoi qu'elle eût accompli dans sa vie, avait été folle de se détourner d'un tel amour.

Incapable de rester assise plus longtemps, elle se leva et entreprit de faire les cent pas dans la chambre. Mais, quand Cash pénétra dans la pièce et qu'il se dirigea vers elle, elle alla se nicher entre ses bras.

En sûreté, songea-t-elle alors que sa chaleur l'enveloppait. Si c'était ce que sa mère avait trouvé en Mike Farrell, comment avait-elle jamais pu le quitter ?

— Ton père n'a pas respecté leur accord à la lettre, reprit Pete au bout d'un moment. Il a envoyé des lettres, des cadeaux, et des photos de Maddie.

— Elle ne me les a jamais donnés, dit Jordan en se retournant vers lui, avant de se reprendre. Mais j'ai eu des cadeaux de temps en temps, des cadeaux surprise.

— Le petit ranch dont tu m'as parlé, lui rappela Cash.

— Oui. Et elle n'a jamais protesté quand j'ai voulu apprendre à monter à cheval, ni quand j'ai voulu un cheval à moi.

— Culpabilité inconsciente ? hasarda Cash en se tournant lui aussi vers le vieil homme. Merci de le lui avoir dit, Pete.

— Il était temps que j'en parle à quelqu'un. Mike m'a fait jurer le secret il y a des années. Ton père aussi, Cash. Pas longtemps avant de mourir, Mike m'a donné une lettre cachetée adressée à toutes les deux, et il m'a fait promettre de vous la donner si jamais vous vous retrouviez un jour. Je t'avoue qu'après sa mort je me suis longtemps demandé si je ne devrais pas la donner à Maddie et lui apprendre qu'elle avait une sœur. Mais une parole donnée est une parole donnée.

— Est-ce que quelqu'un d'autre savait, pour les jumelles, à part toi et mes parents ? lui demanda Cash.

— Je ne pense pas, répondit Pete après un instant de réflexion.

Puis il les regarda tous les deux :

— Merci de m'avoir fait transporter ici. Je vous dois une fière chandelle.

— Tiens, je crois que je vais la réclamer tout de suite ! s'exclama Cash en souriant. Parle-nous de la nouvelle veine de turquoises que tu as découverte sur les terres de Maddie.

Pete le fixa d'un air entendu.

— Pour ça aussi, Mike m'avait fait jurer le secret. Je l'ai découverte il y a des années, à peu près à l'époque où il a connu Eva. Le marché qu'on avait conclu tous les deux, c'était que je pouvais en extraire autant de turquoises que je voulais, mais que je ne devais dire à personne d'où provenaient mes pierres.

— Il n'a jamais demandé une concession ? s'étonna Cash.

— Pas Mike Farrell. Il ne voulait voir aucune compagnie minière fureter dans son ranch. Il refusait toute défiguration de ses terres.

— Autrement dit, intervint Jordan, une partie de l'héritage de Maddie consiste en une mine de turquoises ?

— Oui. Et le filon est énorme, en plus.

- 13 -

Il faisait nuit noire quand Cash fit obliquer son pick-up sur la route menant au ranch Farrell. D.C. devait être à dix minutes derrière eux dans sa voiture de location. Il était encore au téléphone avec l'inspecteur Dave Stanton quand ils l'avaient laissé dans le bureau de Shay.

Le N.Y.P.D. n'était plus très loin de clore ses investigations concernant Adam et Dorothy Ware. Tous deux persistaient à nier avoir engagé des tueurs ou avoir un lien quelconque avec la Rainbow Enterprises Limited, mais tous deux avaient des liens avec John Kessler, l'usurier d'Adam, qui aurait très bien pu les mettre en contact avec un tueur à gages. Et, dans l'esprit de Cash, tous deux avaient un sérieux mobile pour éliminer les deux sœurs puisque, si elles disparaissaient, Dorothy, Adam et Carlton toucheraient une bien plus grosse part de la succession d'Eva Ware.

Toujours à l'hôpital, Maddie et Jase n'étaient pas joignables, mais Dino Angelis faisait jouer toutes les ressources dont disposait Campbell & Angelis pour remonter les appels et les e-mails de Dorothy et d'Adam.

Shay interrogeait Daniel Pearson, quand ils étaient partis. L'agent immobilier avait réclamé son avocat dès qu'il s'était retrouvé au bureau de police, et même si, confronté aux résultats A.D.N. des mégots de cigarette, il avait reconnu s'être trouvé dans la zone où on avait découvert Pete, il niait avec force s'y être rendu la veille au matin. Il avait aussi avoué avoir un acheteur pour le ranch Farrell, mais prétendait avoir pour seul contact un porte-parole de la société Rainbow Enterprises Limited.

Deux des hommes de Shay passaient son alibi au crible et, comme la nuit s'annonçait longue, Cash n'avait pas protesté quand Jordan lui avait demandé de rentrer au ranch.

Elle était épuisée. Ce qui n'avait rien d'étonnant. Pourtant, elle ne s'était pas assoupie dans la voiture, et il la soupçonnait d'être sur les nerfs autant que lui. Il savait d'instinct qu'il ne prendrait pas de vrai repos tant que les menaces pesant sur elle ne seraient pas définitivement levées.

Et il n'était encore sûr de rien. Ils n'avaient pas encore obtenu une image claire de la situation. Car s'il s'avérait que ni Dorothy ni Adam n'avaient payé les tueurs professionnels, aussi bien à New York qu'ici, qui l'avait fait ?

Il jeta un coup d'œil à Jordan en négociant un virage.

— A quoi penses-tu ?

— Je passe mon temps à retourner dans ma tête tous ces secrets. Ma tante, mon cousin, ma mère. Mon père, aussi. Toutes ces années à cacher l'existence de cette mine. Préserver l'intégrité de ses terres devait avoir une importance primordiale pour lui.

Elle se tut jusqu'au moment où il engagea son pick-up dans le chemin menant au ranch.

— Tu l'as connu. Crois-tu qu'il aurait trouvé à redire à mon idée d'ouvrir un ranch gîte rural, comme activité annexe ? Est-ce que ça irait à l'encontre de ce qu'il aurait voulu pour cette terre ?

Il tendit le bras pour lui prendre la main.

— Je pense qu'il t'aurait suivie, si tu estimes que c'est une façon pour Maddie de joindre les deux bouts.

— Je n'ai pas encore fini d'y réfléchir.

— Je n'en suis pas certain. La façon qu'a eue Don de te le présenter tout à l'heure était plutôt convaincante.

— En effet, dit-elle en souriant. J'ai eu vraiment envie

de lui dire oui. Mais, Maddie, je ne suis pas sûre qu'elle soit partante. Il va falloir que je trouve une solution.

— Pourquoi ne t'en occuperais-tu pas toi-même, Jordan ? hasarda-t-il, le cœur battant la chamade.

Il y eut un douloureux instant de silence.

— Je ne peux pas être à deux endroits en même temps, reprit Jordan. J'ai réfléchi au fait que Maddie est à présent la plus désignée pour prendre la suite de maman chez Eva Ware Creations, mais ce n'est peut-être pas ce qu'elle veut. Il est possible qu'elle tienne à rester indépendante et, dans ce cas, on aura besoin de moi là-bas. Il faudra trouver un nouveau créateur, et je devrai négocier la transition.

— Et tu parais également décidée à trouver une solution afin que Maddie puisse garder son ranch.

— Tout à fait.

— Peut-être qu'aucune de vous deux ne sera capable de retourner complètement à son ancienne vie. Peut-être que c'est cela qu'a voulu votre mère en vous imposant ces vingt et un jours…

— Si j'en crois Pete, elle a eu besoin de ces trois semaines pour être sûre qu'elle prenait la bonne décision en épousant mon père. Vingt et un était manifestement un chiffre magique, pour elle.

— Ce n'est pas moi qui te dirai le contraire, rétorqua-t-il, car si elle n'avait pas épousé Mike, ni Maddie ni toi ne seriez là aujourd'hui. Quoi que tu puisses penser des décisions qu'ils ont prises par la suite, ils ont tous les deux pris un risque. Qui dira qu'ils ont eu tort ?

Jordan garda le silence un moment encore, et il sentit son cœur se serrer.

— Il nous reste dix-neuf jours pour travailler sur les détails, déclara-t-elle finalement.

Et Cash, qui se croyait doté de patience, se dit soudain qu'il n'en aurait peut-être pas assez pour attendre dix-neuf jours. Certains détails, il voulait les régler tout de suite.

Cependant, l'heure n'était pas propice pour la pousser dans ses retranchements, puisqu'ils arrivaient devant le ranch.

— Tiens, bizarre…, marmonna-t-il.

— Quoi donc ?

— Les projecteurs sont éteints. Ils ne s'éteignent que quand il y a une coupure de courant.

Il immobilisa la voiture devant la maison et ils en descendirent ensemble.

Ce fut lui qui la renifla le premier. Une odeur presque imperceptible. Il jeta un coup d'œil à Jordan et la vit lever elle aussi le nez.

— De la fumée, dit-il en examinant les bâtiments.

Rien. Mais il faisait nuit.

Un cheval hennit, puis il y eut une explosion et les vitres de l'extrémité de l'écurie la plus proche d'eux volèrent en éclats. Des flammes jaillirent par les ouvertures. La nuit résonna alors de hennissements paniqués.

L'espace d'un instant, Jordan demeura statufiée. Les chevaux, Brutus, Lucifer, ils étaient là-dedans ! Cash avait déjà parcouru la moitié de la distance qui les séparait de l'écurie quand elle retrouva l'usage de ses jambes et partit au grand galop à sa suite. Elle le rejoignit au moment où il plaquait les mains contre la porte.

— C'est chaud. Recule !

Elle obéit et il ouvrit grand les portes en faisant un saut en arrière. Un flot de fumée s'en échappa. Les flammes commençaient à lécher la structure, les sabots frappaient contre les portes des stalles. Elle se rappela que celle de Brutus était par ici et celle de l'étalon de son père à l'autre bout.

— Je m'occupe de Brutus ! cria-t-elle.

— Non ! Reste ici, je vais les chercher tous les deux !

Les chevaux hurlaient, à présent, et les flammes atteignaient le haut de la porte.

— On n'a pas le temps, reprit-elle, je vais chercher Brutus !

— Fais-le sortir de l'autre côté, tu ne pourras jamais lui faire traverser ces flammes !

— File, on perd du temps !

Il disparut dans la fumée noire qui envahissait le bâtiment.

Jordan retint son souffle, garda les yeux braqués droit devant elle, et se lança à sa suite. Du coin de l'œil, elle vit que le feu prenait dans la stalle sur sa gauche. Une bouffée de chaleur brûlante la fouetta tandis que les flammes gagnaient en hauteur. Quand elle dut respirer, la fumée emplit ses poumons. Encore quelques pas. Brutus était dans la prochaine stalle sur sa droite.

— Brutus ? appela-t-elle en haussant la voix pour essayer de couvrir le fracas de l'incendie. Brutus ?

Pour toute réponse, il frappa la porte de ses sabots postérieurs et hurla.

Derrière elle, elle sentit que l'incendie augmentait et se propageait, et un accès de toux rauque la secoua. Des éclats de bois s'envolaient de la porte de la stalle de Brutus. Elle perçut sa propre panique ; une main glacée s'était refermée sur ses entrailles et serrait, serrait… Elle fit de son mieux pour l'ignorer et penser clairement. Elle allait devoir faire très vite, si elle voulait sauver le cheval de Maddie.

Elle enleva une couverture de son crochet mural, appela une fois encore le nom de Brutus, puis ouvrit la porte. Il se précipita dans l'ouverture avant de reculer et de se cabrer, pris de panique à la vue des flammes.

Il n'avait pas posé les sabots antérieurs sur le sol qu'elle lui jetait la couverture sur la tête et empoignait fermement son licou. Il se cabra encore en hurlant, mais la couverture resta en place. Quand il reposa ses sabots au sol, elle lui mit une main sur l'encolure et lui parla. Un rapide coup d'œil par-dessus son épaule lui apprit que la fumée avait encore épaissi. Si elle essayait de le conduire vers cette extrémité de l'écurie, cette fumée pourrait les tuer tous deux avant que l'incendie ne s'en charge. Elle n'avait plus d'autre choix que le faire sortir par où elle était entrée.

Sans plus perdre une seconde, elle empoigna sa crinière et, en une poussée désespérée, lui sauta sur le dos. Il se cabra encore une fois, mais elle tint bon. Puis elle agrippa crinière et couverture, lui planta les talons dans les flancs, et remercia le ciel quand il bondit en avant.

L'espace d'un instant, elle sut exactement ce qu'était l'enfer. La chaleur était intense, les flammes dévoraient les cloisons de part et d'autre. Puis ils sortirent de la stalle et Brutus, toujours aveuglé par la couverture, se lança au grand galop ; elle dut se concentrer pour continuer à lui prodiguer des paroles d'encouragement. Il galopa, aveugle, jusqu'à la maison avant qu'elle ne réussisse à le maîtriser.

Elle continua à lui parler, enleva la couverture et se laissa glisser à terre, hors d'haleine. Puis elle tourna les yeux vers l'écurie. La porte que venait de franchir Brutus était à présent la proie des flammes. Des flammes qui s'attaquaient dorénavant à la toiture. Un frisson glacé parcourut Jordan. Cash ? Avait-il réussi à sortir avec Lucifer ? Où étaient-ils ?

A croupetons, Cash courut tout le long de la travée centrale de l'écurie. L'incendie n'était pas aussi violent par ici, mais la fumée envahissait tout. Il avait les yeux brûlants, la gorge en feu. Et il fut soudain conscient que, derrière lui, l'incendie avait gagné en intensité.

Jordan !

Eperdu de peur, il se figea un instant, mais, quand il se retourna, il ne vit rien d'autre qu'un mur de fumée. Comment allait-elle réussir à se sortir de ce mauvais pas ? Une quinte de toux soudaine le secoua. Puis le fracas d'une porte ébranlée par des sabots et le hennissement désespéré de Lucifer le firent pivoter et reprendre sa course. Il allait d'abord sauver l'étalon, et ensuite faire le tour de l'écurie pour venir en aide à Jordan. Il aurait le temps. Il *fallait* qu'il ait le temps !

Il ouvrit successivement les portes des stalles, encerclé par la fumée. La paille d'une d'entre elles s'embrasa soudain.

Sur sa gauche, il entendit les sabots de Lucifer achever de démolir sa porte. Il le rejoignit d'un bond, les yeux pleins de larmes, empoigna sa longe et l'agrippa alors que le cheval se cabrait encore et encore, fou de terreur. Enfin, il réussit à le faire sortir de sa stalle, lui fit prendre la direction de la sortie et lui donna une grande claque sur l'arrière-train alors que l'incendie commençait à rugir.

Lucifer sortit au grand galop et Cash se mit à courir derrière lui. Il fallait qu'il contourne l'écurie et qu'il trouve Jordan, qu'il s'assure qu'elle était sortie, elle aussi. Il avait à peine atteint l'angle du bâtiment quand un coup violent l'atteignit à l'arrière de la tête. Il vit trente-six étoiles avant même que le sol ne vienne à sa rencontre.

Maîtrisant sa peur, Jordan garda les yeux braqués sur l'autre bout de l'écurie en attachant la longe de Brutus à la balustrade de la maison. Elle n'avait pas fini de la nouer qu'une voix familière s'éleva :

— Salut, Jordan.

Elle pivota si vite que Brutus hennit et tira sur sa longe. Elle levait par réflexe une main pour le calmer quand elle découvrit son oncle Carlton. Debout dans l'embrasure de la porte du ranch, il braquait un revolver sur elle.

- 14 -

— Que fais-tu là, oncle Carlton ? lui demanda Jordan.

— Officiellement, j'assiste à une conférence sur les investissements bancaires à Phoenix. Plusieurs personnes ont assisté au discours que j'y ai fait un peu plus tôt dans la journée. D'autres se porteront garantes du fait que j'ai dîné ensuite avec elles. En fait, je suis ici à cause de Dorothy.

— Je ne comprends rien à ce que tu racontes, dit-elle.

Derrière elle, l'incendie rugissait à présent, mais elle n'était pas capable de détacher ses yeux de l'arme que son oncle braquait sur elle.

— Quand ta mère a commencé à devenir un problème pour ma femme, elle s'en est chargée toute seule. Sans même *me* consulter.

— Tu ne savais pas qu'elle avait assassiné maman ?

— Grands dieux, non ! Ni elle ni Adam ne se sont confiés à moi. On n'est pas franchement ce qu'on appelle une famille soudée, et la gestion de la banque m'a demandé tout mon temps.

Le ton sur lequel il prononça ces mots, calme et presque négligent, augmenta sa peur.

— Bref, Dorothy m'a inspiré, et j'ai décidé de suivre son exemple.

— C'était toi, le client de Daniel Pearson ? Il agissait en ton nom, c'est bien ça ?

— Non. Il agissait au nom de Rainbow Enterprises Limited, une fondation caritative que j'ai créée il y a quelque temps au nom de Dorothy. J'ai veillé à ce qu'il ne puisse jamais traiter directement avec moi. Ils ne pourront jamais remonter sa trace jusqu'à moi. Quoique, maintenant, avec la situation dans laquelle se trouve Dorothy, ils se contenteront probablement de croire que c'était elle qui tirait les ficelles de Pearson. Ça s'est déroulé comme prévu sur ce point.

— Pourquoi Dorothy ou toi voudriez-vous mettre la main sur ce ranch ?

— La mine de turquoises, évidemment. Elle vaut une fortune. Ça fait des années que je suis au courant. Ta mère l'a mentionnée, une fois. Bien sûr, elle m'a fait jurer le secret, mais j'en gardais déjà un bien plus gros pour elle.

Elle le dévisagea un long moment.

— Tu savais déjà, pour Maddie. C'est elle qui te l'avait dit ?

— Non !

Sa voix avait grimpé d'un ton, et il avança vers le porche. Jordan dut faire un effort pour ne pas reculer.

— J'ai considéré qu'il était de mon devoir de découvrir ce que faisait exactement ma sœur quand elle a refusé d'assumer ses responsabilités envers la Ware Bank et qu'elle a fugué pour courir après ses chimères. Au début, le fait de garder le secret sur l'existence de Maddie m'a donné barre sur elle. Je ne disais rien et, en échange, elle me laissait gérer ses fonds dans la banque, prendre seul les décisions et habiter Ware House. Après tout, ce n'était jamais que *ce qui m'était dû* !

Il avait désormais pris une intonation colérique. Jordan ne l'avait encore jamais vu exprimer la moindre émotion.

— Mon père *aurait dû* me léguer la banque et la maison, à moi seul ! reprit-il en se plaquant une main sur le torse. J'étais le *fils aîné* ! J'étais celui à qui devait incomber la responsabilité de diriger la banque. Eva a renoncé à tous ses droits quand elle est venue ici étudier son… *art*. Et puis, quand elle est rentrée, mon père l'a accueillie comme la fille prodigue.

— Mais… si tu as obtenu tout ce que tu voulais en gardant le secret de maman, pourquoi vouloir la mine maintenant ?

— Parce que la Ware Bank a des ennuis. Temporaires, bien sûr. Quelques investissements imprudents de ma part. J'ai juste besoin d'une grosse rentrée de liquide au plus vite pour retourner la vapeur. J'avais tout oublié de la mine jusqu'au moment où Eva m'a dit que Mike Farrell était mort. Je te l'ai dit, on n'était pas proches, mais elle avait manifestement besoin de quelqu'un à qui en parler, et — heureusement pour moi — j'étais sa seule option. Seulement voilà, Pearson n'avançait pas assez vite, même après que je lui ai proposé un pourcentage sur les profits à venir de la mine.

— Et c'est là que tu as embauché un tueur pour tirer sur Maddie ?

— Et pour me débarrasser de toi aussi.

Il avait à présent repris une voix calme, presque raisonnable, et un nouveau frisson glacé remonta la colonne vertébrale de Jordan.

— Tout s'est mis en place dans ma tête quand Fitzwalter a procédé à la lecture de ce testament. Eva ne saura jamais à quel point elle a apporté une solution à tous mes problèmes. Je n'avais plus qu'à vous éliminer toutes les deux du paysage, et le ranch tomberait dans mon escarcelle en tant que plus proche parent. Sans parler de ce que rapporterait la vente d'Eva Ware Creations. Ma chère sœur n'aurait pu me faire plus plaisir !

— A ceci près que tu ne pourras plus tuer Maddie, maintenant. Tu deviendras le suspect principal.

— Peut-être. Mais je ferai n'importe quoi pour sauver la Ware Bank. C'est mon devoir, ma responsabilité. Eva comprendrait. Elle ressentait la même chose vis-à-vis d'Eva Ware Creations.

Jordan douta fortement que sa mère fût allée jusqu'à l'assassinat pour sauver l'œuvre de sa vie, mais, étrangement, elle pensa que celle-ci aurait peut-être pu comprendre son frère. Peut-être Mike Farrell l'aurait-il compris, lui aussi. Pas la méthode, s'entend, mais l'intention.

Les secrets... Jordan s'était déjà dit que les Ware avaient le chic pour les garder. Aussi bien Carlton que Dorothy, ou Adam, avaient parfaitement su dissimuler leurs vraies natures.

Au moins, et même s'ils avaient des défauts, ses parents n'avaient-ils jamais essayé de cacher ce qu'ils étaient vraiment.

— Maintenant, si tu venais me rejoindre sur le perron ?

Brutus hennit encore une fois et tira sur sa longe. Un deuxième hennissement lui répondit, et Jordan tourna la tête à temps pour voir Lucifer émerger au grand galop de l'écurie et filer droit sur les prairies.

Seul. Elle ne vit aucun signe de Cash. Une nouvelle vague de peur s'empara d'elle.

— Si tu espères que ce cow-boy, le voisin de Maddie, viendra à ton secours, tu te fiches le doigt dans l'œil. Si ce n'est pas déjà fait, il va mourir dans cet incendie. Un de mes hommes va s'en assurer.

Jordan sentit que son cœur menaçait de s'arrêter. Non, elle n'allait pas se laisser aller à paniquer maintenant ! Cash saurait se débrouiller seul, et Don n'était qu'à une dizaine de minutes derrière eux quand ils rentraient, tout à l'heure. Il ne devrait plus tarder. Les deux hommes étaient futés, et pleins de ressources. Elle aussi, maintenant qu'elle y pensait ! Son travail, désormais, était de continuer à faire parler son cher oncle.

— Tes hommes ?

— Oui. J'en ai pris deux avec moi, juste histoire d'être

sûr. Comme tu l'auras peut-être remarqué, un des deux a de vrais dons de pyromane. L'autre, c'est le pilote qui nous a amenés dans son coucou. On sera de retour à Phoenix à temps pour que je donne une petite réception dans la soirée. Allez, viens, Jordan. Je n'aime pas attendre.

Elle resta là où elle était.

— Comment as-tu su, pour le voisin de Maddie ?

— Pearson m'a laissé un message plutôt détaillé sur le type qui te collait aux basques, et nous avons donc décidé de réagir. Et quand il m'a parlé d'une autre offre pour le ranch, j'ai compris qu'il fallait agir au plus vite. Maintenant, je veux que tu me rejoignes sous le porche. Je vais juste t'assommer pour qu'un de mes hommes te transporte dans l'écurie. Ton voisin et toi, vous aurez perdu la vie dans ce tragique incendie.

— Non.

Carlton la fusilla des yeux.

— Obéis, Jordan. Tout de suite ! Sinon, je vais devoir te tuer.

— Tire sur moi si tu veux. J'ai fait la connaissance de l'inspecteur Shay Alvarez. C'est un policier intelligent, et de plus un ami d'enfance de mon voisin cow-boy. Si le légiste trouve une balle dans mon corps à l'autopsie, il saura que ce n'est pas un accident et il remontera jusqu'à toi.

— Ou tu viens, ou je tire sur le cheval.

Echec et mat, songea-t-elle. Elle s'écarta de Brutus et fit un pas vers son oncle. Elle allait bien réussir à détourner son arme !

Une douleur féroce martelait les tempes de Cash. Mais il s'en accommoda car, tant qu'elle était là, il était conscient. Et sa tête n'était pas le seul endroit douloureux de son corps, puisqu'on avait empoigné ses pieds pour le traîner par terre. Le sol caillouteux lui meurtrissait le dos. Il rouvrit les yeux, chassa ses larmes d'irritation d'un bref battement de cils et aperçut le contour de la porte de l'écurie, puis la silhouette de celui qui l'y traînait.

Il referma les yeux et prit une grande inspiration. Son seul avantage résidait dans le fait que, près du sol, l'air était bien plus chargé d'oxygène qu'à hauteur d'homme. Sous ses paupières, il perçut l'intensité des flammes qui s'élevaient dans la stalle jouxtant l'entrée. Ils n'avaient pas beaucoup avancé dans l'écurie quand l'homme lâcha ses pieds, pris d'une violente quinte de toux. Aussitôt, Cash lui balança un coup de pied sec sur la rotule.

L'homme s'écroula. Cash concentra toutes ses forces et son attention pour se jeter sur lui. Il s'efforça de ne pas inspirer alors qu'il empoignait les cheveux de l'homme et lui écrasait le visage contre le ciment du sol. Une fois, deux fois. Puis il roula sur lui-même et tenta de se remettre debout. Les flammes se rapprochaient, la fumée épaississait. Une quinte de toux le secoua.

— Un coup de main ?

Toujours à croupetons, il trouva la force de balancer la main.

Le nouveau venu fit un bond en arrière.

— C'est moi ! Don ! Si tu me bousilles le bon genou, aucun de nous deux ne sortira vivant d'ici !

— D.C. ?

— Oui. Si tu peux sortir seul, je vais tirer l'autre type dehors.

Ils émergèrent tous deux à l'air libre en toussant à qui mieux mieux, et Don laissa choir l'homme à côté d'un autre corps inerte.

— Eh bien… tu as été occupé ! constata Cash.

— J'ai tout de suite compris l'embrouille en apercevant les flammes. J'ai alors planqué ma voiture et escaladé quelques barrières. Le copain du tien, je l'ai assommé avec ma canne, lui expliqua Don en la récupérant par terre. Il y en a d'autres ?

— Sais pas. Il faut que j'aide… Jordan. L'ai laissée… autre bout… écurie.

— Je l'ai vue sortir sur un cheval.

Le soulagement de Cash fut si intense qu'il s'en écroula presque.

— Faut que… j'aille la chercher.

Il s'exhorta au calme, et inspira profondément plusieurs fois. Ce n'était pas en tournant de l'œil qu'il allait servir à quelque chose !

Ensemble, ils longèrent le bâtiment en feu. Cash la repéra le premier. Elle était debout près des marches du perron de la maison principale. Dans le clair de lune, il put également discerner une autre silhouette… armée d'un revolver.

Son cœur lui tomba dans les bottes. Pas moyen d'avancer entre écurie et maison sans se faire voir, songea-t-il. Si Don et lui se précipitaient sur le personnage, il aurait largement le temps de tirer sur Jordan et de faire ensuite un carton sur eux.

— Elle le tient sous son attention, lui chuchota D.C. Mon frère dit qu'elle a vraiment la tête sur les épaules.

— Il a raison.

Cette pensée fit reculer un peu sa panique. Brutus était attaché à la balustrade, et Jordan se tenait près de lui, une main sur son encolure. Don et lui étaient assez proches pour entendre ce que l'homme et elle disaient.

— Comment va ta tête ? souffla D.C.

— A peu près. Et ta jambe ?

— Probablement mieux que ta caboche. Si le type regarde par ici, on est pile dans son champ de vision. Je pense que le mieux, c'est de prendre vers le dortoir. Ensuite, je ferai le tour de la maison, et toi, tu prendras au plus court vers ici.

Cash se représenta mentalement le plan des lieux. Le plus difficile allait être d'atteindre le dortoir, mais ils n'avaient guère le choix.

— Et on entre dans la maison ? Il est armé, pas nous.

Don lui décocha un sourire :

— Je vais créer une diversion, et tu vas assommer ce type avant qu'il ne me descende.

— Pas juste. C'est toujours toi qui as la partie la plus marrante !

— A tout à l'heure ! lui dit Don en riant tout bas et en lui donnant une bourrade sur l'épaule.

Même avec sa claudication, il avait déjà parcouru la moitié de la distance qui les séparait du dortoir quand Cash se lança à son tour. Il dut repousser dans les confins de son esprit l'image de Jordan face à un revolver et se concentra sur sa course et sa respiration. Des émotions ne feraient que le ralentir. Il s'en occuperait plus tard.

Quand ils seraient tous sains et saufs.

Il parvint sans encombre au dortoir alors que D.C. commençait à contourner la maison. Il s'offrit le luxe de s'appuyer au mur pour souffler un instant. Ses idées finirent par s'éclaircir, sa respiration par retrouver son rythme normal.

Puis il risqua un œil vers la maison. Jordan s'était légèrement éloignée de Brutus et parlait avec calme à un homme en costume à l'air distingué. Il la regarda faire avec autant d'admiration que de peur pour elle. Rien, dans son intonation ou son maintien, n'indiquait qu'elle avait le canon d'une arme face à elle.

L'homme qui la menaçait n'était apparemment pas aussi calme.

Cash évalua la distance qui les séparait. Il allait avoir besoin d'au moins trois ou peut-être quatre secondes pour l'atteindre. Pourvu que la diversion de Don dure ce temps-là !

Jordan s'immobilisa au bas des marches du perron. Du coin de l'œil, elle avait vu la tête de Cash surgir une demi-seconde à l'angle.

Il était sauvé. Son soulagement se mêla à la peur, car il allait tenter de maîtriser son oncle, elle le savait. Et Dieu seul savait où étaient les deux comparses dont celui-ci lui avait parlé.

— Un de mes hommes ne devrait plus tarder, maintenant.

Il n'avait pas terminé sa phrase qu'un fracas de bois brisé retentit, et une partie de l'écurie s'effondra.

— Minables ! lança Carlton avec furie. Je suis entouré d'*incapables*. Ils auraient déjà dû être là pour t'emmener dans cette écurie. Ta mort doit absolument paraître accidentelle ! s'écria-t-il en descendant une marche. Il va encore falloir que je m'en occupe moi-même !

Il fallait qu'elle parvienne à le calmer, se dit-elle. Elle n'était même pas sûre que l'oncle Carlton qu'elle avait connu sache manier une arme à feu. Mais elle était bien persuadée que l'homme qui se tenait devant elle à présent n'hésiterait pas un seul instant.

— Attends, lui dit-elle en levant une main. Tu n'as encore tué personne, oncle Carlton. Daniel Pearson a agi de son propre chef quand il a essayé de tuer Pete Blackthorn. Dorothy a fait de même en assassinant maman. Tu peux encore t'en tirer sans dommage.

Certes, il avait payé des tueurs pour faire le sale travail à sa place, mais elle n'avait aucune intention de le mentionner.

— Tu ne comprends pas, rétorqua-t-il.

Elle ravala un soupir de soulagement en constatant que la fureur s'était atténuée dans sa voix.

— Il faut que je sauve la banque. Elle a été confiée à ma garde.

— Je le comprends parfaitement. Mais Maddie et moi,

on peut t'aider. Je pense que maman n'aurait jamais voulu voir la banque faire faillite.

— Ta mère ! Elle n'en aurait rien eu à péter, si la Ware Bank s'était cassé la gueule ! Elle n'aurait pas levé un doigt pour me sortir de la merde !

A ce vocabulaire pour le moins incongru, et choquant dans la bouche d'un homme aussi compassé, Jordan comprit qu'elle avait attaqué le problème sous le mauvais angle. Il était ivre de fureur, à présent.

— Assez ! J'en ai fini d'attendre ! On va faire ça à ma manière !

Il se précipita sur elle.

Alors qu'elle faisait un bond en arrière, Cash et Don passèrent au sprint les deux angles opposés de la maison.

Ils hurlèrent en même temps, et Carlton fit volte-face en direction de Cash. Il fit feu au jugé une seule fois avant que Brutus ne hennisse et se cabre. Ce furent ses sabots antérieurs qui assommèrent Carlton.

Le premier sur lui, Cash projeta l'arme au loin d'un brutal coup de pied. Puis Jordan se précipita dans ses bras et s'accrocha à lui de toutes ses forces.

— Oncle Carlton voulait nous tuer toutes les deux.

Le choc et l'incrédulité dans le ton de Maddie s'allièrent parfaitement à ce qu'éprouvait encore Jordan, le téléphone collé à l'oreille dans le salon du ranch. La seule différence était qu'au travers des baies elle voyait encore l'endroit où s'était tenu Carlton quand il braquait son arme sur elle. Elle voyait aussi les vestiges calcinés de l'écurie. Les images kaléidoscopiques de Cash et Don se précipitant vers eux, de Brutus se cabrant et assommant son oncle défilaient encore devant ses yeux. Sans Brutus, elle aurait peut-être perdu Cash.

— Oui, mais il a échoué.

Elle se retourna et regarda Cash et Don. Accoudés au comptoir de la cuisine, ils buvaient du café. Sains et saufs. Maddie et Jase l'étaient également, à l'heure qu'il était. La réalité de ce qu'elle venait de vivre s'imprima peu à peu en elle. Les contusions que Brutus avaient infligées à Carlton étaient sans réelle gravité. Ce dernier refusait de parler, mais Shay était persuadé que ses deux complices ne tarderaient plus à se mettre à table.

Comme il était largement plus de minuit quand la police avait emmené Carlton et ses comparses, et que Cash s'était arrangé avec Sweeney pour qu'il emmène les deux chevaux au ranch Landry, tous trois avaient différé leur appel téléphonique à New York jusqu'au matin. Don et Jase avaient commencé à s'entretenir en premier, puis Cash avait parlé à Maddie. Enfin, elle avait pu discuter un peu avec sa sœur.

Cette sœur dont elle n'avait appris l'existence qu'une semaine plus tôt… La main crispée sur le combiné, elle reporta son attention sur les baies vitrées, et les terres qui grimpaient en pente douce vers les collines. Quelque chose s'apaisa en elle. Une semaine auparavant, elle ignorait l'existence de cet endroit. Elle ignorait l'existence de Cash. Tant de choses avaient changé dans sa vie, et si vite…

— Toutes ces années, il savait, pour la mine de turquoises, reprit Maddie. Et il n'en a jamais soufflé un mot.

— Garder les secrets semble être une spécialité familiale chez les Ware, lui répondit Jordan.

— En parlant de secrets, reprit Maddie, Mike Farrell n'avait rien d'un empoté. Jase et moi, on a trouvé un carton dans le placard d'Eva ; il contient les lettres qu'il lui avait écrites durant toutes ces années. Elle a su quand j'ai fait mon premier pas, quand j'ai fait ma première dent. Il a fait en sorte qu'elle sache tout de moi.

Jordan sentit l'émotion l'envahir. Une joie sans mélange.

— Et il y avait une lettre pour lui qu'elle n'a jamais

postée. Elle était datée de quelques jours avant sa mort. Elle lui demandait d'annuler leur marché et de nous réunir. On a pensé qu'elle a dû apprendre sa mort et que c'est pour ça qu'elle ne l'a pas envoyée. Elle n'a manifestement pas trouvé le courage de nous réunir elle-même. J'apporterai tout quand le délai de trois semaines aura expiré. Et on fouillera le ranch. Je parie que papa avait des photos cachées quelque part, lui aussi.

Quand le délai de trois semaines aura expiré…

Un petit frisson de peur parcourut Jordan. Elle regarda de nouveau vers la cuisine. Appuyé contre le comptoir, une jambe croisée devant l'autre, Cash écoutait Don, la tête penchée. Deux jours auparavant, elle aurait juré qu'une fois les trois semaines terminées elle retournerait à New York. Allait-elle se laisser piéger, comme sa mère, par un objectif qui excluait tout le reste ?

Elle agrippa plus fermement le combiné.

— J'ai du nouveau de mon côté aussi. Pete Blackthorn nous a connues toutes les deux, à l'époque. Ton père, *notre* père, lui a confié une lettre pour nous deux. Il nous l'apportera dès que tu seras rentrée ici. Et il m'a aussi dit pourquoi on a été séparées.

Elle se mit à faire les cent pas alors qu'elle expliquait à sa sœur la décision qu'avaient prise autrefois leurs parents.

Cash regarda Jordan arpenter le salon en rêvant de pouvoir faire davantage pour alléger son fardeau.

— Elle est forte, lui dit Don en remplissant leurs chopes.

— Comme Maddie, répondit-il. Mais elles ont eu pas mal de coups à encaisser, ces temps derniers. Parce qu'elles ne vont pas seulement devoir s'occuper du ranch et d'Eva Ware Creations, mais en plus de la banque et de ses problèmes, à présent.

— Heureusement qu'elles ont quelqu'un sur qui se reposer.

— Oui, elles se sont retrouvées.

— Je ne pensais pas à ça, mais à toi et Jase.

Cash sentit la peur lui nouer le ventre au souvenir qu'il avait failli la perdre deux fois depuis la veille. Il refusa de penser qu'il pourrait encore la perdre dans dix-huit jours.

— Pour le moment, dit-il.

Don se tourna vers lui et le dévisagea un instant.

— Tu ne me donnes pourtant pas l'impression d'être dur à la détente…

— De quoi parles-tu ?

— La vie est courte, mon pote. Si une femme me regardait comme Jordan te regarde, et si j'avais les mêmes inclinations, je n'attendrais pas dix-huit jours pour réclamer mon dû. Tu pourrais te servir du ranch gîte rural comme levier — si tu as envie de la persuader de rester ici au lieu de rentrer à New York. Elle y tient vraiment, à cette idée. J'aurais presque envie de la mettre en contact avec le vrai Greg Majors.

— Tout est arrivé si vite, dit Cash.

— C'est arrivé tout aussi vite pour Jase et Maddie. Mais j'ai vu la façon dont mon frère la regarde. Et il a les mêmes diplômes de commerce que Jordan, plus ou moins. Je parierais bien qu'il est déjà en train de ruminer un nouveau projet… du genre ouvrir une succursale de Campbell & Angelis ici, à Santa Fe.

Cash reporta les yeux sur Jordan. Elle était toujours en grande conversation avec Maddie, et elle s'était arrêtée devant une baie vitrée pour regarder les terres de son père. Il voulait lui donner du temps, leur donner du temps à tous les deux, mais elle semblait tellement à sa place, ici.

Soudain, toutes ses angoisses s'apaisèrent. Ils venaient peut-être de mondes différents, ils avaient peut-être des origines différentes, mais elle était faite pour lui, et lui pour elle. C'était aussi simple que ça. Il ne lui restait plus qu'à l'en convaincre.

— Bon, dit Don en posant sa chope vide. Je pense que je n'ai plus rien à faire dans le coin. Je vais aller faire mon sac et débarrasser le plancher. En allant à l'aéroport, j'en profiterai pour passer prendre les dernières nouvelles chez ton pote Alvarez.

Cash hocha machinalement la tête sans quitter Jordan des yeux.

Tard dans l'après-midi, ce jour-là, Jordan et Cash pressèrent leurs montures de gravir la dernière déclivité avant le sommet du promontoire. Après le départ de Don, Cash l'avait convaincue de faire enfin ce tour du propriétaire qu'il lui avait promis il y avait… quoi, deux jours ? Il l'avait emmenée chez lui, et lui avait fait rapidement visiter sa maison sans presque décrocher un mot, pendant que Sweeney sellait Brutus et Malice, son propre étalon.

Sa gouvernante leur avait préparé un panier-repas, et ils étaient partis vers le canyon qui reliait les deux ranchs. Leur chevauchée, rapide et presque brutale, aurait dû suffire à vider la tête de Maddie, mais elle s'était sentie sur les nerfs dès que D.C. s'en était allé au volant de sa voiture de location. Elle avait quasiment l'impression d'entendre cliqueter une horloge qui tournait trop vite pour elle.

En discutant avec sa sœur, ce matin, elle avait pris une décision. Il ne lui restait plus, à présent, qu'à en faire part à Cash. Dans sa vie, elle avait exposé des projets commerciaux plus souvent qu'à son tour, et elle savait persuader son auditoire. Mais alors, pourquoi était-elle encore plus angoissée maintenant qu'hier, à l'exposition, alors qu'elle se faisait passer pour quelqu'un qu'elle n'était pas ?

Ils parvinrent sur un replat, et Cash fit faire demi-tour à son cheval. Elle l'imita.

— C'est pour ça que je t'ai amenée ici. Je voulais que tu voies ça.

Jordan regarda autour d'elle, le souffle coupé, fascinée par le spectacle. De deux côtés du promontoire, les terres des deux ranchs s'étendaient à perte de vue, intactes comme au premier jour, et leur beauté était indicible. Elle put distinguer au loin, dans la brume de chaleur, les bâtiments miniatures des deux ranchs, seules et uniques structures indiquant une présence humaine.

— Je comprends maintenant pourquoi mon père tenait tant à garder le secret sur cette mine. Même s'il avait pu en tirer une fortune, ça ne valait pas cela.

Il lui sourit. C'était la première fois de la journée, songea-t-elle. Un peu de sa tension nerveuse s'apaisa.

— Je regrette vraiment qu'il n'ait pas pu te connaître.

— Moi aussi, répondit-elle, la gorge serrée. Mais tu m'en apprends énormément sur lui, et je sais que je vais en savoir plus encore, reprit-elle en reportant les yeux sur cette terre qui faisait partie intégrante de son père. En ville, il n'y a aucun endroit comme ça où je puisse m'évader et respirer un peu. Maddie m'avait dit que ce lieu est vraiment unique… que j'y trouverais quelque chose…

Elle l'avait fait, effectivement. Elle tourna la tête vers Cash. Elle n'avait pas seulement trouvé la terre, elle avait trouvé l'homme. Ils venaient de mondes différents, tout comme ses parents. Comme sa mère, elle était new-yorkaise ; comme son père, il était rancher, et il vouait un culte à ses grands espaces.

Quand il posa une main sur la sienne, sur son pommeau de selle, elle baissa les yeux et en nota le contraste étonnant. Il avait les doigts larges, les paumes calleuses et, pourtant, sa main s'accordait en tout point avec la sienne. Elle chercha son regard. Il y avait tant de différences entre eux, mais l'attirance était là — sûre, constante, juste. Son cœur s'ouvrit mieux qu'une fleur de prairie sous le grand soleil du Nouveau-Mexique.

— Je t'ai aussi amenée ici pour une autre raison, Jordan, lui dit-il.

— Je m'en doute. Pour me séduire, répondit-elle en lui lançant un petit sourire, qu'il ne lui rendit pas.

— On va y venir. Mais d'abord, j'ai quelque chose à te dire.

— Moi aussi, répliqua-t-elle en ignorant résolument la panique qui s'infiltrait en elle. J'avais tort, ajouta-t-elle très vite.

L'espace d'un instant, il resserra la main sur la sienne.

— A quel propos ?

— Nous.

Il plissa les yeux et la fixa avec une telle intensité qu'elle en eut la gorge sèche.

— J'ai eu tort en établissant les règles de base au début de… notre relation, reprit-elle. Je croyais savoir ce que je voulais — un intermède plaisant auquel nous pourrions tous les deux mettre un terme au bout de ces vingt et un jours. Sans blessure, sans embrouille. J'ai changé d'avis.

Il ne répondit rien, et elle releva le menton.

— Une femme a le droit de faire cela !

— Ça dépend. Qu'est-ce qui a changé, vraiment ?

Elle découvrit alors que leurs doigts s'étaient inexplicablement entrelacés.

— Je veux plus de temps.

— Pourquoi ?

La panique revint, mais elle la repoussa.

— Parce que j'en ai besoin. Parce que je pense que ce que nous découvrons ensemble le mérite. Parce que je ne veux pas refaire l'erreur de maman. Je sais à présent qu'elle a quitté mon père et Maddie parce qu'elle était tellement obnubilée par son but qu'elle n'a pas compris qu'elle aurait pu avoir ça, et bien plus. Quand je pensais que ma place était à New York pour prolonger son œuvre, j'étais aussi aveugle qu'elle l'a été. Je veux plus. J'ai besoin de plus.

— Pourquoi ?

Elle poussa un soupir et déglutit plusieurs fois.

— Parce que je tiens vraiment à faire une étude prévisionnelle pour ce ranch gîte rural, et que je veux être souvent ici pour le diriger. Je pourrai toujours superviser le côté commercial d'Eva Ware Creations. Et je tiens à aider Maddie, aussi. Je ne tiens pas particulièrement à ce qu'elle prenne simplement la place de maman en tant que créatrice en chef ; je veux qu'elle le fasse si elle en a envie, mais elle doit se bâtir sa propre réputation. Je vais l'encourager à le faire. Et puis il y a la banque.

Il hocha brièvement la tête, et elle ne sut pas s'il l'approuvait ou la désapprouvait.

— Il n'existe aucune excuse au monde pour ce qu'a fait ou essayé de faire mon oncle, mais je comprends son désir de faire perdurer une entreprise familiale. A ceci près que je n'ai pas besoin d'être en permanence à New York pour aider à régler les problèmes.

— Tu es nerveuse. Tu es toujours un moulin à paroles quand tu es nerveuse. Je ne pense donc pas que tu en sois encore arrivée à la vraie raison de ton changement d'avis quant aux règles de base. Dis-la-moi, Jordan.

Une soudaine bouffée d'angoisse s'empara d'elle, qu'elle s'efforça aussitôt de réprimer. Parce qu'il avait raison. Elle était nerveuse. Et elle tournait autour du pot. Elle le regarda, ainsi à califourchon sur son cheval, et ce ne fut pas un fantasme qu'elle eut sous les yeux. C'était Cash Landry. Soudain, tout fut clair.

Elle plongea les yeux dans les siens.

— Je veux changer les règles de base parce que je veux plus que vingt et un jours avec toi, répondit-elle. Parce que je t'aime.

Il porta leurs mains jointes à ses lèvres, en un geste qui lui alla droit au cœur.

— Moi aussi, dit-il avant de lui décocher ce sourire qui n'appartenait qu'à lui. Je sais à quel point tu tiens à programmer les choses et à savoir où tu vas. Alors, de combien de temps supplémentaire parles-tu, au juste ?

Le mélange de passion et d'amusement qu'elle détecta dans ses yeux la rassura. Et lui rappela qu'elle y avait vu exactement le même, le premier matin où elle s'était réveillée près de lui.

— Je pensais à une vie entière.

Il l'attira à lui et, quand sa bouche ne fut plus qu'à quelques millimètres de la sienne, il murmura :

— J'espère que tu es ouverte aux négociations. Je t'ai amenée ici pour te convaincre que nous aurions besoin de deux vies entières. Et peut-être plus.

— Marché conclu !

Il l'embrassa.

Brutus hennit. Malice frappa le sol du sabot. Mais elle tint bon.

Elle était rentrée chez elle.

Epilogue

Dix-huit jours plus tard

Le soleil avait commencé à descendre derrière les collines au sud-ouest du ranch. Cash remua les braises dans le barbecue. Elles commençaient à rougeoyer plaisamment.

— Avertis-moi quand ce sera prêt pour les steaks, lui dit Jase.

Cash jeta un coup d'œil vers l'écurie flambant neuve. Perchées sur la clôture du corral, Jordan et Maddie regardaient Brutus et Jules César se mesurer du regard. Jordan avait programmé le transport de son cheval afin qu'il coïncide avec l'arrivée de Jase et de Maddie, la veille.

Têtes penchées l'une vers l'autre, les deux femmes faisaient un joli tableau dans la lumière déclinante.

— Je pense que les femmes nous diront quand elles ont faim.

Jase suivit son regard et sortit deux bières d'une glacière.

— Si on les laisse faire, on mangera ces steaks au petit déjeuner !

— Elles sont restées debout toute la nuit, répondit Cash en buvant une grande gorgée de la bière que venait de lui tendre Jase. On pourrait croire qu'elles n'ont plus rien à se dire !

— Je n'ai jamais vu Jordan à court de mots, et ces deux-là ont une vie entière à rattraper !

— C'est vrai, reconnut Cash en souriant. Avec Jordan à la barre, elles ont une autre vie entière à mettre en chantier.

— Je vois que tu commences à la connaître ! s'esclaffa Jase. Mais je parie que Maddie va mettre son grain de sel. Elle est intervenue en faveur de son cousin et a réussi à convaincre Jordan de ne pas porter plainte pour le cambriolage du magasin, si Adam accepte de se faire aider pour surmonter son addiction au jeu. Le procureur général a donné son accord tant qu'Adam accepte de témoigner contre cet escroc d'usurier. Je pense que Maddie avait de la peine pour Adam.

— Et je suis persuadé que Jordan a trouvé que c'était une sage décision du point de vue commercial, car elle le pense réellement doué. Débarrassé de l'influence de sa mère, il pourrait bien devenir un atout pour Eva Ware Creations.

— Ils vont faire une belle équipe, reprit Jase. Oh, à propos, je te dois une fière chandelle…

— A quel propos ?

— Les prises de karaté que tu as enseignées à Maddie. Elles m'ont sauvé la vie. Et à elle aussi.

— Alors, je n'ai pas perdu mon temps, rétorqua Cash en souriant et en inspectant ses braises. Dix minutes, et on pourra les appeler. Je vais ouvrir une bouteille de chardonnay, et on boira un verre pendant qu'elles liront la lettre qu'a apportée Pete quand elles se promenaient.

— Bonne idée.

— J'en ai une autre. Ce soir, j'emmène Jordan chez moi. Vous serez plus tranquilles, Maddie et toi.

— Si tu fais ça, dit Jase en le dévisageant, tu vas vite devenir mon meilleur ami !

— Je sais juste quel appât amorcer. Faire l'amour à Jordan à l'arrière de mon pick-up figure sur notre liste de choses à faire.

— Décidément, j'aime beaucoup ton style ! dit Jase en levant sa canette.

— J'essaye encore de comprendre les autres Ware, disait Maddie. J'ai su dès le début qu'ils avaient quelque chose de différent.

— Le terme est faible ! Carlton était littéralement fou. Ça m'étonne qu'il ait réussi à le cacher aussi longtemps.

— J'ai vu la même démence dans les yeux de Dorothy, reprit Maddie en réprimant un frisson.

— Au moins, Adam peut s'en sortir, ajouta Jordan. Je pense que tu as raison, à son sujet, et je crois que maman avait vu un énorme potentiel en lui. C'est peut-être pour ça qu'elle n'a pas voulu porter plainte pour le cambriolage. Je crois que son problème de jeu était lié à sa mère.

— La nôtre avait ses défauts, mais elle était à des années-lumière de Dorothy. A propos, j'ai une question concernant Eva.

— Je t'écoute.

— Tu lui en veux de ce qu'elle a fait ? Enfin, elle ne voulait aucune d'entre nous, et c'est Papa qui a insisté pour qu'elle t'emmène.

— Pas du tout, répondit Jordan. Elle a peut-être été la cause de notre séparation, mais elle a fini par nous réunir. Et elle m'a ouvert d'autres horizons. Pas seulement cet endroit, mais tous les nouveaux défis que j'y ai trouvés.

— J'ai la même impression quant à New York et le fait de travailler chez Eva Ware Creations. J'apprends tellement, en aidant Cho à terminer ses croquis… Je ne peux qu'être reconnaissante.

— Sans ce testament, dit Jordan en tournant la tête vers les deux hommes qui avançaient vers elles, je n'aurais jamais connu Cash.

— Et moi Jase. On lui doit beaucoup, finalement.

— Nous sommes porteurs de présents, dit Cash en arrivant près d'elles.

Jase leur tendit à chacune un verre de vin frappé, et Cash tendit un lettre à Jordan.

— Pete Blackthorn l'a apportée tout à l'heure.

Jordan baissa les yeux et passa un doigt sur l'intitulé de l'enveloppe — *Maddie et Jordan*.

— Lis-la-nous, dit Maddie.

Jordan la décacheta et l'orienta afin que sa sœur puisse la lire aussi.

« Mes chéries,

» Si vous lisez ces mots, cela signifie que vous êtes enfin ensemble — et que je n'aurai pas vécu assez longtemps pour le voir. J'espère que le pari que j'ai pris en gardant la fille qui, même à six mois, aimait jouer avec des pierres polies, et en envoyant au loin celle qui adorait monter à cheval avec moi, aura été un pari gagnant, et qu'il aura joué son rôle dans vos retrouvailles.

» Profitez l'une de l'autre comme j'ai adoré vous voir grandir toutes les deux.

» Je vous aime,

Papa. »

— Il nous a échangées à dessein, murmura Jordan en étreignant la main de Maddie.

— Parce qu'il nous aimait et qu'il espérait nous voir réunies un jour.

— A Mike Farrell ! s'écria Cash en levant son verre.

— Et à Eva Ware ! renchérit Maddie en l'imitant.

— A nos parents ! conclut Jordan.

— Le 1er février —

Passions n°447

De feu et de glace - Robin Grady

Série : «Secrets à la Maison-Blanche»

Dans les bras de Daniel McNeal, Scarlet, bouleversée, sent les larmes lui monter aux yeux. Car, sans le lui avoir avoué, elle a recouvré la mémoire après son accident. Maintenant elle le sait : il n'est pas son fiancé, comme elle l'avait cru à son réveil, mais simplement l'Australien séduisant à couper le souffle qui l'a secourue. Et la Scarlet passionnée et sensuelle qui s'est enfuie avec lui n'existe pas. La vraie Scarlet, froide et rationnelle, a une famille riche et influente, des amis très haut placés et un travail exigeant qui l'attendent à Washington. Hélas, elle va devoir rentrer chez elle. Même si cela signifie perdre Daniel à jamais...

Trop près de son ennemi - Rachel Bailey

Lucy a l'impression de manquer d'air : elle a rencontré beaucoup d'hommes puissants... mais aucun comme celui qui se tient devant elle ! Captivée par l'énergie virile qui émane de Hayden Black, elle rêve soudain de savourer le goût de ses lèvres... Mais que lui arrive-il ? A-t-elle oublié la raison de leur rencontre ? Il faut qu'elle se ressaisisse, et vite. Car, dans le tourbillon du scandale qui secoue la Maison-Blanche, Hayden est l'enquêteur nommé par le Congrès pour faire la lumière sur les malversations dont on accuse son beau-père. Dans ces conditions, comment pourrait-elle tomber sous le charme de l'homme qui veut du mal à sa famille ?

Passions n°448

L'espoir d'Alex - Merline Lovelace

Alex Dalton, encore sous le choc, regarde émerveillé le bébé qu'il tient dans ses bras. Les yeux bleus de Molly l'ont déjà conquis, et, pour son sourire craquant, il serait prêt à la reconnaître officiellement sur-le-champ ! Seulement voilà, il faut qu'il se raisonne : car Molly, abandonnée sur le pas de la porte de la riche demeure des Dalton, pourrait être tout aussi bien la fille de son frère jumeau Blake. Comment s'en assurer ? Il faut qu'il retrouve à tout prix la mère de cette adorable petite fille. Soudain, le souvenir de Julie Bartlett lui revient à l'esprit ! Qu'est-il arrivé à cette femme enchanteresse après leur rencontre aussi brève que fulgurante ? Et si Molly était le fruit de leur nuit torride, inoubliable ?

Le défi de Blake - Merline Lovelace

Depuis que la petite Molly a fait irruption dans sa vie, Blake Dalton ne vit plus que pour ce bébé. Ce bébé abandonnée par sa mère, et dont il voudrait tellement être le père... Hélas, les analyses ADN n'ont pu déterminer avec certitude la paternité de Molly. Et si c'était son frère jumeau Alex le papa ? Mais Blake, troublé, a d'autres raisons de se faire du souci. Car Grace, la nounou qui s'occupe du bébé, semble le fuir : comme si elle cachait un secret. Un secret, il le soupçonne, peut-être lié à Molly... Et pourtant, malgré la méfiance qu'elle lui inspire, elle l'attire irrésistiblement : ses yeux couleur cannelle, son parfum mystérieux, ses courbes parfaites...

Passions n°449

La révélation qu'elle attendait - Catherine Mann

Saga : «Un serment pour la vie»

Jayne, furieuse et bouleversée, ne sait plus quoi faire. Elle a fait ce long voyage jusqu'à Monte-Carlo pour obtenir enfin de Conrad le divorce qu'elle lui demande depuis longtemps – Conrad Hughes, qu'elle a tant aimé, le mari qui se disait fou d'elle et qui, pourtant, avait pour habitude de disparaître inexplicablement pendant de longues périodes... Hélas, dès qu'elle l'a revu, toutes ses résolutions ont volé en éclats : malgré leur séparation, l'attirance qu'elle ressent pour Conrad est toujours aussi irrésistible. Et quand elle découvre que le désir est réciproque, elle comprend que lui dire adieu pour toujours va se révéler encore plus difficile qu'elle ne l'avait prévu...

Prisonnière de son regard - Stacy Connelly

Si Kara est venue jusqu'à Clearville, c'est pour trouver le père de Timmy, son neveu. Non qu'elle ait envie d'affronter Sam Pirelli, loin de là : Timmy est maintenant toute sa vie, et elle tremble à la seule idée de risquer de le perdre. Mais, elle l'a décidé, elle doit accomplir la dernière volonté de sa sœur disparue, et permettre au petit garçon de rencontrer son père, qui a ignoré son existence pendant quatre ans. Seulement voilà, une fois devant Sam, envoûtée par l'éclat vert de ses yeux, c'est tout juste si son cœur ne s'arrête de battre. Elle n'avait pas prévu de tomber sous son charme! Pourtant, elle doit lui résister à tout prix. Car Sam pourrait briser son cœur. Ou, pis, la priver de Timmy...

Passions n°450

Le dilemme d'un Fortune - Susan Crosby

Fasciné, ravi, séduit... Michael Fortune ne se reconnaît plus. Depuis sa rencontre avec Felicity, rien n'est plus pareil : son sourire et sa fraîcheur illuminent ses journées, son corps qu'il imagine doux et soyeux, hante ses nuits. Serait-il... amoureux ? Impossible ! Tout les oppose : elle mène une vie tranquille à Red Rock, alors que lui tient les rênes de la prestigieuse entreprise familiale à Atlanta. Elle rêve d'un amour éternel, lui préfère les aventures sans lendemain. Mais alors pourquoi se surprend-il à l'imaginer dans sa vie ? Est-elle différente des femmes qu'il a connues ? Il n'y a qu'une seule façon de le savoir : la convaincre de le suivre pour une escapade romantique...

Les prairies de la passion - Kathleen Eagle

Lily n'avait jamais imaginé retourner un jour chez elle, dans ce coin perdu du Montana. D'autant plus que ces lieux sont habités par un seul souvenir : celui de son départ précipité quatorze ans auparavant, seule, enceinte, effrayée. Et pourtant, maintenant qu'elle a perdu son travail, s'installer temporairement dans le ranch de son père lui a semblé une solution évidente. Mais elle partira vite, très vite, dès qu'elle pourra offrir à sa fille Iris un toit et une vie confortable. Seulement voilà, ce qu'elle n'avait prévu, c'était de succomber au charme de Jack McKenzie, le bras droit de son père : beau, séduisant, sûr de lui, Jack suscite en elle un désir enivrant, effréné. Hélas, inutile de songer à une aventure : parce qu'elle ne restera pas. Et, puis, elle se l'est juré, elle ne laissera plus jamais un cow-boy meurtrir son cœur...

Le plaisir pour seule loi - Janelle Denison

Ce mariage, c'est l'occasion rêvée pour Conor de séduire, enfin, Rebecca Moore. Cette fois, elle ne lui échappera pas. Et, quitte à utiliser les moyens les plus déloyaux, il libèrera le feu et la passion qu'il devine sous son déguisement de jeune femme trop sage...

Surprise par le désir - Kimberly Raye

Travail, voiture, fiancé, c'est décidé : Cheryl change tout pour révéler enfin la femme sophistiquée et libérée qui sommeille en elle. Mais lorsque le dit fiancé décide de la reconquérir, elle comprend qu'elle ne sait en vérité rien de Dayne. Et que cet homme, qu'elle croyait connaître, a des talents insoupçonnés, et délicieux...

Brûlant défi - Lori Wilde

Pour prouver à son chef qu'elle mérite mieux que de couvrir des événements mondains, Olivia est prête à tout - et même à s'associer à Nicholas Greers, l'homme le plus arrogant et le plus détestable qu'elle connaisse - pour décrocher le scoop du siècle. Mais comment se concentrer sur son travail quand chacun des regards, chacun des gestes de Nicholas, éveillent en elle un feu brûlant ?

Une nuit de fantasmes - Leslie Kelly

Tous les jours, Sarah appelle Steve Wilshire pour lui transmettre les messages téléphoniques que ses clients ont laissés pour lui. Et toutes les nuits, elle rêve que sa voix chaude lui murmure des mots brûlants. Aussi, lorsqu'elle apprend qu'une femme que Steve n'a jamais vue en personne vient d'annuler son rendez-vous, elle décide de ne pas transmettre le message et de prendre sa place. Cette nuit, elle vivra tous ses fantasmes...

Un parfum de péché - Jacquie d'Alessandro

« Tu veux savoir qui jouait le rôle principal dans mes rêves classés X, Lacey ? Toi. » Lacey n'en revient pas. C'est bien Evan Sawyer, cet homme si conformiste et guindé qui vient de prononcer ces mots ? Elle pourrait en rire, si ses propres nuits n'étaient hantées par l'image torride de leurs corps nus, enlacés...

A paraître le 1er janvier

Best-Sellers n°593 • thriller

Indéfendable - Pamela Callow

Lorsqu'Elise Vanderzell bascule par-dessus la rambarde de son balcon par une belle nuit d'été, ses enfants se réveillent en plein cauchemar. Leur mère est morte. Et c'est leur père qu'on accuse du meurtre.

Kate Lange, jeune avocate, sort tout juste d'une période personnelle très noire dont elle garde de profondes cicatrices. Elle sait ce que c'est que de vivre un cauchemar, aussi accepte-t-elle de défendre Randall Barrett, son patron – mais également un être très cher –, soupçonné du meurtre de sa femme. Elle découvre alors un dossier complexe, car Randall est le suspect idéal. En apparence, tout l'accuse : son ex-femme l'a trompé, il a la réputation d'être un homme impulsif et violent, il s'est disputé avec la victime quelques heures avant sa mort… Confrontée à une famille hostile, meurtrie par le doute et les conflits, Kate sait qu'elle n'a rien à attendre non plus des légistes d'Halifax. Ceux-ci préfèrent à l'évidence voir Randall en prison, plutôt que de défendre l'indéfendable. Et elle est désormais la seule à pouvoir prouver l'innocence de Randall. Il y a urgence, car dans l'ombre, un personnage silencieux attend le moment propice pour porter le coup fatal.

Best-Sellers n°594 • suspense

Les secrets de Heron's Cove - Carla Neggers

Une collection de somptueux bijoux russes, mystérieusement disparue quatre ans plus tôt, serait sur le point de refaire surface à Heron's Cove ? Quand Emma Sharpe, agent du FBI spécialisé dans le trafic d'oeuvres d'art, apprend cette incroyable nouvelle, elle est aussitôt convaincue que cette affaire est liée à celle dont s'occupe Colin Donovan, son collègue au FBI, qui revient tout juste d'une périlleuse mission d'infiltration auprès de trafiquants russes… Certes, elle se serait bien passée de collaborer avec Colin, pour lequel elle éprouve des sentiments ambigus, très déstabilisants. Mais elle sait pourtant qu'elle n'a pas le choix : ce n'est qu'en joignant leurs forces qu'ils parviendront à déjouer les plans de ces dangereux criminels…

Best-Sellers n°595 • suspense

La demeure des ténèbres - Heather Graham

L'adolescent surgit de la forêt et s'arrêta au milieu de la route. Il était nu. Et couvert de sang…

Le jeune Malachi Smith a-t-il massacré les membres de sa famille à coups de hache ? Sam Hall, le célèbre avocat qui a choisi de le défendre, exclut cette hypothèse : jamais cet adolescent malingre et inoffensif n'aurait pu commettre un crime d'une telle violence. Tout comme il refuse de croire que Malachi ait été – comme tous le murmurent dans les ruelles de la vieille ville de Salem – possédé par le démon… Non, Sam en est persuadé : le véritable meurtrier court toujours, et il doit à tout prix le démasquer. Voilà pourquoi il a accepté l'aide que Jenna Duffy lui propose. Bien sûr, il ne croit pas un seul instant au don que cette rousse incendiaire prétend posséder – et qui lui permettrait de communiquer avec les morts. Mais Jenna est un agent reconnu du FBI. Et puis, comme lui, elle est prête à tout pour faire éclater la vérité…

Best-Sellers n°596 • thriller
Dans les griffes de la nuit - Leslie Tentler

Des cadavres de femmes aux ongles arrachés, marqués d'un chiffre gravé à même la peau… L'agent du FBI Eric Macfarlane en est convaincu : après avoir passé plusieurs années à se faire oublier, le Collectionneur – ce psychopathe qu'il n'est jamais parvenu à arrêter et qui, prenant un plaisir malsain à le provoquer, à le défier, a été jusqu'à assassiner sa femme – vient de sortir de sa tanière… Mais cette fois, une de ses victimes a réussi à lui échapper. Et bien qu'elle soit frappée d'amnésie suite aux mauvais traitements qu'elle a subis, Mia Hale est la seule à avoir vu le visage de son tortionnaire… Alors, qu'elle le veuille ou non, elle devra l'aider, pour qu'il puisse enfin mettre un terme aux agissements de ce tueur fou qui l'obsède jour et nuit depuis trois ans…

Best-Sellers n°597 • roman
L'enfant de Kevin Kowalski - Shannon Stacey

Après une folle nuit d'amour dans les bras du sublime Kevin Kowalski, Beth est contrainte de redescendre de son petit nuage. Même si elle totalement sous le charme, même si elle frissonne de désir dès que Kevin pose les yeux sur elle, que peut-elle attendre de ce don Juan impénitent, qui collectionne les conquêtes sans jamais penser à l'avenir ? Seulement voilà, trois semaines plus tard, Beth apprend que cette nuit qu'elle pensait sans lendemain va en réalité changer toute sa vie : elle est enceinte de Kevin.
Déjà très déstabilisée par cette nouvelle qui remet en cause tous les choix qu'elle a faits jusqu'à présent, Beth a la surprise de constater que Kevin semble plutôt bien accepter l'idée de devenir père. Et qu'il est même prêt à l'épouser et à vivre avec elle ! Loin de l'apaiser, l'attitude de son amant d'une nuit la perturbe encore un peu plus : comment pourrait-elle accepter ce qu'il lui offre uniquement pour le bien de leur enfant ?

Best-Sellers n°598 • historique
La comtesse amoureuse - Brenda Joyce

Cornouailles, 1795
Désespérée, la comtesse Evelyn d'Orsay doit se rendre à l'évidence : la mort de son mari la plonge dans le dénuement le plus total. Et dans ces conditions, qu'adviendra-t-il d'Aimée, sa petite fille adorée ? Le comte d'Orsay a bien laissé une fortune en France, avant de fuir les affres de la Terreur, mais comment la récupérer dans ce pays en proie à la guerre ? Evelyn n'a plus qu'un recours : faire appel aux services du célèbre contrebandier John Greystone, qui les a aidés à quitter la France quatre ans plus tôt. Pour l'amour de sa fille, la comtesse devra remettre leur sort entre ses mains. Mais n'est-ce pas folie de confier son destin à un homme que l'on dit espion, traître à sa nation ? Pire, de s'exposer à l'irrépressible désir que lui inspire ce hors-la-loi…